CHANTIER

STEPHEN KING

Titre	Collection	Numéro
Carrie	*J'ai lu*	835/3
Shining	*J'ai lu*	1197/5
Danse macabre	*J'ai lu*	1355/4
Cujo	*J'ai lu*	1590/4
Christine	*J'ai lu*	1866/4
L'année du loup-garou		
Salem		
Creepshow		
Peur bleue	*J'ai lu*	1999/3
Charlie	*J'ai lu*	2089/5
Simetierre	*J'ai lu*	2266/6
La peau sur les os	*J'ai lu*	2435/4
Différentes saisons	*J'ai lu*	2434/7
Brume – Paranoïa	*J'ai lu*	2578/4
Brume – La Faucheuse	*J'ai lu*	2579/4
Running man	*J'ai lu*	2694/4
Ça-1	*J'ai lu*	2892/6
Ça-2	*J'ai lu*	2893/6
Ça-3	*J'ai lu*	2894/6
Chantier	*J'ai lu*	2974/6
Misery	*J'ai lu*	3112/6
La tour sombre-1	*J'ai lu*	2950/3
La tour sombre-2	*J'ai lu*	3037/7
La tour sombre-3	*J'ai lu*	3243/7
Le Fléau-1	*J'ai lu*	3311/6
Le Fléau-2	*J'ai lu*	3312/6
Le Fléau-3	*J'ai lu*	3313/6
Les Tommyknockers-1	*J'ai lu*	3384/4
Les Tommyknockers-2	*J'ai lu*	3385/4
Les Tommyknockers-3	*J'ai lu*	3386/4
La part des ténèbres		
Minuit 2		
Minuit 4		

STEPHEN KING
(RICHARD BACHMAN)

CHANTIER

TRADUIT DE L'ANGLAIS
PAR FRANK STRASCHITZ

ÉDITIONS J'AI LU

A la mémoire de Charlotte Littlefield
Proverbes 31, 10-28

Titre original :

ROADWORK

PROLOGUE

Je sais pas pourquoi, je n'y comprends rien.
Et vous non plus. Probable que Dieu lui-même
N'y comprend rien. C'est des trucs officiels.
Le gouvernement, quoi.

— *Interview d'un homme de la rue au sujet de la guerre du Vietnam, vers 1967.*

Mais la guerre du Vietnam était finie, et la vie continuait.

Par un chaud après-midi d'août 1972, le camion de la chaîne de télé WHLM était garé, près de Westgate, devant le péage de l'autoroute 784. Une petite foule s'était assemblée autour d'un podium dressé à la hâte : de simples planches sur lesquelles on avait jeté une toile de tente. Derrière le podium, en haut d'un talus herbeux, se trouvaient les cabines de péage. Devant, des terres marécageuses s'étendaient jusqu'à la lisière de la ville.

En attendant que le maire et le gouverneur arrivent pour la cérémonie d'inauguration, un jeune journaliste nommé Dave Albert et ses collaborateurs effectuaient une série d'interviews pour connaître l'opinion de l' « homme de la rue ».

Il tendit son micro à un vieil homme portant des lunettes à verres teintés.

« Je pense, dit l'homme en fixant craintivement la caméra, je pense que c'est formidable pour notre ville. Ça fait des années qu'on en avait besoin. C'est... C'est formidable pour la ville. » Il avala sa salive, se rendant compte que son esprit tournait en rond mais incapable de s'arrêter, hypnotisé par l'implacable œil de Cyclope de la postérité. « Formidable, conclut-il sans conviction.

— Merci, Monsieur. Merci beaucoup.

— Vous allez vous en servir ? Ça passera au journal du soir ? »

Albert lui lança un sourire professionnel, vide de signification. « Impossible à dire d'avance, Monsieur. Mais il y a de bonnes chances. »

L'homme de la sono pointa l'index en direction du péage, où la Chrysler Imperial du gouverneur venait d'apparaître, resplendissant de tous ses chromes au soleil estival. Albert lui fit signe qu'il avait compris, et, accompagné de son cameraman, s'approcha d'un type portant une chemise blanche aux manches retroussées, qui regardait le podium d'un air sombre.

« Cela vous ennuierait de nous dire ce que vous pensez de tout cela, M... ?

— Dawes. Non, non, cela ne m'ennuie pas du tout. » Il avait une voix agréable, et parlait sans hausser le ton.

« Moteur », murmura le cameraman.

Sur un ton toujours aussi affable, l'homme à la chemise blanche dit : « Je pense que c'est une belle merde. »

Le cameraman grimaça. Albert hocha la tête, puis regarda l'homme à la chemise blanche d'un air de reproche, tout en faisant le geste de couper avec l'index et le médium de sa main droite.

Le vieux monsieur regardait la scène avec une expression horrifiée. En haut du talus, près du péage, le gouverneur descendait de son Imperial. Sa cravate verte resplendissait elle aussi au soleil.

« Cela passera au journal de six ou de sept

heures ? s'enquit poliment l'homme à la chemise blanche.

— Ben, mon vieux, on peut dire que vous êtes un drôle de numéro », lui dit Albert avec aigreur, avant de s'éloigner en direction du podium, suivi du cameraman. L'homme à la chemise blanche regardait le gouverneur, qui descendait prudemment le talus herbeux.

Dix-sept mois plus tard, Albert revit l'homme à la chemise blanche, mais comme aucun d'eux ne se souvenait qu'ils s'étaient déjà rencontrés, ç'aurait tout aussi bien pu être la première fois.

1

Novembre

La nuit dernière, la pluie frappait à ma fenêtre
J'ai traversé la chambre sans lumière
Et dans la rue en bas, j'ai vu
L'esprit du temps
Nous disant
Que nous sommes tous à la frontière.

Al Stewart

20 novembre 1973

Il ne cessait de faire des choses en s'interdisant d'y penser. C'était plus sûr. Comme s'il avait un coupe-circuit dans la tête qui se déclenchait chaque fois qu'une partie de lui-même essayait de demander : *Mais pourquoi fais-tu cela ?* Et dans une partie de son esprit, c'était le noir. Eh, Georgie, qui est-ce qui a tout éteint ? C'est moi, pardi ! Sans doute un truc bizarre dans les circuits ; un instant, je remets le commutateur. La lumière revient ; mais la pensée a disparu. Tout va bien. Reprenons. Alors, Freddy, où en étions-nous ?

Il se dirigeait vers l'arrêt du bus lorsqu'il vit la pancarte :

HARVEY'S GUN SHOP ARMES ET MUNITIONS
Remington Winchester Colt Smith & Wesson
BIENVENUE À NOS AMIS CHASSEURS

Quelques flocons tombaient d'un ciel uniformément gris. C'était la première neige de l'année. Elle saupoudrait les trottoirs d'une fine poussière blanche, qui fondait aussitôt. Il vit passer un petit garçon coiffé d'un bonnet rouge en tricot, qui avançait en tirant la langue, dans l'espoir d'attraper un flocon. Si tu en attrapes un, il fondra tout de suite, pensa Freddy à l'intention du gamin, mais celui-ci continua son chemin, la bouche ouverte levée vers le ciel.

Il s'arrêta, hésitant, devant l'armurier. Près de la porte, un râtelier contenait les journaux du soir. Il lut un titre :

CESSEZ-LE-FEU FRAGILE MAIS RESPECTÉ

Au-dessous, un carton crasseux disait :

VOUS ÊTES PRIÉ DE PAYER VOTRE JOURNAL !
NOUS FAISONS APPEL À VOTRE SENS DE L'HONNEUR.

A l'intérieur, il faisait chaud. Le magasin était profond mais pas très large. Sur la gauche, un cabinet vitré contenait des boîtes de munitions. Il reconnut aussitôt les cartouches de 22 : quand il était petit, dans le Connecticut, il avait un 22 long rifle à un seul coup. Il y avait trois ans qu'il le désirait, mais, quand on le lui offrit enfin, il ne sut trop qu'en faire. Il s'amusa quelque temps à tirer sur des boîtes de conserve vides, puis, un jour, abattit un rollier. L'oiseau n'avait pas été tué sur le coup. Accroupi dans la neige rosie par son sang, il ouvrait et fermait lentement le bec. Après cela, il accrocha son fusil au mur, et n'y toucha plus pendant trois ans. Il finit par le vendre à un gosse du quartier, pour neuf dollars plus un carton de bandes dessinées.

Les autres munitions lui étaient moins familières. Des trente-trente, des trois-zéro-six, et d'autres qui ressemblaient à des obus de mortiers miniatures. A quoi cela peut-il bien servir, se demanda-t-il. A tuer des tigres ? Des dinosaures ? Cela le fascinait pourtant, comme jadis les bonbons de toutes les couleurs dans la vitrine du confiseur.

Le propriétaire, à moins que ce ne fût un employé, parlait avec un gros homme en pantalon et chemise de treillis vert. La chemise avait des poches à rabats. Ils parlaient d'un pistolet qui était posé devant eux sur un comptoir. Il était démonté. Du pouce, le gros homme ouvrit la culasse et ils examinèrent la chambre bien huilée. Le gros fit une remarque, et l'employé (ou propriétaire) éclata de rire :

« Les automatiques s'enrayent toujours ? Où avez-vous pris ça, Mac ? C'est votre papa qui vous l'a raconté ?

— Causez toujours, Harry. Vos boniments, je les connais par cœur. »

Tes boniments, on les connaît, Fred, pensa-t-il. On les connaît par cœur. Tu le sais, Fred ?

Fred reconnut qu'il le savait.

A sa droite, sur toute la longueur du magasin, des fusils étaient accrochés au mur. Il put identifier les fusils de chasse à canons jumeaux, mais tout le reste lui était inconnu. Il existait pourtant des gens — comme les deux hommes qui discutaient au fond du magasin — pour qui cet univers n'avait pas de secrets. C'était facile : il suffisait d'apprendre, exactement comme il avait appris la comptabilité au *college*.

Il s'avança vers l'intérieur du magasin et regarda une vitrine pleine de pistolets. Il vit quelques pistolets à air comprimé, deux ou trois calibres 22, un .38 à crosse en bois, des .45 et un autre qu'il reconnut, parce que le flic l'utilisait dans le film qu'il avait vu l'autre soir : un Magnum .44. Il avait entendu Ron Stone et Vinnie Mason parler de ce film à la blanchisserie ; Vinnie avait dit que les flics ne seraient jamais autorisés à porter une telle arme dans la ville : avec ça, on peut tuer un homme à un kilomètre, avait-il précisé.

Le gros homme nommé Mac et le propriétaire (ou employé) nommé Harry avaient remonté le pistolet.

« Téléphonez-moi dès que vous aurez reçu le Menschler, dit Mac.

— Je n'y manquerai pas... mais votre méfiance à l'égard des automatiques est irrationnelle, répondit Harry. (Harry était sûrement le propriétaire : un employé ne parlerait pas ainsi à un client, conclut-il.) Il vous faut vraiment le Cobra pour la semaine prochaine ?

— Cela me serait agréable, dit Mac.

— Je ne promets rien.

— Vous ne promettez jamais rien... mais vous êtes le meilleur armurier de toute cette foutue ville, et vous le savez.

— Je le sais. »

Mac tapota le pistolet posé sur le comptoir et se dirigea vers la sortie ; ce faisant, il le bouscula — *Attention, Mac ! Souris quand tu fais un truc comme ça !* Mac portait un journal plié sous le bras ; au passage il put lire :

CESSEZ-LE-FEU FRA

Hochant toujours la tête en souriant, Harry s'approcha de lui :

« Vous désirez un renseignement ?

— Oui. Mais je vous préviens, je ne connais rien aux armes. »

Harry haussa les épaules : « Aucune loi ne vous y oblige ! C'est pour quelqu'un d'autre ? Un cadeau de Noël ?

— C'est exactement ça, dit-il, saisissant la perche que l'autre lui tendait. C'est pour un cousin. Nick, il s'appelle. Nick Adams. Il habite le Michigan, et il a plein de fusils. La chasse, c'est sa passion. Mais surtout, il adore les armes. Les armes, c'est son...

— Hobby ? suggéra Harry, souriant.

— C'est ça, son hobby. » Il avait été sur le point de dire *fétiche.* Son regard se dirigea vers la caisse, où un autocollant proclamait :

SI LES ARMES SONT MISES HORS LA LOI
SEULS LES HORS-LA-LOI SERONT ARMÉS

Il sourit à Harry : « C'est bien vrai, ça.

— Absolument, dit Harry. Votre cousin, disiez-vous...

— Eh bien, c'est en quelque sorte une revanche, pour ne pas être en reste, vous voyez... Il sait que j'adore faire du bateau, et l'année dernière, pour Noël, il m'a offert un moteur Evinrude, un soixante chevaux. Il l'avait envoyé par les messageries REA. Moi, je lui avais offert une vulgaire veste de chasse... Vous pouvez imaginer comme je me sentais bien dans ma peau. »

Harry hocha la tête avec commisération.

« Figurez-vous qu'il y a un mois et demi à peu près, j'ai reçu une lettre de lui. Il avait l'air heureux comme un gosse qui a reçu une liasse de billets gratuits pour le cirque. Avec six copains, il se paie un voyage au Mexique, dans une sorte de zone où on peut tirer tant qu'on veut...

— Une réserve de chasse libre ?

— C'est ça, dit-il avec un petit rire. On tire tout ce qu'on veut, sans limite. Et il y a tout ce qu'on peut imaginer, vous savez. Des cerfs, des antilopes, des ours, des bisons... Tout.

— Ça ne serait pas Boca Rio, par hasard ?

— Je ne me souviens vraiment pas. Mais je crois que c'est un nom plus long que ça. »

Le regard de Harry s'était fait rêveur : « Le gars qui vient de partir, moi-même et deux autres, nous étions allés à Boca Rio en 1965. J'avais tiré un zèbre. Un foutu zèbre ! Je l'ai fait naturaliser et je l'ai ramené à la maison. Ç'a été le meilleur moment de ma vie. Et je dis bien, le meilleur. J'envie votre cousin, vous savez.

— En tout cas, reprit-il, j'en ai parlé à ma femme, et elle est d'accord. Elle m'a dit que je pouvais y aller. A la blanchisserie, on a fait une très bonne année. Je travaille à la blanchisserie Ruban Bleu, dans le quartier ouest.

— Oui, oui, je vois où c'est. »

Il aurait pu continuer à parler comme ça à Harry pendant toute la journée, jusqu'à la fin de l'année, même, entre-tissant mensonges et vérités en une scintillante tapisserie. Peu importait le reste du monde ! Au diable la pénurie de pétrole et le prix de la viande, au diable le fragile cessez-le-feu. Parlons plutôt de cousins qui n'ont jamais existé, pas vrai, Fred ? En plein dans le mille, Georgie.

« On a eu plein de nouveaux clients, cette année : l'hôpital central et la clinique psychiatrique, sans compter trois nouveaux motels.

— Le Quality Motor Court de Franklin Avenue en fait partie ?

— C'est en effet un de nos clients.

— J'y suis descendu à deux ou trois reprises, dit

Harry. Les draps étaient toujours impeccables. C'est drôle, mais quand on va à l'hôtel, on ne pense jamais à ceux qui lavent le linge !

— En tout cas, l'année a été bonne. Et je me suis dit que je pourrais peut-être offrir à Nick un fusil *et* un pistolet. Je sais qu'il a toujours désiré avoir un Magnum .44. Je me souviens qu'il en a parlé une... »

Harry sortit le Magnum et le posa avec précaution sur le dessus de la vitrine. Il le prit et le soupesa. Son poids, et l'impression générale qui s'en dégageait lui plaisaient. On sentait que c'était une arme sérieuse, une arme de professionnel. Il la remit sur la vitrine.

« Voyez-vous, la chambre de... », commença Harry.

Il leva la main et l'interrompit en riant : « Ne vous donnez pas la peine. Je suis convaincu, comme seul un ignorant peut l'être. Combien de cartouches me conseillez-vous d'acheter ?

— Oh, fit Harry en haussant les épaules, mettez-lui-en dix boîtes, cela devrait suffire. Il pourra toujours en racheter. Le prix catalogue est de deux cent quatre-vingt-neuf dollars, plus les taxes, mais je vous le laisse à deux cent quatre-vingts, munitions comprises. Ça vous va ?

— C'est super ! » s'exclama-t-il avec conviction. Il estima utile d'ajouter : « C'est une arme magnifique.

— S'il va à Boca Rio, il en fera bon usage.

— En ce qui concerne le fusil...

— Qu'a-t-il déjà ? »

Il leva les bras en soupirant : « Je suis désolé, mais je n'en sais vraiment rien. Deux ou trois fusils de chasse, et aussi un truc à chargement automatique...

— Un Remington ? » demanda Harry aussitôt — si vite qu'il prit peur, comme s'il avait jusqu'alors marché dans d'épaisses broussailles et se trouvait soudain en terrain libre.

« Je crois que c'est ça, mais je peux me tromper.

— Remington, c'est ce qui se fait de mieux, continua Harry en approuvant du chef, le mettant de nouveau à l'aise. Combien voulez-vous mettre ?

— Je vais être franc avec vous. Le moteur a dû lui coûter dans les quatre cents dollars. Je voudrais lui faire un cadeau d'au moins cinq cents. Six cents au maximum.

— Vous êtes drôlement copain avec votre cousin, dites donc ?

— Nous avons été élevés ensemble, Nick et moi, répondit-il avec sincérité. Je lui donnerais mon bras droit s'il me le demandait.

— Attendez, je vais vous montrer quelque chose. »

Harry prit un trousseau de clefs, et en choisit une tout en se dirigeant vers un haut placard vitré. Il l'ouvrit, monta sur un tabouret, et décrocha un fusil au long canon et à la crosse ornementée, qui paraissait fort lourd.

« Cela dépasse peut-être un peu le prix que vous vouliez mettre, mais c'est une arme magnifique, dit-il en le lui tendant.

— Qu'est-ce que c'est ?

— Un Weatherbee quatre-soixante. Il utilise des munitions d'un calibre que je n'ai même pas en stock. Si vous êtes intéressé, il faudra que j'en fasse venir de Chicago. Cela prendra environ une semaine. Il est parfaitement équilibré. Deux mille kilos d'énergie à la bouche... c'est comme si vous percutiez la cible avec une limousine d'aéroport. Si vous touchez un daim à la tête avec ça, il faudra vous contenter de la queue comme trophée !

— Hum... fit-il dubitativement, bien que sa décision fût déjà prise. Nick aime les trophées. Ça fait partie...

— Bien sûr », approuva Harry tout en lui reprenant le Weatherbee. Il ouvrit la culasse. L'orifice paraissait assez grand pour y mettre un pigeon voyageur. « Quand on va chasser à Boca Rio, ce n'est pas pour la viande. Votre cousin tire donc dans les tripes. Avec une arme comme celle-ci, inutile de suivre l'animal blessé pendant des kilomètres de savane, ce qui lui évite bien des souffrances, sans compter que vous ratez votre dîner. Avec ça, ses entrailles seront éparpillées sur un rayon de dix mètres.

— Il coûte combien ?

— Je vais vous expliquer. Ici, il est invendable. Qui va acheter cette espèce de fusil anti-char dans une région où on ne chasse rien de plus gros que le faisan ? Et si on voulait le manger, il aurait un goût de gaz d'échappement ! Normalement il vaut neuf cent cinquante dollars. Le prix de gros est de six cent trente. Je vous le laisse à sept cents.

— Ça me ferait donc... pas loin de mille dollars en tout.

— Nous accordons une remise de dix pour cent sur les achats dépassant trois cents dollars. Cela ne fait donc que neuf cents. En tout cas, ajouta Harry en haussant les sourcils de façon comique, je vous garantis que ce fusil-là, votre cousin ne l'a pas déjà. Dans le cas contraire, je vous le rachète sept cent cinquante. Je suis tellement sûr de mon fait que je m'y engagerais par écrit.

— Sans blague ?

— Ab-so-lu-ment ! Bien sûr, si c'est trop cher pour vous, n'en parlons plus. Je peux vous montrer autre chose. Mais s'il est vraiment aussi mordu que vous le dites, avec ça, vous êtes sûr de ne pas vous tromper.

— Je vois, dit-il en prenant un air songeur. Je peux téléphoner ?

— Certainement. C'est tout au fond. Vous voulez en parler à votre femme ?

— Je crois qu'il vaudrait mieux.

— Bien sûr. Par ici, s'il vous plaît. »

Harry le conduisit dans une sorte d'arrière-boutique encombrée d'un tas d'objets. Il y avait un établi et une vieille table en bois massif où voisinaient pêle-mêle des ressorts, des pièces diverses, des burettes, des prospectus et des flacons contenant des plombs. Il s'assit, décrocha le combiné et composa un numéro, tandis que Harry regagnait le magasin pour emballer le Magnum.

« Merci de votre appel, dit gaiement une voix enregistrée. Ici, le service météo WDST. Cet après-midi, quelques giboulées de neige éparses, suivies en fin de soirée de précipitations plus abondantes...

— Mary, c'est toi ?... Ecoute, je suis chez l'armurier Harvey's. Oui, pour Nicky. J'ai trouvé le pistolet dont nous parlions, pas de problème. Il y en avait un dans l'étalage, je l'ai tout de suite repéré. Ensuite, le gars m'a montré un fusil...

— ... demain après-midi, de belles éclaircies sont prévues. Températures minima cette nuit, zéro à moins deux degrés ; maxima de la journée de demain, six à huit degrés. Au cours de la nuit, les chances de précipitations...

— Alors, que me conseilles-tu de faire ? » Harry était revenu ; il pouvait voir son ombre dans l'embrasure de la porte.

« Oui, dit-il, je sais...

— Merci d'avoir appelé le service météo WDST. Tous les soirs à dix-huit heures, sur News-plus-Sixty, le bulletin météo complet de Bob Reynolds...

— Tu parles. Je sais bien que ça fait cher...

— ... merci de votre appel. Ici, le service météo WDST. Cet après-midi, quelques giboulées...

— Tu es certaine, chérie ?

— ... au cours de la nuit, les chances de précipitations seront de huit pour cent. Pour la journée de demain...

— Eh bien, d'accord. » Il se tourna vers Harry en souriant et leva deux doigts en signe de victoire. « Le type s'y connaît vraiment. Il s'engage même à le reprendre si Nick en a déjà un.

— ... éclaircies sont prévues. Températures minima...

— Allez, je t'embrasse. A tout à l'heure, Mary. » Il raccrocha. Aux petits oignons, Freddy, ça marche ! Et comment, George. Et comment !

Il se leva : « Elle m'a dit de le prendre si j'y tenais vraiment. J'y tiens.

— Et s'il vous offre une Thunderbird, dit Harry en souriant, que ferez-vous ?

— Je la renverrai à l'expéditeur sans l'ouvrir ! »

Tandis qu'ils regagnaient le magasin, Harry lui demanda : « Chèque ou liquide ?

— Je préférerais payer avec ma carte American Express.

— Pas de problème, ça vaut de l'or. »

Il sortit sa carte. Sur la bande prévue à cet effet, un nom était imprimé :

BARTON GEORGE DAWES

« Vous êtes sûr que vous aurez les cartouches à temps pour que j'envoie le tout à Fred avant les fêtes ? »

Harry leva le nez de la fiche de débit. « Fred ? »

Il répondit avec un large sourire : « Nick, c'est Fred, et Fred, c'est Nick. Nicholas Frederic Adams. Un vieux sujet de plaisanterie entre nous.

— Ah bon », fit Harry, souriant de l'air poli d'un homme qui ne veut pas se mêler d'une affaire personnelle.

« Une petite signature, s'il vous plaît. »

Il signa.

Harry sortit de dessous le comptoir un lourd registre dont les feuillets étaient reliés par une chaînette d'acier. « Et là, vos noms, adresse et signature. C'est pour la police. »

Sa main se crispa involontairement autour du stylo. « Toutes ces formalités me rendent dingue. Dire que c'est la première fois de ma vie que j'achète une arme... » Sur le registre, il écrivit :

Barton George Dawes, 1241 Crestallen Street West

« Ils fourrent vraiment leur nez dans tout, ajouta-t-il lorsqu'il eut terminé.

— Si on les laissait faire, ça serait encore pire, fit observer Harry.

— Je sais. Vous savez ce que j'ai entendu aux infos, l'autre jour ? Ils veulent faire voter une loi qui obligera les gens à moto à porter un protège-bouche ! Vous imaginez ça ? Ça regarde la police, qu'un type casse son dentier, je vous le demande ?

— A mon avis personnel, cela ne la regarde évidemment pas, répondit Harry en remettant le registre à sa place.

— Ou bien prenez le nouveau bout d'autoroute qu'ils vont construire sur Western. Un morveux de géomètre décrète qu'elle passera par tel endroit, et les autorités envoient des lettres à un tas de gens pour leur dire : " Désolés, mais l'extension de la 784 passera par là. Vous avez un an pour déménager. "

— Ça ne devrait pas exister, des choses comme ça.

— Je ne vous le fais pas dire. Expropriation pour cause d'utilité publique, qu'est-ce que ça veut dire pour un brave type qui vit depuis vingt ans dans sa maison ? C'est là qu'il a fait l'amour avec sa femme, là qu'il a élevé ses gosses... Tout ce qu'il comprend, c'est que la loi a trouvé moyen de le baiser, et qu'il ne peut rien y faire... »

Doucement, doucement... Le coupe-circuit avait été un peu lent à se déclencher, cette fois, et tout n'avait pas été étouffé.

« Ça va ? lui demanda Harry.

— Ce n'est rien. A midi, j'ai mangé un de ces énormes sandwiches-club, vous savez. Je sais pourtant qu'ils ne me réussissent pas. Ça me ballonne l'estomac, c'en est effrayant !

— Tenez, essayez ça », lui dit Harry en sortant une boîte de pilules de sa poche.

Sur la boîte, il y avait marqué :

ROLAIDS

« Merci. » Il en prit une et la mit dans sa bouche en prenant un air satisfait. Je dois ressembler à une pub télévisée, se dit-il. Absorbe quarante-sept fois son poids de suc gastrique !

« Je les trouve très efficaces, fit observer Harry.

— Et les cartouches...

— Une semaine. Deux au grand maximum. Je vous en commande soixante-dix.

— A propos, vous pourriez me garder ces armes ici ? Mettez-les de côté avec mon nom dessus. Je ne tiens vraiment pas à les avoir à la maison. C'est sans doute stupide, mais...

— Les goûts et les couleurs, dit Harry placidement, ça ne se discute pas.

— Parfait. Je vais vous donner le numéro du bureau. Quand les balles arriveront...

— Cartouches, le corrigea Harry. Cartouches, ou munitions.

— Cartouches, répéta-t-il, souriant. Appelez-moi dès qu'elles arriveront. Je passerai prendre le tout et je m'occuperai de l'expédition. Les messageries REA acceptent de transporter des armes, je suppose ?

— Bien sûr. Votre cousin devra signer une décharge, voilà tout. »

Il inscrivit son nom et le numéro de son bureau sur une carte commerciale du magasin, où l'on pouvait lire :

Harold Swinnerton 849-6330

HARVEY'S GUN SHOP

Armes et munitions Armes de collection

« Puisque vous êtes Harold, dit-il, qui est Harvey ?

— C'était mon frère. Il est mort il y a huit ans.

— Je suis désolé.

— Nous l'étions tous. Un matin, il est venu ouvrir le magasin ; au moment où il allait se mettre à ses comptes, il est tombé raide mort. Crise cardiaque.

Un homme merveilleux, comme on n'en fait plus. Capable de tirer un cerf à deux cents mètres. »

Il s'approcha du comptoir et lui serra la main.

« Je vous passe un coup de fil, promit Harry.

— Merci, et à bientôt. »

Il se retrouva dans la rue et passa de nouveau devant les titres CESSEZ-LE-FEU FRAGILE MAIS RESPECTÉ ; la neige tombait un peu plus dru que tout à l'heure, et il avait laissé ses gants à la maison.

Que faisais-tu dans ce magasin, George ?

Bang, le coupe-circuit.

Lorsqu'il arriva à l'arrêt du bus, ce n'était plus qu'un vague souvenir, un truc qu'il aurait pu lire quelque part. Rien de plus.

Crestallen Street West était une longue rue en pente d'où l'on avait une vue magnifique sur le parc et surtout sur le fleuve, jusqu'au jour où le progrès était intervenu sous la forme d'un immeuble de douze étages construit deux ans auparavant sur Westfield Avenue.

Le numéro 1241 était une petite maison de style ranch, à un étage, avec un garage pour une voiture sur le côté, et, sur le devant, une étroite et longue pelouse rabougrie qui attendait la neige — la vraie. Une allée asphaltée, refaite à neuf au printemps dernier, menait au garage.

En entrant, il entendit la télé, la nouvelle Zenith à coffret en palissandre qu'ils avaient achetée cet été. Il avait également installé sur le toit une antenne orientable à moteur. Au début, elle n'en voulait pas, à cause de ce qui allait arriver, mais il avait insisté. Après tout, s'il la montait lui-même, il pourrait tout aussi facilement la démonter quand ils partiraient. Ne sois pas stupide, Bart. C'est une dépense inutile, et ça te fera du travail supplémentaire... Mais il avait tenu bon, et elle avait fini par accepter « pour lui faire plaisir ». Elle disait toujours cela aux rares occasions où il tenait suffisamment à quelque chose pour venir à bout de ses arguments à elle, des arguments collants, dont il n'était pas facile de se dépêtrer. D'accord, Bart. Pour cette fois, je veux bien te « faire plaisir ».

Elle était en train de regarder Merv Griffin qui recevait une célébrité. La célébrité était Lorne Green, qui parlait de son nouveau feuilleton policier, *Griff*. Merv disait à Lorne combien il aimait ce feuilleton. Dans un moment, une chanteuse noire dont personne n'avait jamais entendu parler allait venir chanter une chanson. Peut-être *I Left my Heart in San Francisco...*

« Bonsoir Mary, dit-il en élevant la voix.

— Bonsoir, Bart. »

Il y avait du courrier sur la table. Il y jeta un coup d'œil. Pour Mary, une lettre de sa sœur de Baltimore, celle qui était un peu toquée. Le relevé de sa carte de crédit Gulf : trente-huit dollars. Et un relevé de sa banque : 49 débits, 9 crédits, avoir : 954,47 $. Heureusement qu'il avait payé Harvey's avec sa carte American Express.

« Le café est encore chaud, lui dit Mary. A moins que tu ne préfères prendre un verre ?

— Oui, je boirais bien quelque chose. Je vais me servir. »

Il y avait trois autres lettres : un rappel de la bibliothèque, concernant *Face aux lions*, de Tom Wicker. Le mois dernier, Wicker était venu parler au Rotary : le meilleur orateur qu'ils aient eu depuis des années.

Un mot personnel de Stephan Ordner, un des gros

bonnets d'Amroco, la société qui avait racheté presque toutes les actions de Ruban Bleu. Ordner lui demandait de passer pour parler de la transaction Waterford. Vendredi, peut-être — à moins qu'il n'ait prévu de partir pour les fêtes du Thanksgiving ? Dans ce cas, appelez-moi. Sinon, amenez Mary. Carla est toujours ravie de la voir et bla-bla-bla et je te mets de la pommade, etc. *et al.*

Et encore une lettre des Ponts et Chaussées.

Il la regarda longuement à la lumière grise de cette fin de journée, puis posa toutes les lettres sur le buffet. Il alla se préparer un scotch on the rocks et regagna le living.

Merv bavardait toujours avec Lorne. Les couleurs de la nouvelle Zenith étaient vraiment excellentes : plus vraies que nature, d'un autre monde. Les cheveux de Lorne étaient argentés, d'une couleur argent totalement irréelle. *Attends que je t'arrache cette perruque !* Il eut un petit ricanement hystérique, sans pouvoir s'expliquer pourquoi l'idée de Lorne Green devenu chauve lui paraissait tellement hilarante. Peut-être était-ce le contrecoup de l'épisode de l'armurier.

Mary leva vers lui un visage souriant : « Quelque chose de drôle, chéri ?

— Rien, juste une pensée bête. »

Il s'assit à côté d'elle et lui donna un bécot sur la joue. Mary était grande. Elle avait trente-huit ans, maintenant, l'âge critique où la beauté de la jeunesse hésite au seuil de l'âge mûr. Elle avait une peau parfaite, et des seins petits, qui ne risquaient guère de devenir tombants. Elle mangeait beaucoup, mais restait mince grâce à un métabolisme à toute épreuve. Même dans dix ans, elle pourrait sans crainte se mettre en maillot de bain sur une plage publique, quoi que les dieux décident de faire du reste de son organisme. Cette pensée lui fit prendre conscience de son début de bedaine. Enfin, Freddy, tous les cadres ont une bedaine. C'est un symbole de réussite. C'est ma foi vrai, George. Surveille ton cœur et ne fume pas trop de ces trucs qui donnent le cancer, et tu deviendras octogénaire.

« Ça c'est bien passé, aujourd'hui ?

— Très bien.

— Tu es allé voir l'usine de Waterford ?

— Pas aujourd'hui, non. »

Il n'était pas retourné à Waterford depuis octobre. Ordner le savait — un petit oiseau avait dû le lui dire —, ce qui expliquait sa lettre. Le site de la future blanchisserie était une fabrique de textiles désaffectée. Ce petit malin d'agent immobilier ne cessait de l'appeler. Il faut conclure cette affaire, ne cessait de lui répéter ce petit malin. Vous n'êtes pas les seuls qui soient intéressés, vous savez. Je fais tout mon possible, répondait-il au petit malin d'agent immobilier. Munissez-vous de patience.

« Et la maison de Crescent ? lui demanda-t-elle. Tu sais, le pavillon en brique.

— Inabordable, répondit-il. Ils en demandent quarante-huit mille dollars.

— Pour ça ? C'est du vol pur et simple !

— Absolument. » Il but une gorgée de whisky. « Que dit la brave Bea dans sa lettre ?

— Toujours la même chose, tu sais. Elle fait maintenant de l'hydrothérapie de groupe pour l'élévation de la conscience. Tout un programme, non ? Bart...

— Tout un programme, en effet.

— Bart, il faut prendre une décision. Le 20 janvier n'est pas loin, et nous allons nous retrouver à la rue.

— Je fais tout mon possible, protesta-t-il. Sois patiente.

— Et la petite maison de style colonial d'Union Street... ?

— Vendue, rétorqua-t-il en vidant son verre.

— C'est exactement ce que je veux dire, reprit-elle, exaspérée. Elle aurait été parfaite pour nous. Et avec ce que la ville va nous verser, nous aurions pu l'acheter.

— Elle ne me plaisait pas.

— Rien ne te plaît, ces temps-ci », dit-elle avec une amertume inattendue. « Elle ne lui plaisait pas », dit-elle à la télé, où la chanteuse noire chantait *Alfie.*

« Je t'assure, Mary, je fais tout mon possible. »

Elle tourna vers lui un regard empreint de gravité. « Je sais combien tu tiens à cette maison, Bart. Je sais ce que tu ressens...

— Non, tu ne le sais pas, répondit-il. Tu n'en as aucune idée. »

21 novembre 1973

Une fine couche de neige avait recouvert le monde pendant la nuit ; lorsque les portes du bus s'ouvrirent et qu'il descendit sur le trottoir, il put voir sur le sol les traces de ceux qui l'avaient précédé. En quelques pas, il arriva au croisement, et s'engagea dans Fir Street, tandis que derrière lui le bus s'éloignait avec son ronronnement de tigre. Peu après, il vit arriver Johnny Walker dans sa camionnette bleu et blanc, partant pour sa seconde tournée de la matinée ; au passage, Johnny le salua de la main, et il répondit à son salut. Il était un peu plus de huit heures.

A la blanchisserie, le travail commençait à sept heures, lorsque Ron Stone, le contremaître, et Dave Radner, responsable de la laverie, arrivaient et faisaient monter la pression de la chaudière. Les repasseuses de chemises pointaient à sept heures et demie, et les filles du repassage automatique, à huit heures. Il détestait le sous-sol, lieu du labeur et de la sueur, lieu de l'exploitation, mais pour Dieu sait quelle raison perverse, les hommes et les femmes qui y travaillaient l'aimaient bien. Ils l'appelaient par son prénom. Et, à de rares exceptions près, il les aimait bien lui aussi.

Il entra par la rampe de chargement et se fraya un chemin entre les paniers de draps lavés de la veille, prêts pour le repassage. Chaque panier était couvert d'un film de plastique pour protéger le contenu de la poussière. Dans la salle du bas, Ron Stone resserrait la courroie de transmission de la vieille Milnor, tandis que Dave et son assistant, un étudiant raté du nom de Steve Pollack, chargeaient des draps de motels dans les machines à laver industrielles Washex.

« Ah ! Bart ! » le salua Ron Stone en beuglant. Ron n'ouvrait la bouche que pour hurler — après trente années à essayer de se faire comprendre dans le vacarme des machines à laver, des essoreuses, sécheuses et machines à repasser, il ne pouvait plus parler sans hurler, cela faisait partie de lui. « Cette saleté de Milnor ne cesse de s'enrayer. Surtout pour le programme " blanc ". Dave est obligé de le faire en manuel... Et l'essoreuse s'arrête tout le temps.

— Nous avons la commande Kilgallon, dit-il pour l'apaiser. Encore deux mois de patience...

— Pour Waterford ?

— Bien sûr, dit-il, pris d'un léger vertige.

— Dans deux mois, dit Stone sans sourire, je serai bon pour l'asile. Quant au déménagement, ça va être la galère... pire qu'à l'armée polonaise. »

Il hocha la tête, puis changea de sujet : « Qu'est-ce que vous passez en premier ?

— Le Holiday Inn.

— Rajoutez cent livres de serviettes dans chaque chargement. Ils sont toujours à court de serviettes.

— De toute façon, ils gueulent tout le temps. Ça ne va jamais assez vite à leur goût.

— Combien ont-il envoyé ?

— Ils ont marqué six cents livres. Ils ont eu des

congressistes pendant le week-end. Une secte quelconque. Jamais vu des draps pareils. Certains tiennent debout tout seuls. »

Il désigna de la tête le petit nouveau, Pollack : « Comment se débrouille-t-il ? » Les employés de la laverie duraient rarement longtemps. Dave les faisait bosser dur, et les aboiements de Ron leur faisaient peur, puis leur cassaient les pieds.

« Jusqu'à présent, ça va, dit Stone. Tu te souviens du précédent ? »

Il s'en souvenait. Le gosse n'avait tenu le coup que trois heures.

« Oh oui ! Comment s'appelait-il, encore... ? »

Ron plissa le front. « Je m'en souviens plus. Baker ? Barker ? Quelque chose comme ça. Figure-toi que je l'ai revu au supermarché vendredi dernier. Il distribuait des tracts demandant de boycotter les laitues, ou un truc de ce genre. C'est quand même un monde, non ? Un type incapable de garder un boulot, qui essaie de convaincre les gens que c'est mieux en Russie qu'en Amérique. Ça me rend malade...

— Et ensuite, vous passez le Howard Johnson ? »

Stone prit un air offensé. « On commence toujours par là.

— Ça sera prêt pour neuf heures ?

— Tu peux compter dessus ! »

Il échangea un salut avec Dave, puis monta à l'étage, passant par le nettoyage à sec puis par la comptabilité avant de gagner son bureau. Il s'installa dans son fauteuil pivotant et prit le courrier dans la corbeille. Devant lui était fixée une plaque portant l'inscription :

PENSEZ !
Ce sera peut-être une expérience nouvelle !

Ça ne lui plaisait pas tellement, mais il gardait la plaque parce que c'était un cadeau de Mary. Quand la lui avait-elle offerte, au juste ? Il y avait cinq ans ? Il soupira. Les représentants la trouvaient drôle. Ça les faisait rire comme des tordus. Mais n'importe quoi fait rire les représentants. Montrez-leur une photo de gosses crevant de faim, ou d'Hitler copulant avec la Vierge Marie, et ils se mettront à rigoler.

Vinnie Mason, le petit oiseau qui avait certainement soufflé quelque chose à l'oreille de Steve Ordner, avait sur son bureau une plaque disant :

PEMSEZ

Ça voulait dire quoi, ça, PEMSEZ ? Ça ne faisait même pas rire les représentants, pas vrai, Fred ? Tu l'as dit, George. I-xac-te-ment. Un grondement de diesel monta de la rue. Il se tourna pour regarder par la fenêtre. Un long semi-remorque passait, suivi d'une file de voitures impatientes. Il était chargé de deux bulldozers, bien entendu destinés au chantier de l'autoroute.

Du second étage — au premier, c'était le service du nettoyage à sec — il était possible de suivre l'évolution du chantier. La large cicatrice brune, couverte d'un cataplasme de boue, traversait le quartier Ouest, commerçant et résidentiel. Elle avait déjà passé Guilder Street, et englouti le parc de Hebner Avenue, où il emmenait Charlie quand il était petit... tout petit, en fait, encore bébé. Comment s'appelait ce parc, au juste ? Il l'ignorait. Sans doute simplement le parc de Hebner Avenue, Fred.

Il y avait un terrain de foot miniature, quelques balançoires et tape-culs, et aussi une mare aux canards avec une petite maison au milieu. L'été, le toit de la petite maison était toujours couvert de crottes d'oiseaux. Les balançoires, oui... Charlie avait pour la première fois fait de la balançoire au parc de Hebner Avenue. Une première expérience qui compte, pas vrai, Freddy, vieille canaille ? Au début, il pleurait parce qu'il avait peur, puis ça lui avait plu, et quand il fut l'heure de rentrer, il avait pleuré parce qu'il ne voulait plus s'arrêter. Dans la voiture, sur le chemin du retour, il avait fait pipi dans sa culotte. Quatorze ans, déjà ? C'était vraiment il y a quatorze ans ?

Un autre semi-remorque passa.

Le quartier Garson, à trois ou quatre rues à l'ouest de Hebner Avenue, avait été démoli environ quatre mois auparavant. Quelques immeubles de bureaux pleins de sociétés de crédit, une banque ou deux, et à part ça, des dentistes, chiropracteurs et podologues. Pas une grande perte, mais bon Dieu, ça avait fait mal de voir disparaître le bon vieux Grand Theater. Au début des années cinquante, il y avait vu quelques-uns de ses films préférés. *La mort n'était pas au rendez-vous* avec Ray Milland... *Le jour où la Terre s'est arrêtée,* avec Michael Rennie, qui passait justement à la télé la semaine dernière. Il avait voulu le regarder, mais s'était endormi devant cette foutue télé et ne s'était réveillé qu'en entendant l'hymne national. Il avait renversé son verre sur le tapis ; ça n'avait pas plu à Mary, ça.

Le Grand Theater, c'était vraiment quelque chose. Maintenant, ils construisaient plein de cinémas en brique dans les banlieues, avec des kilomètres de parkings autour. Salle I, salle II, salle III, salle de projection, salle MCMXLVII. Il avait emmené Mary voir *Le Parrain* dans une de ces salles, à Waterford. Les billets étaient à deux dollars cinquante, et à l'intérieur, on aurait dit un bowling. Même pas de balcon. Au Grand, le hall était en marbre, et il y avait un balcon, et une vieille machine à pop-corn toute graisseuse, à dix cents le grand sachet. Le type qui déchirait votre billet (qui ne coûtait que soixante cents) portait un uniforme rouge, comme un liftier, et il devait être centenaire. D'une voix éraillée, il coassait à chaque spectateur : « Passez une bonne soirée. » Au plafond de la salle, il y avait un énorme lustre en verre. On n'osait jamais s'asseoir en dessous de peur qu'il ne tombe. On vous aurait ramassé à la petite cuiller. Le Grand Theater, c'était vraiment...

Il regarda l'heure à sa montre-bracelet, et se sentit coupable. Presque quarante minutes à ne rien faire. Mauvais, ça, mauvais. Quarante minutes perdues pour rien, et il n'avait même pas vraiment *pensé.* Juste au parc et au Grand Theater.

Quelque chose ne va pas, Georgie ?

Peut-être bien, Fred. Peut-être bien, en effet.

Il se passa les mains sur le visage, et se rendit compte qu'il avait pleuré.

Il descendit voir Peter, le responsable des livraisons. La blanchisserie tournait à plein, maintenant. Avec des sifflements de vapeur entrecoupés de grondements sourds, les rouleaux de la machine à repasser avalaient les premiers draps du Howard Johnson. Les énormes machines à laver faisaient vibrer le plancher, tandis que les presses à chemises, autour desquelles s'affairaient Ethel et Ronda, émettaient des chuintements aigus.

Peter lui apprit que le cardan de la camionnette 4 était fichu — désirait-il jeter un coup d'œil avant qu'on ne l'envoie au garage? Non, merci. Il demanda à Peter si le linge du Holiday Inn était parti. Non, mais il était en voie de chargement, et l'imbécile qui dirigeait le motel avait déjà téléphoné à deux reprises parce qu'il avait besoin de serviettes.

Il hocha la tête et remonta pour parler à Vinnie Mason, mais Phyllis lui dit que Vinnie et Tom Granger étaient allés au nouveau restaurant allemand au sujet des nappes.

« Dites à Vinnie de passer me voir dès son retour, d'accord ?

— Certainement, M. Dawes. A propos, M. Ordner a téléphoné ; il demande que vous le rappeliez.

— Merci, Phyllis. »

Il regagna son bureau, et s'attaqua au courrier ; de nouvelles lettres étaient arrivées entretemps.

Un représentant voulait passer pour vanter les mérites d'un nouvel agent de blanchissage industriel, baptisé Yello-Go[1]. Il se demanda où ils trouvaient tous ces noms, et mit la lettre de côté pour Ron Stone. Ron adorait infliger de nouveaux produits à Dave, surtout s'il pouvait en obtenir trois cents kilos gratis pour les tester.

Une lettre de remerciements d'une association de bienfaisance. A afficher au tableau, à côté de la pointeuse.

Un prospectus pour les meubles de bureaux en pin « Exécutif ». Au panier.

Un prospectus pour le répondeur-enregistreur

1. *Yello-Go* évoque un liquide sale et jaunâtre. (*N.d.T.*)

téléphonique Phone-Mate, capable d'enregistrer jusqu'à trente secondes de conversation. *Je suis pas là, espèce d'idiot. Raccroche !* Au panier.

Une lettre d'une dame qui avait donné à laver six chemises de son mari ; on les lui avait renvoyées avec les cols tout brûlés. Il la mit de côté avec un soupir. Ethel avait encore trop bu au déjeuner. Affaire à suivre.

Un kit pour analyser l'eau, envoyé par l'université. A regarder de plus près avec Ron et Tom Granger après le déjeuner.

Une circulaire d'une compagnie d'assurances, dans laquelle un certain Art Linkletter vous expliquait qu'il suffisait de mourir pour toucher quatre-vingt mille dollars. Au panier.

Une lettre du petit malin d'agent immobilier qui essayait de vendre l'usine de Waterford, expliquant qu'un fabricant de chaussures était très intéressé : la Thom McAn Shoes Company, pas moins, et lui rappelant que l'option d'achat de quatre-vingt-dix jours de la blanchisserie Ruban Bleu expirait le 26 novembre. *Prends garde, petit directeur de blanchisserie, ton heure va bientôt sonner !* Au panier.

Un autre représentant pour Ron, qui vendait cette fois une lessive baptisée Swipe[1]. Sûrement des voleurs. Allez, avec Yello-Go.

Il se tournait de nouveau vers la fenêtre lorsque l'intercom sonna. Vinnie était revenu du restaurant allemand.

« Dites-lui de monter. »

Vinnie arriva aussitôt. C'était un grand gars de vingt-cinq ans, au teint olivâtre, aux cheveux noirs savamment désordonnés. Il portait un veston sport

1. *Swipe :* chouraver. (*N.d.T.*)

bordeaux et un pantalon marron. Et un nœud papillon. Très polisson, ne trouves-tu pas, Fred ? Absolument, George, absolument.

« Ça va, Bart ? demanda Vinnie.

— Ça va. Comment ça s'est passé, chez les Krauts ? »

Vinnie éclata de rire. « Dommage que tu aies raté ça. Le vieux Fritz était tellement content de nous voir qu'il en serait tombé à genoux. Quand on aura la nouvelle usine, on va casser les reins à Universal, tu verras. Ils ne lui ont pas envoyé de représentant, même pas une pub. Le Fritz se demandait s'il allait pas être obligé de continuer à laver les nappes dans la cuisine du resto. Son restaurant, d'ailleurs, c'est pas de la gnognote. Une vraie brasserie munichoise. La concurrence n'a qu'à bien se tenir. Et un parfum de choucroute... à vous faire venir l'eau à la bouche. » Il balaya l'air de la main pour illustrer le parfum, et sortit un paquet de cigarettes de la poche intérieure de son veston. « J'y emmènerai Sharon un de ces soirs. Ils nous font dix pour cent. »

Comme en superposition, il entendit Harry lui dire : *Nous accordons dix pour cent de réduction sur les achats dépassant trois cents dollars.*

Mon Dieu, pensa-t-il, j'ai vraiment acheté ce pistolet et ce fusil, hier ? Vraiment ?

L'obscurité se fit dans une chambre de son esprit.

Eh, George, mais qu'est-ce que tu...

La gorge serrée, il dut s'éclaircir la voix avant de demander : « Leur commande est importante ?

— Quatre à six cents nappes par jour dès qu'ils se seront fait une clientèle. Sans compter les serviettes. Et rien que du pur fil. Il veut qu'on les lave au Neige d'Ivoire. Je lui ai dit que ça ne posait pas de problème. »

Prenant son temps, afin de montrer le paquet, Vinnie prit une cigarette. Cette manie qu'avait Vinnie d'acheter des cigarettes exotiques commençait à l'agacer. Sur le paquet, il put lire :

PLAYER'S NAVY CUT
CIGARETTES
MEDIUM

Qui d'autre que Vinnie aurait l'idée saugrenue de fumer des Player's Navy Cut ? Ou des King Sano ? Ou des English Ovals ? Des Marvels, des Murads ou des Twists ? Si quelqu'un lançait une marque comme Super-Merde ou Poumon Noir, Vinnie se précipiterait dessus.

« Je lui ai expliqué qu'on ne pourra probablement le livrer que tous les deux jours en attendant d'avoir la nouvelle usine, dit Vinnie en exhibant une dernière fois le paquet de cigarettes avant de le rempocher. A Waterford, ajouta-t-il.

— Je voulais précisément t'en parler », dit-il. Alors, Fred, j'y vais ? Sûr, George, fais-lui voir.

« Ah oui ? » Vinnie alluma sa cigarette avec un fin Zippo en or et leva les sourcils derrière un nuage de fumée, pareil à un acteur de genre britannique.

« Hier, j'ai reçu un mot de Steve Ordner. Il veut que j'aille le voir vendredi soir pour parler de l'usine de Waterford.

— Ah bon ?

— Et ce matin, pendant que j'étais en bas avec Peter Wasserman, M. Ordner a téléphoné : il veut que je le rappelle. Il semble bien pressé de savoir où ça en est, non ?

— Apparemment, dit Vinnie en lui décochant son sourire numéro deux — *attention, terrain glissant.*

— J'aimerais bien savoir pourquoi Steve Ordner est soudain tellement pressé. Oui, voilà ce que j'aimerais savoir.

— Eh bien...

— Allons, Vinnie, ce n'est pas le moment de jouer au plus malin. Il est déjà dix heures, et il faut que j'appelle Ordner, il faut que je voie Ron Stone, il faut que je parle à Ethel Gibbs d'une histoire de cols brûlés. Tu n'aurais pas par hasard fait des tiennes à mon insu ?

— Eh bien, Sharon et moi sommes allés à... Enfin, nous sommes allés dîner chez M. Ordner dimanche soir...

— Et tu lui as dit en passant, ou plutôt entre deux verres, que Bart Dawes ne faisait rien au sujet de Waterford, et que pendant ce temps, le chantier de l'autoroute se rapprochait de plus en plus ? C'est bien ça ?

— Bart ! protesta Vinnie. C'était une simple discussion amicale. Rien de plus, je t'assure !

— Je n'en doute pas. Son petit ultimatum est lui aussi parfaitement amical. Et je suppose que notre conversation téléphonique le sera aussi. Là n'est pas la question. La vérité, c'est qu'il t'a invité à dîner avec ta femme dans l'espoir que tu parlerais trop, et il n'a pas été déçu.

— Mais Bart... »

Il leva un index menaçant : « Ecoute-moi bien, Vinnie. Si tu me fais encore une seule crasse de ce genre, tu es viré. Et je ne plaisante pas. »

Vinnie en oublia de porter la cigarette à sa bouche.

« Je vais te dire quelque chose, Vinnie, poursuivit-il en baissant le ton. Je sais que tu as dû subir des milliers de sermons de vieux schnocks comme moi, qui savent toujours tout mieux que les jeunes. Mais celui-là, tu l'as mérité. »

Vinnie ouvrit la bouche pour protester. Il l'arrêta d'un geste péremptoire.

« Je ne crois pas que tu aies voulu me donner un coup de poignard dans le dos. Si je croyais cela, ta fiche de paye serait déjà prête. Non, je pense simplement que tu as été stupide. Tu débarques dans cette somptueuse villa, tu vides trois verres avant de passer à table, et puis le potage suivi d'une salade exotique, et des côtes de bœuf comme plat de résistance, le tout servi par une bonne en robe noire avec col de dentelle, pendant que Carla joue à la châtelaine — mais sans une pointe de condescendance — et pour finir une tarte aux fraises à la Chantilly, du café et deux ou trois digestifs ou du Tia Maria, et tu as vendu la mèche. Je me trompe ?

— C'est à peu près ça, murmura Vinnie, dont l'expression était un curieux mélange de honte et de haine à l'état pur.

— Pour commencer, il t'a demandé comment allait le brave vieux Bart. Très bien, lui as-tu répondu. Pour continuer, il a dit que Bart était un type vraiment bien, un homme de valeur, mais que c'était dommage qu'il ne se remue pas un peu plus pour régler l'affaire de Waterford. Eh oui, as-tu répondu, ça serait bien qu'il se remue un peu. A propos, a-t-il demandé alors, où est-ce que ça en est ? Et tu as dit, ce n'est pas vraiment mon département, mais il a rétorqué, allons, Vincent, vous êtes tout de même au courant de ce qui se passe, et alors tu as craché le morceau : tout ce que je sais, c'est que Bart n'a pas encore conclu le marché ; il paraît que la société Thom McAn est intéressée, mais ce n'est peut-être qu'une rumeur.

Là-dessus, il a dit, Bart doit savoir ce qu'il fait, et tu as répondu, certainement, et vous avez pris un autre digestif et il t'a demandé si tu croyais que les Mustang allaient gagner les éliminatoires, et puis Sharon et toi avez pris congé et vous êtes rentrés chez vous. Et tu sais quand il va t'inviter de nouveau ? »

Vinnie garda le silence.

« Steve Ordner t'invitera de nouveau quand il aura besoin d'un autre tuyau.

— Je suis désolé, dit Vinnie sur un ton maussade, en commençant à se lever.

— Je n'ai pas terminé. »

Vinnie se rassit.

« Sais-tu qu'il y a douze ans, je faisais ton travail ? Douze ans, cela te paraît sûrement une éternité. Moi, je me demande où toutes ces années ont passé. Mais je me souviens parfaitement de ce boulot, et je sais que tu l'aimes et que tu le fais bien. Ta réorganisation du nettoyage à sec, avec le nouveau système de marquage... chapeau ! »

Vinnie le regardait avec des yeux grands comme des soucoupes.

« Je suis entré à la blanchisserie il y a vingt ans, poursuivit-il. En 1953. J'avais vingt ans, et je venais juste de me marier. Comme j'avais à peine fini mes deux années d'école commerciale, Mary et moi avions décidé d'attendre ; nous utilisions la méthode du coitus interruptus, tu sais. Et puis un soir, quand on était au lit, le voisin du dessous a claqué une porte, et ça m'a fait éjaculer. Mary est tombée enceinte. Aujourd'hui encore, chaque fois que je me crois très malin, je me souviens qu'un claquement de porte a fait de moi ce que je suis. On apprend à être humble. Dans ce temps-là, la loi sur l'avortement n'était pas une plaisanterie. Quand on mettait une fille enceinte, on l'épousait ou on prenait la fuite. Pas d'autre option. Alors, je l'ai épousée, et j'ai pris le premier boulot qui se présentait. C'était ici. J'ai commencé par aider à la laverie, exactement le boulot que le petit Pollack fait en ce moment. A part qu'on faisait tout à la main. Il fallait sortir le linge trempé et le mettre dans l'énorme essoreuse Stonington, qui traitait cinq cents livres de linge mouillé à la fois. Si on la chargeait de travers, on risquait d'y laisser un pied. Mary perdit son bébé au septième mois ; le docteur disait qu'elle ne pourrait plus jamais avoir d'enfants. Je suis resté assistant pendant trois ans ; ma paie hebdomadaire moyenne était de cinquante-cinq dollars, pour cinquante-cinq heures de travail. Puis un jour, Ralph Albertson, qui était chef de la laverie à l'époque, eut un banal accident de voiture, guère plus qu'une aile froissée. Pendant qu'il remplissait le constat avec l'autre conducteur, il a été foudroyé par une crise cardiaque. Un chouette type. La blanchisserie resta fermée le jour de son enterrement. Après un intervalle décent, je suis allé voir Ray Tarkington et lui ai demandé le poste de Ralph. J'étais pratiquement sûr de l'obtenir : au cours de ces années, Ralph m'avait tout appris.

« A l'époque, la blanchisserie était une affaire familiale. Ray la dirigeait avec son papa, Don Tarkington, qui avait lui-même succédé à son père, fondateur de la blanchisserie en 1926. Il n'y avait même pas de délégué du personnel, et je suppose que, selon les syndicalistes, les Tarkington étaient des exploiteurs paternalistes s'enrichissant aux dépens d'ouvriers et d'ouvrières sans éducation. Et ils n'avaient pas tort. Mais, quand Betty Keeson s'est cassé un bras en glissant sur le carrelage mouillé, ils lui ont payé l'hôpital, puis versé dix dollars par semaine pour tenir le coup en attendant de reprendre le travail. Et tous les ans, à Noël, il y avait un véritable festin pour le personnel : un poulet en croûte, des garnitures, de la gelée d'airelles, du pudding au chocolat... Et des cadeaux pour chaque employé : des boucles d'oreilles pour les femmes, une cravate en soie pour les hommes. J'ai toujours mes neuf cravates, bien rangées dans le placard. Quand Don est mort en 1959, j'en ai mis une pour aller à l'enterrement — en dépit des protestations de Mary, car elle n'était plus à la mode. Les locaux étaient sombres, la journée était longue et le travail était pénible, mais on savait que les patrons veillaient sur vous. Quand l'essoreuse tombait en panne, Don et Ray mettaient la main à la pâte : ils retroussaient leurs manches et nous aidaient à retirer un à un les draps tout entortillés. C'était ça, l'esprit d'une affaire familiale, tu comprends, Vinnie ?

« Après la mort de Ralph, donc, quand j'ai demandé le poste à Ray Tarkington, il m'apprit qu'il avait déjà engagé quelqu'un d'autre, quelqu'un de l'extérieur. Je n'y comprenais plus rien. Ray me dit alors : mon père et moi voulons que vous repreniez vos études. Je ne demanderais pas mieux, répondis-je, mais je n'en ai pas les moyens ! Il me tendit alors un chèque de deux mille dollars. Je n'en croyais pas mes yeux. Pourquoi, mais pourquoi ? Il ajouta que cela ne suffirait pas, mais qu'il paierait mon inscription, mon logement et mes livres. Et l'été, vous reviendrez travailler à la blanchisserie, d'accord ? dit-il encore. Je lui ai demandé alors comment je pourrais le remercier. De trois façons, m'expliqua-t-il : d'abord, vous remboursez le prêt ; ensuite, vous payez les intérêts ; et pour finir, vous ferez profiter le Ruban Bleu de ce que vous aurez appris. En rentrant à la maison, j'ai tout de suite montré le chèque à Mary. Quand elle l'a vu, elle a fondu en larmes. Elle s'est enfoui le visage dans les mains et a pleuré. »

Vinnie le regardait avec une stupéfaction totale.

« En 1955, j'ai donc repris mes études, et j'ai décroché mon diplôme en 57. A la blanchisserie, Ray m'a nommé chef des livraisons. Quatre-vingt-dix dollars par semaine. Le jour où j'ai remboursé la première mensualité du prêt, j'ai demandé à Ray à combien se montaient les intérêts. Il m'a répondu, un pour cent. *Hein ?!* Vous m'avez bien entendu, dit-il. Qu'attendez-vous, vous n'avez rien à faire ? Et je lui ai répondu : ouais, je crois que je vais aller appeler un docteur pour qu'il examine votre tête ! Ray a éclaté de rire et m'a dit de décamper de son bureau en quatrième vitesse. J'ai fini de tout rembourser en 1960, et tu sais ce que Ray a fait, Vinnie ? Il m'a donné une montre. Celle-ci. »

Relevant sa manchette, il montra à Vinnie sa Bulova avec bracelet extensible en or.

« Il m'a dit que c'était pour fêter, bien qu'avec un certain retard, ma réussite aux examens. Mes études m'avaient en tout et pour tout coûté vingt dollars d'intérêts, et ce salaud m'offrait une montre de quatre-vingts dollars ! Il y avait un texte gravé au dos : *En témoignage d'amitié. Don & Ray. Blanchisserie Ruban Bleu.* Dire que Don était déjà dans la tombe depuis un an...

« En 1963, Ray m'a confié de nouvelles responsabilités : superviser le nettoyage à sec, trouver de nouveaux clients et diriger les laveries automatiques — il n'y en avait encore que cinq et pas onze comme maintenant. J'ai fait ce travail jusqu'en 1967, et ensuite, Ray m'a confié le poste que j'occupe toujours. Et puis, il y a quatre ans, il a été obligé de vendre. Ces salopards l'avaient coincé — enfin, tu es au courant, Vinnie. Ça l'a fait vieillir d'au moins dix ans. Et voilà pourquoi nous faisons partie d'une société qui a une vingtaine d'autres cordes à son arc : restauration rapide, le golf de Ponderosa, trois supermarchés de bas de gamme, je ne sais combien de postes d'essence et toute cette merde. Et Steve Ordner n'est rien de plus qu'une sorte de contremaître de luxe. Quelque part à Chicago ou ailleurs, un conseil d'administration consacre peut-être un quart d'heure par semaine à l'opération Ruban Bleu. Ils ne comprennent rien au fonctionnement d'une blanchisserie industrielle, et ils n'en ont rien à foutre. Mais ils savent lire un bilan : c'est tout ce qu'ils savent faire. Leur chef comptable leur dit : à propos, ils prolongent l'autoroute 784 du côté de Westside, et Ruban Bleu est en plein sur le trajet, ainsi que la moitié du quartier résidentiel. Et les membres du conseil d'administration disent, ah ouais ? Combien allons-nous toucher ? Et le tour est joué. Bon Dieu, si Don et Ray Tarkington étaient encore en vie, ils auraient engagé un procès, et leurs avocats auraient fait traîner l'affaire jusqu'à l'an 2000, avec le chantier bloqué à notre porte. C'était peut-être deux vieilles crapules paternalistes, Vinnie, mais au moins ils avaient le sens du *lieu* et le respect des traditions. Tandis que ces comptables et ces actionnaires... S'ils étaient vivants, et que quelqu'un leur annonçait que leur blanchisserie allait être enterrée sous une autoroute à huit voies, on aurait entendu leurs hurlements de la préfecture !

— Mais ils sont morts, dit Vinnie.

— Eh oui, ils sont morts. » Il eut soudain l'impression que son esprit était tout mou et détendu, comme les cordes d'une mauvaise guitare. Ce qu'il voulait faire comprendre à Vinnie avait été enseveli sous une masse de détails personnels embarrassants. Regarde-le, Freddie, il ne sait même pas de quoi tu parles. « Dieu merci, reprit-il, ils ne sont plus là pour assister à ça. »

Vinnie resta silencieux.

Il fit un effort pour se ressaisir. « Ce que je veux t'expliquer, Vinnie, c'est qu'il y a deux groupes dans cette affaire. Eux et nous. Nous sommes des blanchisseurs. C'est *notre* métier. Et ils sont des investisseurs. C'est *leur* métier. Ils nous donnent des instructions, et nous devons les suivre. Mais rien de plus. Tu comprends ?

— Oui, Bart, je comprends. »

Mais il voyait bien que Vinnie ne comprenait rien du tout. Et il n'était pas certain de bien comprendre lui-même.

« Bien, Vinnie, dit-il. Je parlerai de tout ça avec Ordner. Et, juste pour ton information, sache que l'usine de Waterford est pratiquement à nous. Je compte signer mardi prochain.

— Formidable ! s'exclama Vinnie avec soulagement.

— Tu vois : inutile de paniquer. » Alors que Vinnie s'apprêtait à sortir, il lui dit encore : « Tu me diras s'il est bien, ce restaurant allemand, d'accord ? »

Vinnie Mason arbora son sourire numéro un — *tout est au beau fixe, on peut y aller* — et répondit : « D'accord, Bart, je n'y manquerai pas ! »

Vinnie parti, il resta un moment à fixer la porte

fermée. Aïe, je m'en suis vraiment mal tiré, Fred. Mais non, George, plutôt bien à mon avis. Tu as peut-être un peu perdu le contrôle sur la fin, mais ce n'est que dans les livres que les gens trouvent les mots qu'il faut du premier coup. Non, non, c'était complètement raté ; il est sorti d'ici avec l'impression que Barton Dawes commence à perdre la boule. Et je crains bien qu'il n'ait raison. Dis-moi, George, je voudrais te poser une question, d'homme à homme. Non, ne me coupe pas ! Pourquoi as-tu acheté ces armes, George ? Pourquoi as-tu fait ça ?

Clank, fit le coupe-circuit.

Il descendit au rez-de-chaussée, et remit à Ron les lettres des représentants. En remontant, il l'entendit mugir : « Dave, viens voir ça, il y a peut-être quelque chose pour toi là-dedans ! » Oh oui, il y avait quelque chose pour lui là-dedans : du travail supplémentaire.

De retour dans son bureau, il appela Ordner, espérant que celui-ci serait parti déjeuner. Mais ce n'était pas son jour de chance. La secrétaire le lui passa aussitôt.

« Bart ! commença Steve Ordner. Content de vous entendre !

— Moi aussi. J'ai discuté avec Vinnie Mason tout à l'heure et j'ai cru comprendre que l'affaire Waterford vous inquiète un peu.

— Pensez-vous ! Mais si vous venez vendredi, il serait peut-être utile de préciser un ou deux points...

— Bien sûr. Je vous appelais surtout pour vous dire que Mary ne pourra pas venir.

— Ah ?

— Elle a chopé un virus. Elle n'ose pas s'éloigner de plus de dix pas des toilettes les plus proches.

— Oh. Je suis vraiment désolé pour elle.

Ta gueule, espèce de faux jeton !

— Le docteur lui a prescrit des pilules. Ça a l'air de lui faire du bien. Mais c'est peut-être contagieux, vous comprenez.

— A quelle heure pourrez-vous être là, Bart ? Huit heures, cela vous va ?

— Huit heures sera parfait.

Je vais louper le film du vendredi soir, espèce d'enfoiré.

— Comment s'annonce l'affaire Waterford, Bart ?

— Je préfère vous en parler de vive voix, Steve.

— Comme vous voudrez. » Après une pause, il ajouta : « Carla vous envoie ses amitiés. Et dites à Mary que Carla et moi-même sommes vraiment... »

Mais oui. Bla-bla-bla-bla-bla...

22 novembre 1973

Il s'éveilla en faisant un tel bond que l'oreiller tomba par terre. Avait-il crié ? Heureusement, Mary continuait à dormir. Les couvertures se soulevaient régulièrement. Sur le bureau, la pendule digitale indiquait :

4 : 23

Clic ! Le trois se changea en quatre. La vieille Bea de Baltimore, celle qui faisait de l'hydrothérapie de groupe pour élever la conscience, la leur avait offerte pour Noël. Ce n'est pas qu'elle était vilaine, mais il n'avait jamais pu s'habituer au clic chaque fois que le chiffre changeait. 4 : 23, *clic*, 4 : 24, *clic ;* de quoi vous rendre dingue.

Il descendit aux toilettes, ouvrit la lumière, et urina. Cela lui fit battre le cœur. Depuis quelque temps, chaque fois qu'il urinait, son cœur se mettait à battre, faisant résonner sa cage thoracique comme un tambour. Est-ce un pressentiment, mon Dieu ?

Il monta et se recoucha, mais le sommeil fut long à venir. Il s'agitait tellement que le lit tout défait devenait un territoire ennemi. Impossible de remettre les draps et les couvertures en place. Ses bras et ses jambes semblaient eux aussi avoir oublié dans quelle position se mettre pour dormir.

Le rêve n'était pas difficile à comprendre. Tout ce qu'il y avait de clair, Fred. A l'état de veille, le truc du coupe-circuit ne posait pas de gros problèmes ; il pouvait continuer à colorier une image morceau par morceau en prétendant ne pas voir l'ensemble du tableau. Et ce tableau, il pouvait en quelque sorte l'enterrer sous le plancher de son esprit. Mais il y avait une trappe ; pendant le sommeil, elle s'ouvrait parfois, et quelque chose surgissait des ténèbres. *Clic.*

4 : 42

Dans le rêve, il était à Pierce Beach avec Charlie (curieux, en racontant à Vinnie Mason son autobiographie résumée, il avait oublié de mentionner Charlie — tu ne trouves pas ça drôle, Fred ? Non, je ne trouve pas ça tellement drôle, George. Moi non plus, en fait. Mais il est tard. Ou tôt. Ou n'importe quoi).

Il se trouvait donc avec Charlie sur cette longue plage blanche, par un jour parfait pour le bain : un ciel tout bleu et un soleil radieux, un soleil qui souriait comme ces visages imbéciles que l'on voit sur certains badges disant « souriez ». Des gens sur des serviettes de bain éclatantes, sous des parasols de toutes les couleurs, des petits enfants s'amusant au bord de l'eau avec des seaux en plastique. En haut de sa tour peinte en blanc, le maître-nageur montait la garde, noirci par le soleil, son slip de bain en Latex gonflé à craquer, comme si la grosseur du pénis et des testicules était une condition indispensable à ce travail, et qu'ainsi les baigneurs se sentaient plus en sécurité. Quelque part, un transistor déversait du rock and roll ; il se souvenait encore des paroles :

> Mais cette eau crasseuse, je l'aime,
> Oooh'Boston, ma ville à moi.

Deux filles en bikini passaient, bien saines et intouchables dans leurs corps éminemment baisables (pas pour vous, pas question, mais pour des petits copains qu'on ne voyait jamais), soulevant avec leurs orteils de petites gerbes de sable.

Le truc bizarre, Fred, c'était que la marée montait, alors qu'à Pierce Beach il n'y avait pas de marée, car l'océan le plus proche se trouvait à quinze cents kilomètres.

Charlie et lui construisaient un château de sable. Mais ils s'étaient mis trop près de l'eau, et les vagues sè rapprochaient de plus en plus.

Il faut se mettre plus haut, papa, disait Charlie, mais il continuait avec obstination à le construire tout près des flots. Lorsque les vagues commencèrent à lécher la première enceinte, il creusa un fossé avec ses doigts, écartant le sable humide comme des lèvres de femme. Mais l'eau ne cessait de monter.

Bon Dieu, tu vas t'arrêter! cria-t-il à l'eau.

Il reconstruisit l'enceinte. Une vague l'emporta. Des gens commençaient à crier pour une raison inconnue. D'autres se mirent à courir. Le sifflet du maître-nageur transperça l'air comme une flèche d'argent. Il ne leva même pas les yeux. Il fallait sauver le château. Mais l'eau continuait à monter, léchant ses chevilles, aplatissant une tourelle, un toit, l'arrière du château, tout. La dernière vague se retira, ne laissant derrière elle que du sable parfaitement lisse et brillant.

De nouveaux hurlements retentirent. Quelqu'un sanglotait. Il leva les yeux et vit que le maître-nageur faisait du bouche à bouche à Charlie. Charlie était mouillé et tout blanc, à l'exception des lèvres et des paupières, qui étaient bleues. Sa poitrine ne se soulevait pas. Le maître-nageur renonça et se releva. Il souriait de toutes ses dents.

Il n'avait plus pied, dit le maître-nageur sans cesser de sourire. *Il serait peut-être temps de vous en aller.*

Charlie ! hurla-t-il alors, et il se réveilla, craignant d'avoir réellement crié.

Il resta longtemps immobile dans l'obscurité, écoutant les *clic* de la pendule digitale et évitant de penser au rêve qu'il venait de faire. Finalement, il descendit à la cuisine pour boire un verre de lait ; ce ne fut qu'en voyant la dinde mise à dégeler sur un grand plat ovale qu'il se souvint que c'était le Thanksgiving Day et que la blanchisserie était fermée aujourd'hui. Il but son verre de lait sans s'asseoir, regardant songeusement le cadavre plumé. Il avait la même couleur que la peau de son fils dans le rêve. Mais, bien sûr, Charlie ne s'était pas noyé.

Lorsqu'il se recoucha, Mary marmonna quelque chose dans son sommeil, avec une inflexion interrogative.

« Ce n'est rien, dit-il. Dors. »

Elle murmura d'autres paroles inintelligibles.

« Tout va bien », dit-il dans le noir.

Elle se rendormit complètement.

Clic.

Il était cinq heures du matin. Lorsqu'il finit par

s'assoupir, l'aube était entrée dans la chambre comme un voleur. Sa dernière pensée fut pour la dinde, posée sur le buffet sous le tube fluorescent, viande morte et sans pensées destinée à être dévorée.

23 novembre 1973

A huit heures moins cinq, il engagea sa LTD vieille de deux ans dans l'allée donnant sur Henreid Drive et se gara à côté de la Delta 88 vert bouteille de Stephan Ordner. C'était une grande maison en pierre, pleine d'angles et de recoins, discrètement à l'écart de la rue et cachée par une haute haie, squelettique en cette froide et brumeuse fin d'automne. Il y était déjà venu, et la connaissait fort bien. Au rez-de-chaussée, il y avait une massive cheminée en pierre, et d'autres cheminées plus modestes dans les chambres. Toutes fonctionnaient. Au sous-sol, il y avait un billard Brunswick, un écran pour projeter des films, une chaîne KLH qu'Ordner avait convertie pour la quadriphonie l'année précédente. Les murs étaient couverts de photos de l'équipe universitaire de basket. Ordner faisait un mètre quatre-vingt-dix, et devait baisser la tête pour franchir les portes. Il soupçonnait Ordner d'en tirer de la fierté. Peut-être avait-il fait diminuer la hauteur des portes afin d'être obligé de se baisser. La table de la salle à manger avait un plateau en chêne d'un seul tenant, de trois mètres de long. Elle était complétée par un vieux buffet en chêne tout mangé aux vers, luisant doucement à force d'être ciré. A l'autre extrémité de la pièce, se dressait un vaisselier qui devait faire pas loin de deux mètres de haut, c'est bien ça, Fred ? Oui, pas loin de deux mètres. Derrière la maison, il y avait un gigantesque barbecue, suffisant pour faire rôtir un dinosaure entier, et une pelouse digne d'un terrain de golf. Pas de piscine en forme de haricot. Les piscines en forme de haricot, c'est strictement réservé aux classes moyennes californiennes adoratrices de Râ. Les Ordner n'avaient pas d'enfants, mais payaient l'éducation d'un petit Coréen, d'un petit Vietnamien, et les études d'ingénieur d'un jeune Ougandais qui pourrait ainsi construire des barrages hydroélectriques quand il rentrerait dans son pays. Ils étaient démocrates, et avaient voté pour Nixon.

Il monta silencieusement l'allée et sonna à la porte. La bonne lui ouvrit.

« M. Dawes, dit-il.

— Bonsoir, Monsieur. Si vous voulez bien me donner votre pardessus ? M. Ordner vous attend dans la bibliothèque.

— Merci. »

Il lui tendit son pardessus et s'engagea dans le hall d'entrée, passa devant la cuisine puis devant la salle à manger. Un coup d'œil sur l'antique buffet de Stephan Ordner et il continua. La moquette de l'entrée céda la place à un carrelage de linoléum blanc et noir, sur lequel ses pas résonnaient faiblement.

Au moment où il arrivait à la porte de la bibliothèque, Ordner vint lui ouvrir, comme il l'avait prévu.

« Bart ! Content de vous voir ! »

Ils échangèrent une poignée de mains. Ordner

portait un veston de velours côtelé avec des pièces de cuir aux coudes, un pantalon de toile olive et des chaussons lie-de-vin ; pas de cravate.

« Salut, Steve. Comment va le monde de la finance ? »

Ordner porta la main à son front d'un geste théâtral et gémit : « Ne m'en parlez pas. Vous n'avez pas suivi les cours de la Bourse, ces temps-ci ? » Il le fit entrer et referma la porte. Des rayonnages pleins de livres tenaient tous les murs. Sur la gauche, une bûche électrique était allumée dans la petite cheminée. Au centre, un imposant bureau, sur lequel étaient posés quelques papiers. Il savait qu'une IBM Selectric y était encastrée — on appuyait sur un bouton, et elle surgissait telle une torpille noire et luisante.

« Le marché s'effondre, dit-il.

— C'est le moins qu'on puisse dire. Mais il faut reconnaître que Nixon est très fort, Bart. Il sait tirer parti de tout. Lorsqu'ils ont envoyé promener la théorie des dominos en Asie du Sud-Est, il l'a appliquée à l'économie américaine. Les résultats étaient médiocres là-bas. Ils sont excellents ici. Qu'est-ce que vous prenez ?

— Un scotch on the rocks serait parfait.

— J'ai ça sous la main. »

Il sortit d'un petit cabinet une bouteille de scotch qui devait coûter pas loin de dix dollars dans un magasin discount, en versa généreusement sur deux cubes de glace, et lui tendit le verre. « Allons nous asseoir. »

Ils s'installèrent dans les fauteuils, face au feu électrique. *Si je flanquais le contenu de mon verre là-dessus,* pensa-t-il, *ça ferait sûrement tout sauter.* Un instant, il fut à deux doigts de le faire.

« Carla ne sera d'ailleurs pas là, elle non plus, reprit Ordner. Un de ses groupes de bienfaisance organise une présentation de mode, au bénéfice d'un café de jeunes, à Norton.

— La présentation de mode a lieu à Norton ? »

Ordner prit un air effaré. « A *Norton ?* Qu'à Dieu ne plaise ! Non, elles font ça à Russell. Je ne laisserais pas Carla aller à Norton avec deux gardes du corps et un chien policier. C'est un prêtre qui organise ça... Un certain Drake, je crois. Il boit comme un trou, mais ces petits morveux l'adorent. Une sorte de prêtre des rues, vous voyez.

— Vraiment ?

— Eh oui. »

Ils restèrent un moment à regarder la bûche électrique ; il but d'un trait la moitié de son scotch.

« La question de l'usine de Waterford a été abordée lors de la dernière réunion du conseil d'administration, commença Ordner. Vers la mi-novembre. Je dois reconnaître que je ne savais pas trop où ça en était. On m'a, hum, donné mandat de m'informer sur la situation exacte. Il ne s'agit en aucune façon d'une critique contre votre administration, Bart...

— Je ne le prenais pas ainsi », dit-il en buvant une nouvelle gorgée de scotch. Il ne restait plus guère qu'un filet d'alcool entre les glaçons et la paroi du verre. « Je sais que ce sujet vous préoccupe, Steve, et je me fais toujours un plaisir de coopérer avec vous. »

Ordner parut ravi du compliment. « Alors, que se passe-t-il au juste ? Vinnie Mason me disait l'autre jour que le marché n'était pas encore conclu.

— Vinnie parvient toujours à des conclusions prématurées.

— C'est donc fait ?

— Presque. Je compte signer vendredi prochain, sauf imprévu.

— J'ai cru comprendre que l'agent immobilier vous avait fait une offre fort raisonnable, que vous avez refusée. »

Il regarda Ordner, se leva et alla se reverser du whisky avant de lui dire : « Vous tenez cela de Mason ?

— Non. »

Il alla se rasseoir face à la bûche électrique.

« Je suppose que vous ne tenez pas à dire d'où vous le savez ?

— Ecoutez, Bart, dit Ordner en écartant les bras. Les affaires sont les affaires. Lorsque j'entends une rumeur, même lorsque mon expérience personnelle et professionnelle me dit de me méfier de celui dont elle provient, je suis tenu de la vérifier. C'est peut-être déplaisant, mais il n'y a pas de quoi en faire une histoire. »

Tu sais, Freddy, personne n'était au courant de ce refus, à part l'agent immobilier et moi-même. Monsieur les Affaires sont les Affaires a dû aller se renseigner à la source. Mais il n'y a pas de quoi en faire une histoire, hein ? Exact, George. Alors, j'y vais, Freddy ? Du calme, George. Et force pas trop sur la gnôle.

« Le prix que j'ai refusé était de quatre cent cinquante mille dollars, dit-il. Juste par curiosité, c'est ce qu'on vous avait dit ?

— Dans ces eaux-là.

— Et cela vous a paru raisonnable ?

— Eh bien, répondit Ordner en croisant les jambes, franchement oui. La ville a estimé l'ancienne usine à six cent vingt mille et le gros matériel peut être transporté. Evidemment, c'est un peu moins grand, mais comme nos spécialistes estiment que l'usine a pratiquement atteint sa capacité optimale, nous n'aurons pas besoin d'espace supplémentaire. Le tout mis dans le tout, cela ne devrait rien nous coûter, et nous ferons peut-être même un petit bénéfice — bien que ce soit une considération secondaire. Avant tout, il faut trouver un nouveau local, Bart. Et le temps presse.

— Auriez-vous par hasard entendu d'autres rumeurs ? »

Ordner croisa les jambes de l'autre côté et soupira :

« Pour ne rien vous cacher, oui. J'ai entendu dire que vous aviez refusé d'acheter à quatre cent cinquante, et que peu après Thom McAn en a offert cinq cents.

— Offre que l'agent immobilier ne peut accepter. Pas de bonne foi, du moins.

— Pas encore. Mais comme vous ne l'ignorez pas, notre option expire mardi prochain.

— Je sais, Steve. Je peux faire quelques remarques ?

— Je vous en prie !

— Premier point, Waterford se trouve à environ cinq kilomètres de la plupart de nos gros clients — il s'agit bien entendu d'une moyenne. Nos frais de livraison vont augmenter en flèche. Tous ces motels sont en bordure de l'autoroute, de l'autre côté de la ville. Pire, cela va ralentir nos opérations. Le Holiday Inn et Hojo se plaignent déjà quand nous avons un quart d'heure de retard. Qu'est-ce que cela va être quand nos camions devront parcourir quatre ou cinq kilomètres dans les embouteillages du centre ?

— Voyons, Bart, répondit Ordner en hochant la tête. Ils sont en train de *prolonger* l'autoroute. C'est bien pour cela que nous devons déménager, vous vous souvenez ? Selon nos spécialistes, les livraisons seront tout aussi rapides. La nouvelle autoroute nous fera peut-être même gagner du temps. Mieux, les grandes sociétés hôtelières auraient déjà acheté à Waterford et à Russell, près du nouvel échangeur. En nous installant à Waterford, nous serons au contraire dans une *meilleure* position qu'avant ! »

J'ai fait une gaffe, Freddy. Il me regarde comme si j'avais perdu la boule. C'est vrai, George. C'est ma foi vrai.

Il sourit : « D'accord, d'accord. Mais ces nouveaux motels ne seront pas construits avant un ou même deux ans. Et si la crise pétrolière continue à s'aggraver...

— Ecoutez, Bart, le coupa Ordner. Il s'agit d'une décision prise au plus haut niveau. C'est la politique de notre société. Nous ne sommes que deux simples fantassins, vous et moi. Nous exécutons les ordres, voilà tout.

— Soit. Mais je tenais à exprimer mon opinion personnelle, pour que l'on ne vienne rien me reprocher par la suite.

— C'est enregistré, Bart. Mais ce n'est pas vous qui décidez de la politique d'Amroco. Je tiens à ce que cela soit parfaitement clair. Si la crise de l'énergie s'aggrave et que tous les motels font faillite, nous essaierons de faire face, comme tout le monde. En attendant, il faut laisser les experts se casser la tête à ce sujet, et faire notre boulot. »

Là, il m'a carrément rembarré, Fred. On peut le dire, George.

« Fort bien, mais écoutez la suite. J'estime qu'il

faudra entre deux cent et deux cent cinquante mille dollars de rénovation avant de pouvoir laver une seule chemise à Waterford.

— Comment ?! » fit Ordner en posant brutalement son verre.

Aha, Freddy ! Tu as touché un point sensible !

« Les murs sont entièrement pourris. Sur les côtés nord et est, le ciment s'effrite complètement. Et les planchers sont dans un tel état que les machines à laver industrielles passeront à travers si on ne les renforce pas.

— C'est un chiffre sérieux, deux cent cinquante mille ?

— Sérieux et définitif. Il nous faudra également une nouvelle cheminée extérieure. Et refaire les sols, au rez-de-chaussée et à l'étage. Et ce n'est pas tout. Les bâtiments ne sont équipés qu'en deux cent quarante volts, et il nous faut du cinq cent cinquante. Une équipe de cinq électriciens mettra au moins quinze jours à refaire toute l'installation. Et, comme nous sommes à l'extrémité des circuits de distribution urbains, pour l'eau comme pour l'électricité, je peux vous assurer que nos factures vont augmenter de vingt pour cent. Pour l'électricité, ce n'est pas trop grave, mais je n'ai pas besoin de vous expliquer ce que signifie pour une blanchisserie une augmentation de vingt pour cent de la facture d'eau. »

Ordner, bouche bée, ne le quittait pas des yeux.

« Laissons cela de côté, d'ailleurs, cela fait partie des frais d'exploitation, pas de la remise en état. Il faut donc installer le cinq cent cinquante volts. Mettre un système de protection contre le vol, avec télévision à circuit fermé. Prévoir une bonne isolation thermique. Et la toiture est à refaire. Ah !

j'oubliais, il faudra drainer le terrain. Les bâtiments de Fir Street étaient sur une hauteur, mais à Douglas Street nous serons au fond d'une cuvette. Le système de drainage coûtera à lui seul entre quarante et soixante-dix mille dollars.

— Mon Dieu ! Pourquoi Tom Granger ne m'a-t-il rien dit de tout cela ?

— Parce qu'il n'est pas venu inspecter les bâtiments avec moi.

— Mais pourquoi ?

— Parce que je lui ai dit de rester à l'usine.

— Vous avez... » La voix d'Ordner s'étrangla.

« C'était le jour où la chaudière s'était éteinte, expliqua-t-il patiemment. Les commandes ne cessaient de s'accumuler et nous n'avions plus une goutte d'eau chaude. Et Tom est le seul qui connaisse quelque chose à cette chaudière. Il fallait donc qu'il reste.

— Enfin ! Bart, vous auriez pu l'y emmener un autre jour ! »

Il vida son verre. « Cela ne me paraissait pas utile.

— Pas utile... » Incapable de poursuivre, Ordner posa son verre et secoua la tête pour s'éclaircir les idées, comme un homme qui vient de prendre un coup de poing en pleine figure. « Bart, j'espère que vous êtes conscient de ce qui vous attend si votre estimation est inexacte et que nous perdons cette usine. Vous allez vous retrouver à la *porte,* voilà ce qui vous attend ! Enfin, Bart ! Vous vous voyez annoncer à Mary que vous êtes fichu dehors ? C'est cela que vous voulez ? »

Vous ne pouvez pas comprendre, pensa-t-il, parce que tout au long de votre vie, vous n'avez jamais fait un geste sans être couvert de six façons différentes et sans avoir six boucs émissaires prêts à endosser vos erreurs. C'est bien pourquoi vous vous retrouvez avec un demi-million de dollars d'actions et de placements divers, une Delta 88 et une machine à écrire qui jaillit toute seule d'un bureau comme un diable surgissant d'une boîte. Pauvre connard, je pourrais t'avoir, et tu mettrais dix ans à t'en relever. Peut-être même que je vais le faire, d'ailleurs.

Il regarda Ordner avec un sourire plus épanoui que jamais : « J'en viens maintenant à mon dernier point, Steve. Et vous verrez que je n'ai aucune raison de m'inquiéter.

— Comment cela ? »

Il mentit avec une joie féroce :

« Thom McAn a déjà annoncé à l'agent immobilier qu'il n'était pas intéressé. Ils ont fait examiner les bâtiments par leurs spécialistes, qui ont poussé de hauts cris. Et vous pouvez me croire sur parole si je vous dis qu'à quatre cent cinquante mille, ils peuvent se la garder, leur usine. Nous avons donc une option d'achat qui expire mardi. Et nous avons *aussi* un petit malin d'agent immobilier qui a essayé de nous avoir au bluff. Et ça a bien failli marcher.

— Je vois... Que suggérez-vous ?

— Je suggère de laisser l'option expirer. Nous ne nous manifestons pas avant mercredi ou jeudi prochain. Vous parlez à vos comptables de cette augmentation de vingt pour cent des factures d'eau et d'électricité. De mon côté, j'irai voir Monohan. Quand j'en aurai fini avec lui, il me suppliera à genoux d'acheter à deux cent mille.

— Vous êtes certain de ce que vous avancez, Bart ?

— Absolument certain, dit-il avec un sourire satisfait. Je ne tendrai pas le cou si je croyais que quelqu'un allait le couper, vous savez. »

George ! Mais qu'est-ce qui te prend, George ? Tu te rends compte de ce que tu fais ? Fiche-moi la paix, Freddy, tu veux ?

« La situation est simple, reprit-il. Nous avons un agent immobilier qui pète plus haut que son cul et qui n'a pas d'acheteur. Plus longtemps nous le laisserons dans l'incertitude, plus il baissera son prix.

— Soit... dit Ordner après un moment de réflexion. Mais je veux que ce soit bien clair, Bart. Si nous laissons expirer notre option et que quelqu'un d'autre *achète,* je me verrais contraint de vous retirer la direction de l'affaire. A mon...

— A votre grand regret, je sais, dit-il avec une lassitude soudaine.

— Vous êtes sûr de ne pas avoir attrapé le virus de Mary, Bart ? Vous semblez un peu pâle, ce soir. »

Et toi, t'as pas l'air pâle, espèce de face de rat ?

« Ce n'est rien. La tension, vous comprenez. Tout ira bien quand cette affaire sera réglée.

— Je vous comprends, dit Ordner, plissant le front en témoignage de sympathie. Oh ! j'avais presque oublié... votre maison aussi va y passer.

— Eh oui.

— Vous avez trouvé autre chose ?

— J'hésite entre deux possibilités. Cela ne me surprendrait d'ailleurs pas que je signe le même jour pour l'usine et pour ma nouvelle maison.

— Eh bien ! s'exclama Ordner avec un large sourire, ce sera peut-être la première fois de votre vie que vous brasserez entre trois cent mille et un demi-million de dollars dans la même journée !

— Ce sera un jour mémorable, pas de doute. »

Sur le chemin du retour, Freddy essaya tout le temps de lui parler — en fait, il ne parlait pas, il hurlait — et il dut sans cesse intervenir. Au moment où il s'engageait dans Crestallen Street, le coupe-circuit crama, avec une odeur d'axones et de synapses surchauffés. Toutes les questions s'engouffrèrent par l'ouverture béante, et il dut piler sec, appuyant des deux pieds sur le frein de secours. La LTD s'arrêta dans un crissement de pneus au beau milieu de la rue ; il se trouva projeté en avant, et fut brutalement retenu par sa ceinture de sécurité. Son estomac protesta contre le choc par un rot retentissant.

Lorsqu'il eut retrouvé ses esprits, il rangea lentement la voiture contre le trottoir. Il coupa le contact, éteignit les feux, ôta la ceinture de sécurité, et resta immobile, tout tremblant, les mains sur le volant.

De la voiture, il pouvait voir la rue décrire une longue courbe, ponctuée par les îlots lumineux des lampadaires. C'était une jolie rue. La plupart des maisons qui la bordaient avaient été construites peu après la guerre, entre 46 et 58, mais elles avaient miraculeusement échappé au syndrome des années cinquante et aux fléaux qui l'accompagnaient : fondations qui pourrissent, peinture qui s'écaille, prolifération de jouets et de gadgets, volets en plastique, voitures vieillissant prématurément.

Il connaissait ses voisins. Et pour cause : Mary et lui habitaient Crestallen Street depuis près de quatorze ans. Les Upslinger, de la maison juste en dessus ; leur fils Kenny venait apporter le journal du matin. Les Lang, qui habitaient en face. Les Hobart, deux maisons plus bas (Linda Hobart avait fait du baby-sitting pour Charlie ; elle préparait maintenant un doctorat à l'université de la ville). Les

Stauffer. Hank Albert, dont la femme était morte d'emphysème il y avait quatre ans. Les Darby, et, quatre maisons au-dessus de l'endroit où il était garé, les Quinn. Et une douzaine d'autres familles que Mary et lui connaissaient vaguement — surtout celles qui avaient des enfants.

Eh oui, Fred, une jolie rue, des voisins agréables. Oh, je sais bien que les intellectuels méprisent la banlieue — c'est moins romantique que les vieilles maisons rurales infestées de rats des adeptes du retour à la terre. Il n'y a pas de grands musées dans les banlieues, pas de grandes forêts, pas de grands défis.

Il y eut pourtant bien des moments agréables. Oui, je sais ce que tu penses, Fred. Des moments agréables, qu'est-ce que c'est ? Des moments sans grandes joies, sans grandes peines, des moments sans rien de grand. Des fadaises. Des barbecues sur la pelouse pendant les longues soirées d'été, quand tout le monde est un peu éméché, sans être vraiment soûl, sans que cela devienne jamais déplaisant. Les voitures partagées entre voisins pour aller voir jouer les Mustang. Les invitations à dîner, les sorties. Les parties de golf à Westside, les pique-niques en famille à Ponderosa Pines, où l'on pouvait aussi faire du karting. Tu te souviens du jour où Bill Stauffer est passé à travers la clôture en planches et s'est retrouvé dans la piscine d'un type ? Oui, George, je m'en souviens, et on était tous pliés de rire, mais écoute-moi, George...

Mais les bulldozers vont bien vite enterrer tout ça, pas vrai, Fred ? Et une autre banlieue verra bientôt le jour, du côté de Waterford, où il n'y avait jusqu'à présent que des terrains vagues. C'est la Marche du Temps, le Progrès, les Bébés Miracles. C'est surtout des milliards à gagner. Et qu'est-ce que tu trouveras, là-bas ? Une succession de boîtes d'allumettes peintes de différentes couleurs. Des tuyaux en plastique qui gèleront tous les hivers. Du faux bois en plastique. Du plastique partout. Parce que Bob, des ponts et chaussées, a donné le tuyau à Joe, des Maisons Joe, et que la secrétaire de Joe a refilé le tuyau à Lou, des Maisons Lou, et qu'ils se sont dépêchés d'acheter tous les terrains constructibles, le grand boom de la construction va bientôt commencer à Waterford. En plus des lotissements, il y aura de grands immeubles en copropriété, du studio au cinq pièces. Tu trouveras une maison allée des Lilas, au croisement de l'allée des Pins, mais cela aurait aussi bien pu être l'allée des Aulnes, la rue des Chênes, l'avenue des Cyprès, ou la rue du Chancre des Mélèzes. Chaque maison a une salle de bains au rez-de-chaussée, un cabinet de toilette avec douche à l'étage, et une fausse cheminée du côté est. Et si tu rentres chez toi le soir après avoir bu un coup de trop, tu ne retrouveras même pas ta foutue baraque.

Sans doute, George, mais...

Tais-toi, Fred, je parle. Et où seront nos voisins ? Oh, je sais, ce n'étaient peut-être pas des lumières, mais au moins on savait qui c'était. On pouvait aller leur emprunter du sucre ou des allumettes quand on était en panne. Où sont-ils passés ? Tony et Alicia Lang sont dans le Minnesota, parce que Tony a demandé à être transféré ailleurs, et que son patron le lui a accordé. Les Hobart ont trouvé à se loger dans la banlieue nord. Hans Albert, lui, va habiter Waterford, c'est vrai, mais le jour où il a signé les papiers, il avait l'air de porter un masque. Son visage souriait, mais j'ai bien vu son regard, Freddy.

Il avait l'air d'un type à qui on vient de couper les deux jambes, et qui essaie de faire croire à tout le monde qu'il attend avec impatience ses nouvelles guiboles en plastique, au moins, il n'aura plus de bleus quand il se cognera au coin des meubles. Nous allons donc nous installer là-bas, et où sommes-nous ? Que sommes-nous ? Deux inconnus assis dans une maison perdue au milieu d'autres maisons habitées par des inconnus. Voilà tout ce que nous sommes. On n'arrête pas le Progrès, Freddy. Le Temps poursuit son vol. A quarante ans, en attendant d'en avoir cinquante, puis soixante. En attendant un gentil lit d'hôpital, et une gentille infirmière qui vous enfoncera un gentil cathéter dans les veines. Quarante ans, c'est la fin de la jeunesse, Freddy. En fait, non, la fin de la vraie jeunesse, c'est trente ans ; à quarante, on cesse de s'imaginer qu'on est jeune. Je ne veux pas vieillir dans un lieu anonyme.

Il se remit à pleurer dans la voiture froide et obscure, à pleurer comme un bébé.

Ce n'est pas seulement l'autoroute, George, pas seulement le fait de déménager. Je sais bien ce qui te travaille.

Ferme ça, Fred. Pas un mot de plus, je te préviens.

Mais Fred refusait de se taire. Mauvais, ça. S'il n'arrivait plus à contrôler Fred, comment trouver un instant de paix ?

C'est Charlie, n'est-ce pas, George ? Tu ne veux pas l'enterrer une seconde fois, c'est cela ?

« C'est Charlie, dit-il tout haut, d'une voix épaisse, étranglée par les larmes. Et c'est moi. Je ne peux pas. Je ne peux réellement pas... »

Il pencha la tête en arrière et donna libre cours à ses larmes, se frottant les yeux avec ses poings, comme un tout petit enfant qui a perdu son bonbon parce que sa poche était trouée.

Plus tard, lorsqu'il redémarra, il était complètement vidé. Il se sentait tout creux à l'intérieur, creux et sec. Et parfaitement calme. Il pouvait même regarder sans la moindre émotion les maisons plongées dans l'obscurité, dont les occupants étaient déjà partis.

Nous vivons dans un cimetière maintenant, pensa-t-il. Nous vivons dans un cimetière, Mary et moi. Comme Richard Boone dans *I Bury the Living.* Chez les Arlin, il y avait de la lumière, mais il savait qu'ils déménageaient le 5 décembre. Et les Hobart étaient partis le week-end dernier. Des maisons vides. Vides.

En montant l'allée de sa maison (Mary était au premier : il pouvait voir la lumière diffuse de la lampe de lecture), il repensa soudain à une remarque que Tom Granger avait faite une quinzaine de jours auparavant. Il faudrait qu'il en parle à Tom. Dès lundi.

25 novembre 1973

Il regardait les Mustang jouer contre les Chargers à la télé, en sirotant son mélange personnel, Southern Comfort et Seven-Up. A usage strictement privé, car les gens riaient quand il buvait ça en public. Les Chargers menaient 27 à 3. Rucker s'était fait prendre le ballon à trois reprises. Un beau match, hein, Fred ? Pour sûr, George. Je me demande comment tu fais pour tolérer la tension.

Mary était montée se coucher. Au cours du week-end, le temps s'était radouci ; dehors, il bruinait.

A la mi-temps, il y eut de la pub. Bud Wilkinson parlait aux téléspectateurs de la crise de l'énergie ; une vraie catastrophe : il était du devoir de chacun d'isoler les greniers et de bien penser à fermer le conduit de cheminée quand on n'y faisait pas griller des côtes de bœuf, brûler des sorcières ou je ne sais quoi. Le symbole de la société présentant la pub apparut sur l'écran : un tigre souriant qui vous fixait par-dessus les lettres :

EXXON

Oui, se dit-il, il est clair que de grands malheurs nous attendent, si Esso change son nom en Exxon.

Esso, cela vous coule agréablement de la bouche, comme la voix d'un homme mollement allongé sur un hamac. Tandis que Exxon, on dirait le nom d'un seigneur de la guerre de la planète Yurir.

« Exxon exige que tous les Terriens déposent les armes, s'exclama-t-il. A la casserole, misérables Terriens ! » En ricanant, il se prépara un autre drink ; le Southern Comfort, un magnum de Seven-Up et un bol en plastique empli de glaçons étaient à portée de main sur une petite table ronde.

Le match recommençait. L'avant des Chargers donna le coup d'envoi. Hugh Fednach, l'arrière des Mustang, intercepta le ballon et le passa au 31 de son équipe. Menés par Hans Rucker, les Mustang montèrent à l'attaque. Gene Voreman shoota, mais Andy Cocker, des Chargers, renvoya le ballon dans le but des Mustang. C'est la vie, comme l'a si astucieusement fait observer Kurt Vonnegut. Il avait lu tous les livres de Kurt Vonnegut. Il les aimait surtout parce qu'ils le faisaient rire. La semaine dernière, il avait entendu aux informations que la commission scolaire d'une ville nommée Drake, dans le Dakota du Nord, avait fait brûler tous les exemplaires du roman de Vonnegut, *Abattoir Cinq,* qui parlait du bombardement et de l'incendie de Dresde. Ce n'était pas sans humour, à bien y réfléchir.

Dis-moi, Fred, pourquoi ces connards des ponts et chaussées ne font-ils pas passer la nouvelle autoroute par Drake ? Eh, mais c'est une bonne idée, ça, George. Tu devrais écrire au journal local pour leur proposer ça. Va te faire foutre, Fred.

Les Chargers marquèrent un but : 34-3. Quelques supporters se mirent à danser sur le gazon artificiel en agitant rythmiquement leur derrière. Il commença à s'assoupir, et se trouva sans défense quand Fred passa à l'attaque.

Ecoute, George. Comme il semble que tu ne sais pas ce que tu fais, permets-moi de te le dire. Je vais tout t'expliquer, mon vieux pote. *(Fous-moi la paix, Fred.)* Primo, l'option d'achat pour l'usine de Waterford va bientôt expirer. Mardi à minuit, pour être précis. Mercredi, Thom McAn va signer l'acte d'achat avec cette petite merde baveuse de Patrick J. Monohan. Mercredi après-midi ou jeudi matin, ils vont mettre sur l'usine une grande pancarte annonçant VENDU. Si un collaborateur de la blanchisserie le voit, tu pourras peut-être retarder l'inévitable en disant : bien sûr, vendu à *nous*. Mais si Ordner vérifie, tu es un homme mort. Il ne le fera sans doute pas, mais vendredi *(laisse tomber, Freddy !)*, une nouvelle pancarte fera son apparition. Et l'on pourra y lire :

SITE DE NOTRE NOUVELLE USINE DE WATERFORD
LES CHAUSSURES THOM MCAN
S'AGRANDISSENT POUR VOUS SATISFAIRE !

Et lundi matin à la première heure, tu te retrouveras sans travail. Oui, c'est ainsi que je vois les choses : tu seras fichu dehors avant la pause-café de dix heures. Ensuite, tu pourras rentrer chez toi et annoncer la nouvelle à Mary. J'ignore quand tu le feras. Mais comme le trajet en bus ne prend qu'un quart d'heure, il ne serait pas *impossible* que tu mettes fin à vingt années de mariage *et* à vingt années de travail rémunérateur en l'espace d'une petite demi-heure. Et quand tu auras mis Mary au courant, il y aura la scène d'explications. Tu pourras la retarder en te soûlant, mais tôt ou tard...

Tu vas fermer ta sale gueule, Freddy !

... tôt ou tard, tu devras lui expliquer comment tu as perdu ton travail. Il faudra te confesser. Tu vois, Mary, dans un mois ou un peu plus, les ponts et chaussées vont raser l'usine de Fir Street, et j'ai en quelque sorte fait preuve de négligence en ne m'occupant pas de trouver de nouveaux locaux. Tu comprends, je me disais que cette histoire d'autoroute était un cauchemar dont j'allais m'éveiller un jour ou l'autre. Oui, Mary, oui, j'avais trouvé une nouvelle usine — à Waterford, c'est ça, tu as pigé — mais je ne sais trop pourquoi, je ne m'en suis pas occupé. Combien ça va coûter à Amroco ? Oh, dans les un million, un million et demi de dollars, ça dépend du temps qu'ils mettront à trouver un nouveau local et du nombre de clients qu'ils perdront définitivement.

Je t'ai prévenu, Fred. Prends garde...

Ou bien tu pourrais lui dire ce que nul ne sait mieux que toi, George. A savoir que la marge bénéficiaire de Ruban Bleu est devenue tellement mince que les comptables conseilleront peut-être au conseil d'administration de laisser tomber : empochons les six cent mille que la ville paie pour l'ancienne usine, et montons quelques boutiques dans une galerie marchande ou bien un mignon petit golf à Russell ou à Crescent. Après tout le sucre que ce salopard de Dawes a versé dans notre réservoir d'essence, on risque d'y perdre trop de plumes. Oui, George, tu pourrais lui dire ça par exemple.

Arrête, tu me fatigues.

Mais ce n'est qu'un début, tu vois, parce qu'il y aura une suite, pas vrai ? La seconde partie du programme, c'est quand Mary et toi vous retrouverez à la rue, sans savoir où aller. Parce qu'il n'y aura pas d'autre maison, bien sûr. Comment t'y prendras-tu pour lui expliquer ça ?

Mais je n'ai rien fait !

Précisément. Tu es comme un rameur qui s'est endormi dans sa barque. Mais mardi, ta barque va se trouver prise dans les rapides. Pour l'amour du ciel, George, va voir Monohan lundi et fais tout le contraire de ce qu'il espère : signe l'acte de vente. Tu auras de toute façon des ennuis, après les bobards que tu as racontés à Ordner vendredi soir, mais tu arriveras bien à t'en dépatouiller. Ça ne serait pas la première fois que tu te sors d'une situation coton.

Fiche-moi la paix, tu m'empêches de dormir.

C'est Charlie, n'est-ce pas ? C'est une façon de te suicider. Mais tu devrais penser à Mary, George. C'est trop injuste. Tu es...

Il se redressa d'un bond, renversant le contenu de son verre sur le tapis. « Je ne suis personne, sauf peut-être moi-même. »

Et le pistolet et le fusil, George ? Pourquoi as-tu acheté ces armes ? Pourquoi ?

Tout tremblant, il ramassa son verre et alla le remplir.

26 novembre 1973

Il déjeunait avec Tom Granger chez Nicky's, un restaurant situé à trois rues de la blanchisserie. Ils étaient attablés devant une bière en attendant d'être servis. Le juke-box placé près du bar jouait *Good-Bye Yellow Brick Road* d'Elton John.

Tom parlait du match Mustang-Chargers, que les Chargers avaient gagné par 37 à 6. Tom était amoureux de toutes les équipes sportives de la ville. Quand elles perdaient, ça le rendait fou. Un jour, pensa-t-il en écoutant John énumérer sans pitié les faiblesses de tous les joueurs des Mustang, Tom Granger va se couper une oreille et l'envoyer au directeur général de l'équipe. Un fou l'enverrait à l'entraîneur, qui l'épinglerait en rigolant au tableau d'affichage — Tom, lui, irait droit au directeur général, qui la regarderait en broyant du noir.

Une serveuse en blouse de nylon blanc apporta leur commande. Il estima son âge à trois cents ans, peut-être même trois cent quatre. Pareil pour le poids, en livres. Elle portait au-dessus du sein gauche un badge qui disait :

GAYLE
Merci d'être fidèles à Nick's

Tom avait droit à une tranche de rosbif flottant le ventre en l'air dans une assiettée de sauce graisseuse. Il avait commandé deux cheeseburgers pas trop grillés, avec une portion de frites. Il savait qu'en fait ses cheeseburgers seraient trop grillés, comme toujours chez Nicky's. La nouvelle autoroute allait épargner le restaurant de justesse, à quelques maisons près.

Ils mangèrent en silence. Ensuite, Tom termina sa tirade sur le match de la veille, puis lui demanda comment s'était passée son entrevue avec Ordner, et où en était l'achat de l'usine de Waterford.

« Je vais signer jeudi ou vendredi.

— Je croyais que l'option expirait mardi. »

Il raconta de nouveau comment Thom McAn avait finalement décidé de ne pas acheter. Ce n'était pas amusant de raconter des bobards à Tom Granger. Il le connaissait depuis dix-sept ans. Tom n'était pas bien malin : c'était trop facile de l'embobiner.

« Ah bon », dit Tom lorsqu'il eut terminé, et ce fut tout. Il regarda son assiette en faisant la grimace : « Pourquoi est-ce qu'on vient manger ici ? La nourriture est dégueulasse. Et le café aussi. Même ma femme fait du meilleur café !

— L'habitude, je suppose », dit-il. Profitant de l'occasion, il se lança : « Tu te souviens de ce restaurant italien qui venait d'ouvrir ? On y était allés avec Mary et Verna.

— Ouais. C'était au mois d'août, je crois, Verna n'a toujours pas oublié ce délicieux ricotta... non, rigatoni. C'est ça, des rigatoni.

— Il y avait un drôle de numéro à la table voisine. Un grand type, très gros...

— Gros et grand... répéta lentement Tom, essayant de se souvenir. Non, je ne vois pas.

— Mais si, tu m'avais même dit que c'était une sorte de gangster.

— Ah ! celui-là ! » s'exclama Tom en écarquillant les yeux. Il repoussa son assiette, alluma une cigarette et laissa tomber l'allumette dans la sauce, où elle resta à flotter en décrivant des cercles. « Bien sûr ! Sally Magliore.

— Sally Magliore ?

— Oui, oui. Un grand type avec des lunettes à verres épais et un triple menton. Salvatore Magliore. On dirait le nom de la spécialité maison d'un bordel italien, non ? Sally le Borgne, qu'ils l'appelaient, parce qu'un de ses yeux était atteint de la cataracte. Il se l'est fait enlever à la clinique Mayo il y a trois ou quatre ans... la cataracte, pas l'œil. Ouais, un gangster. Un vrai de vrai.

— Dans quoi est-ce qu'il trempe ?

— Comme tous les autres, qu'est-ce que tu crois ? La drogue, les filles, le jeu, les investissements douteux, le racket. Et se débarrasser des concurrents. T'as pas lu ça dans le journal ? Pas plus tard que la semaine dernière, on a retrouvé un type dans le coffre de sa voiture, derrière une station-service. Six balles dans la tête et la gorge tranchée. Grotesque, non ? Qui irait trancher la gorge d'un mec après lui avoir collé six balles dans le crâne ? La Mafia. Sally le Borgne, il est de la Mafia.

— Il possède aussi une affaire légale ?

— Je crois bien que oui. Tout au bout de Norton. Il vend des bagnoles. Les Voitures d'Occasion Magliore, Garanties O.K. Avec en prime un cadavre dans le coffre. » Tom ricana et fit tomber la cendre de sa cigarette dans l'assiette. Gayle vint leur demander s'ils désiraient encore du café. Ils en commandèrent deux autres.

« A propos, dit Tom, j'ai reçu ce matin les goupilles pour la porte de la chaudière. Elles me font penser à mon engin.

— Tiens donc ?

— Si tu voyais ces trucs ! Trente centimètres de long sur huit de diamètre au milieu.

— Tu parlais sans doute du mien, d'engin ! » Ils éclatèrent de rire, puis parlèrent boulot jusqu'à ce qu'il fût temps de regagner la blanchisserie.

Ce soir-là, il descendit du bus à Barker Street et entra chez Duncan's, un petit bar de quartier bien tranquille. Il commanda un demi et écouta un moment Duncan pester au sujet du match de la veille. Un type arriva pour annoncer à Duncan que le flipper était cassé. Duncan alla y jeter un coup d'œil, tandis qu'il dégustait sa bière à petites gorgées en regardant la télé. Il y avait un feuilleton. Deux femmes parlaient sur un ton mélodramatique d'un certain Hank. Hank, qui était à l'université, allait bientôt rentrer pour les vacances, et une des femmes avait découvert que Hank était son fils, fruit d'une expérience catastrophique qu'elle avait faite en terminale vingt ans auparavant.

Freddy essaya de dire quelque chose, mais George le fit taire immédiatement. Depuis ce matin, le coupe-circuit fonctionnait de nouveau à la perfection.

Parfaitement, espèce de sale schizo ! hurla Fred, puis George lui claqua la porte au nez. Va vendre ta marchandise ailleurs, Freddy. Ici, tu es *persona non grata.*

« Evidemment, je ne le lui dirai pas, disait une des femmes sur l'écran. Comment pourrais-je lui dire une chose pareille ?

— Tu lui dis, tout simplement, rétorqua l'autre femme.

— Mais pourquoi lui dirais-je ? Pourquoi bouleverser son existence entière pour un événement qui s'est produit il y a vingt ans ?

— Tu vas donc lui mentir ?

— Je ne lui dirai rien du tout.

— Il *faut* que tu le lui dises.

— Sharon, je ne *peux* pas le lui dire.

— Si tu ne le lui dis pas, Betty, je le lui dirai moi-même.

— Cette foutue machine est complètement déglinguée, annonça Duncan en revenant. Elle déconne depuis le jour où ils sont venus l'installer. Je vais être obligé d'appeler cette satanée Automatic Industries Company. Il faudra bien vingt minutes pour qu'une conne de secrétaire me passe le bon service. Et ensuite, un type me dira qu'ils ont du boulot par-dessus la tête, mais qu'il essaiera de m'envoyer quelqu'un mercredi. *Mercredi !* Puis, vendredi, un mec qui pense avec son cul s'amènera, et boira quatre dollars de bière à l'œil. Il va réparer ce qui est cassé et sans doute trafiquer un autre truc pour que ça retombe en panne dans une quinzaine. Pour finir, il me conseillera de dire aux clients de moins secouer l'appareil. Dans le temps, j'avais des billards électriques ; ça tombait presque jamais en panne, ces trucs-là. Mais c'est le progrès, que voulez-vous ! Si je suis encore là en 1980, ils me mettront sans doute un appareil automatique à tailler des pipes. Je vous sers un autre demi ?

— Avec plaisir », dit-il.

Duncan prit son verre et alla le remplir. Il posa cinquante cents sur le comptoir et se dirigea vers la cabine téléphonique, à côté du flipper cassé. Il trouva ce qu'il cherchait dans les pages jaunes, à la rubrique *Automobiles, neuves et d'occasion* : MAGLIORE OCCASIONS, Nle 16, Norton, 892-4576.

Dans le centre de Norton, la nationale 16 devenait Veneer Avenue : le quartier où on trouvait tout ce qu'il n'y avait pas dans les pages jaunes de l'annuaire.

Il mit une pièce dans l'appareil et composa le numéro. On décrocha à la seconde sonnerie, et une voix d'homme annonça : « Magliore Occasions.

— Pourrais-je parler à M. Magliore, s'il vous plaît ? De la part de Dawes. Barton Dawes.

— Sal est occupé, mais si je peux vous renseigner ? Je suis Pete Mansey.

— Désolé, M. Mansey, mais il faut que je parle à M. Magliore en personne. C'est au sujet de deux Eldorado.

— Vous tombez mal, dit Mansey. Nous ne prenons plus de grosses voitures, à cause de la crise de l'énergie. C'est devenu invendable. Que...

— Je suis *acheteur,* dit-il.

— Quoi ?

— J'achète deux Eldorado. Une 1970 et une 1972. Une blanche, et une or. J'en ai parlé à M. Magliore la semaine dernière. Je suis moi-même commerçant.

— D'accord, M. Dawes, d'accord. Mais il n'est vraiment pas là. Pour ne rien vous cacher, il est à Chicago. Il ne revient que ce soir à onze heures. »

Dehors, Duncan accrochait une pancarte sur le flipper :

EN DÉRANGEMENT

« Il sera donc là demain ?

— Ouais, bien sûr. Il s'agit d'un échange ?

— Non, d'un achat comptant.

— L'offre spéciale ? »

Il hésita un moment avant de dire : « Oui, c'est ça. Quatre heures, cela ira ?

— Pas de problème.

— Merci, M. Mansey.

— Je lui dirai que vous avez appelé.

— Merci », répéta-t-il avant de raccrocher doucement. Ses mains étaient moites de sueur.

Lorsqu'il arriva chez lui, Merv Griffin bavardait avec des célébrités. Pas de courrier, ouf ! Il alla au living.

Mary buvait une boisson chaude qui sentait le rhum. A côté d'elle, il y avait un paquet de Kleenex et un pot de Vicks.

« Ça ne va pas ? lui demanda-t-il.

— De m'obrasse pas, dit-elle d'une voix qui lui rappela le son d'une corne de brume. J'ai chobé un birus.

— Mon pauvre petit. » Il déposa un baiser sur son front.

« Je boulais te deboder, Bart, tu pourrais aller baire les pourses, ce soir ? Je debais y aller avec Meg Carder, mais j'ai téléponé que je bouvais pas.

— Bien sûr. Tu as de la température ?

— Sais bas. Beud-êdre un beu.

— Tu veux que j'appelle le Dr Fontaine ?

— Sais bas. Je le ferai debain si ça ba pas bieux.

— Tu m'as l'air bien prise.

— Oui. Au début, le Vicks m'a fait du bien, bais... » Elle sourit. « Je barle comme Dodald Duck. »

Après un moment d'hésitation, il lui dit : « Je rentrerai sans doute un peu en retard, demain soir.

— Ah ?

— Je vais voir une maison, dans la banlieue nord. Ça a l'air pas mal. Six pièces, un petit jardin. Et pas loin de chez les Hobart. »

Espèce d'indigne salopard ! s'écria Fred très distinctement.

Le visage de Mary s'épanouit : « Je beux vebir avec toi ?

— Il ne vaut mieux pas, avec ton rhume.

— Je b'abillerais bien.

— Je t'emmènerai la fois d'après, dit-il avec fermeté.

— Gomme tu beux. » Elle le regarda dans les yeux. « Heureusebent que tu commences à t'en occuber. Je commençais à être inquiède, du sais.

— Tout s'arrangera, tu verras. »

Elle but une gorgée de son grog et se serra contre lui. Sa respiration était bruyante. Merv Griffin papotait avec James Brolin du dernier film de celui-ci, *Westworld.* Sortie prochaine dans tous les salons de coiffure du pays.

Peu après, Mary se leva pour mettre des repas-télé surgelés au four. Il se leva aussi, changea de chaîne — ils repassaient « F Troop » — et s'efforça de ne pas écouter Freddy. Au bout d'un moment, toutefois, Freddy changea de chanson.

Tu te souviens de l'achat de ta première télé, Georgie ?

Il ébaucha un sourire, regardant fixement l'écran, mais sans voir l'image. Tu parles que je m'en souviens, Fred.

Un soir, environ deux ans après leur mariage, ils revenaient de chez les Upshaw, où ils avaient regardé « Votre Hit Parade » et « Dan Fortune ». Mary lui avait demandé si Donna Upshaw ne lui avait pas paru... enfin, un peu lointaine. Il se souvenait bien de Mary ce soir-là, mince et séduisante, paraissant encore plus grande dans les sandales blanches qu'elle avait achetées pour célébrer la venue de l'été ; elle portait un short également blanc, et ses jambes étaient longues à n'en pas finir. Pour dire la vérité, il ne s'intéressait guère à l'attitude de Donna Upshaw ; la seule chose qui l'intéressait, c'était d'ôter le plus vite possible son short blanc à Mary. Le reste le laissait plutôt indifférent.

« Peut-être en a-t-elle assez de servir des cacahuètes salées à tout le voisinage, pour la seule raison qu'ils sont les seuls à avoir la télé dans le quartier. »

Il crut voir Mary plisser légèrement les yeux, comme elle le faisait chaque fois qu'elle mijotait quelque chose. Mais ils montaient déjà vers la chambre, et sa main caressait le contenu de son short — et quel contenu ! Ce ne fut donc qu'un bon moment plus tard qu'elle reprit la parole :

« Combien nous coûterait un poste, Bart ? »

A demi endormi, il avait répondu : « On peut sans doute avoir un Motorola pour vingt-huit ou trente dollars, mais si on veut un Philco...

— Je ne parle pas d'une radio, mais d'une télévision. »

Il s'était redressé, avait allumé la lampe de chevet, et l'avait regardée. Elle était nue, le drap enroulé autour des hanches, et son sourire n'indiquait pas qu'elle plaisantait, mais qu'elle lui lançait un défi.

« Voyons, Mary, c'est au-dessus de nos moyens !

— Combien coûte une petite télé ? Une General Electric ou une Philco, par exemple ?

— Neuve ?

— Neuve. »

Il avait réfléchi au problème, en regardant la lumière souligner l'adorable courbe de ses seins. Elle était bien plus mince, à l'époque (voyons, George, on ne peut tout de même pas dire qu'elle soit grosse maintenant, se dit-il avec reproche ; je n'ai jamais dit ça, mon vieux Freddy), et surtout, oui, plus vivante. Même ses cheveux émettaient le message : *vivante, éveillée, consciente...*

« Dans les sept cent cinquante dollars », avait-il répondu, pensant qu'elle cesserait de sourire... mais ça n'avait pas été le cas.

« Tu vois... commença-t-elle en s'asseyant en tailleur, les jambes croisées sous le drap.

— Je vois, avait-il dit.

— Non, pas *ça* ! avait-elle fait en riant, puis en rougissant (mais sans remonter le drap, il s'en souvenait fort bien).

— Bon, je t'écoute, dit-il, reprenant son sérieux.

— Pourquoi les hommes veulent-ils la télé ? Pour regarder les matches du week-end. Et pourquoi les femmes la veulent-elles ? Pour regarder les feuilletons l'après-midi. On peut suivre même en repassant, ou bien s'installer confortablement quand le ménage est terminé. Eh bien, supposons que nous trouvions tous les deux quelque chose à faire —

quelque chose qui rapporte — pendant les heures que nous perdons pour rien...

— Au lieu de lire un livre, par exemple, ou de faire l'amour ?

— Oh ! on trouvera toujours assez de temps pour *ça !* » s'exclama-t-elle en riant et en rougissant tout à la fois. La faible lumière de la lampe assombrissait son regard et projetait une ombre semi-circulaire entre ses seins, et il sut qu'il allait lui refaire l'amour, qu'il lui aurait promis une Zenith grand écran à quinze cents dollars pour qu'elle lui permette de lui faire de nouveau l'amour, et rien que d'y penser, il se sentait durcir, il sentait le serpent devenir de pierre, comme Mary l'avait dit un jour où elle avait trop bu, au réveillon du Nouvel An chez les Ridpath (et maintenant, dix-huit ans après, il sentait de nouveau le serpent devenir de pierre — à cause d'un souvenir).

« Admettons, dit-il. Je vais travailler au noir le week-end, et toi, tu feras pareil l'après-midi. Mais à faire quoi, au juste, ma toute chère Mary, ma pas si Vierge Marie ? »

Elle se jeta sur lui en riant, le poids léger de ses seins sur son estomac (qui était dur et plat, alors, pas l'ombre d'une bedaine, Freddy). « Exactement ! dit-elle. Quel jour sommes-nous aujourd'hui ? Le 18 juin ?

— Le 18, oui.

— Eh bien, tu t'y mets dès le week-end prochain, et le 18 décembre, nous mettons notre argent en commun...

— ... et nous achetons un grille-pain.

— Et nous achetons une télé, dit-elle sans rire. Je suis sûre que nous y arriverons, Bart. Mais... — elle pouffa de nouveau de rire — mais d'ici là, pas un mot ! Ce sera notre secret. Nous ne nous raconterons ce que nous avons fait qu'après !

— Tant que je ne vois pas une lanterne rouge au-dessus de la porte en rentrant demain soir... », dit-il, capitulant.

Elle le fit basculer, s'assit à califourchon au-dessus de lui, et se mit à le chatouiller. Peu à peu, les chatouillements se changèrent en caresses.

« Viens, lui murmura-t-elle à l'oreille, viens », et, l'empoignant avec une pression douce et pourtant à la limite de l'intolérable, elle le guida. « Viens, Bart, viens en moi. »

Plus tard, dans l'obscurité, allongé les mains croisées sous la nuque, il lui dit : « Alors, on ne se dit pas ce qu'on fait, d'accord ?

— Pas un mot.

— Mais qu'est-ce qui t'a donné cette idée, Mary ? Ce que je disais à propos de Donna Upshaw, qui devait en avoir assez de servir gratis des cacahuètes à tout le quartier ? »

D'une voix solennelle, un peu effrayante même — une bouffée d'hiver dans l'atmosphère chaleureuse de leur petit logement au troisième sans ascenseur — elle répondit : « Je n'aime pas jouer les pique-assiette, Bart. Je n'ai jamais aimé ça, et je ne le ferai jamais plus. »

Pendant une dizaine de jours, il tourna et retourna dans sa tête la proposition farfelue de Mary, se demandant comment faire pour gagner la moitié de ces sept cent cinquante dollars (ou plutôt les trois quarts, selon toute probabilité) pendant ces vingt et quelques week-ends. Il était un peu trop vieux pour tondre la pelouse des voisins pour vingt-cinq cents. Et Mary arborait un petit air satisfait qui semblait indiquer qu'elle avait trouvé quelque chose, ou du moins qu'elle était sur la bonne voie. Attention à ne pas te faire distancer, Bart. Au travail, mon garçon !

C'était le bon temps, hein, Freddy ? se dit-il au moment où le film cédait la place à une publicité où un lapin prônait les mérites d'une marque de céréales pour petit déjeuner. Oh oui, Georgie, un *sacrément* bon temps.

Un soir, en regagnant sa voiture après le travail, il regarda la haute cheminée du nettoyage à sec, une vraie cheminée d'usine, et cela lui donna une idée.

Il rempocha les clefs de sa voiture et alla voir Don Tarkington dans son bureau. Don se radossa dans son fauteuil, haussa ses sourcils broussailleux qui commençaient à blanchir (de même que les poils fournis qui sortaient de ses oreilles et de ses narines), le regarda longuement, les bras croisés sur la poitrine, et lui dit :

« Alors, vous voulez peindre la cheminée ? »

Il fit un signe d'assentiment.

« Pendant les week-ends ? »

Il inclina de nouveau la tête.

« Pour un forfait de... trois cents dollars. »

Nouveau signe d'assentiment.

« Vous êtes fou. »

Il éclata de rire.

« C'est pour vous acheter de la drogue ? demanda Don avec un petit sourire.

— Non. Mais Mary et moi avons conclu un petit marché.

— Un pari ? demanda Don en haussant les sourcils.

— Non, rien d'aussi vulgaire. Plutôt une sorte de défi. De toute façon, Don, la cheminée a besoin d'être repeinte, et il me faut ces trois cents dollars.

Qu'en dites-vous ? Une entreprise vous prendrait quatre cent cinquante.

— Vous vous êtes renseigné ?

— Je me suis renseigné.

— Vous êtes vraiment cinglé. Et vous allez sans doute vous tuer, dit Tarkington en riant.

— C'est bien possible. » Il se mit à rire à son tour. (Et maintenant, dix-huit ans plus tard, il souriait comme un imbécile dans son fauteuil, devant la télé où la publicité avait cédé la place au journal du soir.)

Le week-end suivant, il se retrouva donc sur un échafaudage précaire, à vingt-cinq mètres au-dessus du sol, un pinceau à la main, se balançant d'une jambe sur l'autre dans le vent. Un après-midi, une violente bourrasque avait ébranlé l'échafaudage, et il avait failli tomber. Heureusement, la corde d'assurance fixée à sa taille avait tenu bon, et il avait pu redescendre jusqu'au toit, le cœur battant la chamade, se jurant qu'il ne remonterait jamais là-dessus — pas pour une stupide télé, sûrement pas. Il y était remonté, pourtant. Pas pour la télé, mais pour Mary. Pour la lumière de la lampe sur ses petits seins, pour son sourire et son regard de défi, pour ses yeux qui changeaient de couleur selon son humeur, parfois si clairs, parfois sombres comme des nuages d'orage.

Début septembre, il avait terminé ; la cheminée se dressait maintenant, toute blanche et gaie, contre le bleu du ciel. Il la regarda avec fierté tout en se nettoyant les mains et les bras à l'essence.

Don Tarkington le paya par chèque. « Pas du mauvais boulot, pour un amateur comme vous », fut son seul commentaire.

Il récolta cinquante dollars de plus en tapissant le

nouveau séjour de Henry Chalmer — qui était à l'époque le contremaître de la laverie — et en repeignant le vieux chris-craft de Ralph Tremont. Lorsque le 18 décembre arriva, Mary et lui s'assirent à la petite table de leur salle à manger, se faisant face comme deux vieux complices qui seraient également des ennemis. Il posa sur la table trois cent quatre-vingt-dix dollars — il avait mis l'argent à la banque, ce qui lui avait rapporté quelques intérêts.

Mary y ajouta quatre cent seize dollars. Elle les sortit de la poche de son tablier; cela faisait une bien plus grosse liasse que la sienne, parce qu'il y avait surtout des billets de un et de cinq dollars.

« Mais... comment as-tu fait, Mary ? »

Toute souriante, elle répondit : « J'ai fait vingt-six robes, j'en ai raccourci quarante-neuf et rallongé soixante-quatre autres; j'ai fait trente et une jupes et cousu quatre rideaux; j'ai brodé des initiales sur soixante-trois mouchoirs, douze services de table et autant d'oreillers et je vois encore les monogrammes chaque fois que je ferme les yeux. »

En riant, elle lui montra ses mains. Pour la première fois, il remarqua combien elles étaient calleuses, surtout l'extrémité des doigts. Des mains de joueur de guitare.

« Mon Dieu, Mary, tes mains... dit-il, la gorge serrée par l'émotion.

— Ce n'est rien, ça partira vite. Et tu avais l'air très drôle, en haut de ta cheminée. J'avais envie d'acheter un lance-pierres pour voir si j'arriverais à viser ton derrière... »

Il poussa un rugissement et se leva d'un bond. La poursuite se termina dans la chambre à coucher, où ils passèrent tout le reste de l'après-midi, si mes souvenirs sont bons, mon vieux Freddy.

Ils s'aperçurent qu'ils avaient non seulement assez pour s'acheter une petite télé, mais qu'en ajoutant quarante dollars, ils pouvaient s'offrir un modèle de luxe avec son meuble. RCA soldait le modèle de l'année, leur expliqua le propriétaire de John's TV (dont le magasin était bien entendu déjà enseveli sous le chantier de l'autoroute, de même que le Grand Theater et tout le reste). Il pouvait donc leur faire des conditions spéciales. Pour seulement dix dollars par semaine...

« Non », avait rétorqué Mary.

John avait pris un air peiné. « Voyons, Madame, c'est un modèle tout récent, et vous n'allez sûrement pas vous ruiner avec des mensualités pareilles...

— Excusez-moi un moment. » Elle l'avait entraîné dehors, dans le froid de décembre. Quelque part, au loin, on entendait des chants de Noël.

« Mais il a raison, Mary, commença-t-il. Ce n'est pas...

— La première chose que nous achèterons à crédit, Bart, ce sera notre maison, lui dit-elle en prenant son ton solennel. Ecoute... »

Quand ils rentrèrent dans le magasin, il demanda à John : « Vous pouvez nous la mettre de côté ?

— Pourquoi pas ? Mais pas trop longtemps. C'est la saison où les affaires marchent, M. Dawes. Jusqu'à quand ?

— Juste quelques jours. Je viendrai lundi en fin d'après-midi, sans faute. »

Ce week-end, ils étaient allés à la campagne, vêtus de gros lainages car il faisait froid ; le temps était à la neige, mais elle tardait à tomber. Ils roulaient lentement sur de petites routes, pouffant de rire comme des gosses ; un pack de bière pour lui sur le siège arrière, et une bouteille de vin pour Mary. Ils gardèrent les bouteilles vides, et en trouvèrent d'autres. Des canettes de bière, des bouteilles de soda : les petites étaient reprises deux cents, et les grandes, cinq. Un week-end formidable, se souvenait Bart, Mary dans son blouson en imitation cuir, ses cheveux tombant dans le dos, ses joues rougies par le froid et le vent. Il la revoyait encore, fouillant du bout du pied dans les fossés pleins de feuilles mortes qui craquaient comme un feu de bois — et soudain, un tintement de verre, et elle brandissait triomphalement une bouteille, qui allait rejoindre les autres dans le sac.

Tout cela n'existe plus, Georgie. Finies, les bouteilles consignées ; maintenant, le mot d'ordre est : pas de consigne, pas de reprise. On s'en sert une fois et on les met à la poubelle.

Lundi, après le travail, ils s'étaient fait rembourser les bouteilles vides — dans quatre supermarchés différents pour ne pas éveiller les soupçons. Cela leur avait rapporté trente et un dollars. Ils étaient arrivés au magasin dix minutes avant la fermeture.

« Il me manque neuf dollars », annonça-t-il à John.

En guise de réponse, John marqua PAYÉ sur la facture, leur souhaita un joyeux Noël, mit la télé sur un petit chariot et l'emmena jusqu'à leur voiture.

Il s'était garé devant l'immeuble, et le voisin du dessous, tout excité — il s'appelait Dick Keller — les avait aidés à monter le poste chez eux. Ce soir-là, ils avaient regardé tous les programmes jusqu'à l'hymne national, puis avaient fait l'amour devant l'écran allumé ; tous deux avaient une migraine carabinée à force de fixer le petit écran.

Par la suite, la télé leur avait rarement procuré autant de plaisir.

Mary entra, et le trouva assis devant la télé, un verre vide à la main.

« Le dîner est prêt, Bart. Veux-tu que je te l'apporte ici ? »

Il la regarda attentivement, se demandant à quel moment précis il l'avait pour la dernière fois vue arborer son sourire de défi — et à quel moment précis était apparue cette ride entre les deux yeux, à quel moment elle s'était fixée pour de bon, comme un tatouage symbolisant la maturité, ou la vieillesse.

Eh bien, se dit-il, tu te poses de drôles de questions, des questions dont tu ne tiens sûrement pas à connaître les réponses. Pourquoi, alors, pourquoi ?

« Bart ?

— Allons dîner dans la salle à manger. » Il se leva et éteignit la télé.

« Comme tu veux. »

Ils s'assirent. Il regarda le plateau en alu posé devant lui. Six petits compartiments, contenant chacun un aliment qui paraissait moulé dans du plastique. La viande était couverte d'une pellicule de sauce grasse. Dans son expérience, la viande des repas-télé était *toujours* couverte d'une couche de gras. Autrement, elle paraîtrait sans doute trop nue. Soudain, sans raison apparente, il se souvint de ce qu'il avait pensé de Lorne Green : *Attends que je t'arrache cette perruque !*

Mais cette idée ne l'amusait plus du tout. Au contraire, elle lui faisait presque peur.

« A quoi pensais-tu dans le living ? Quand tu souriais tout seul ? » demanda Mary. Elle avait les yeux tout rouges à cause du rhume, et son nez paraissait à vif.

« Je ne me souviens pas », répondit-il, tout en pensant : *Je crois que je vais me mettre à hurler. A cause de tout ce que nous avons perdu. A cause de ton sourire, Mary. Excuse-moi un instant, pendant que je rejette la tête en arrière pour mieux hurler à cause du sourire de défi que je ne vois plus jamais sur ton visage. Ça ne te dérange pas, j'espère ?*

« Tu paraissais tout content », dit-elle.

Contre sa volonté — car c'était un secret, et ce soir, il avait besoin de secrets ; ce soir, ses sentiments étaient aussi à vif que le nez de Mary —, contre sa volonté, il dit : « Je repensais au week-end où nous avions ramassé des vieilles bouteilles pour finir de payer la télé. Tu sais, la grande RCA.

— Ah, ça », dit Mary, avant d'éternuer dans son mouchoir, au-dessus de son repas surgelé.

Il rencontra Jack Hobart au supermarché Stop'n'Shop. Le caddie de Jack était plein de surgelés, de conserves cuisinées et de packs de bière.

« Jack ! s'exclama-t-il. Qu'est-ce que tu fabriques dans le quartier ? »

Jack esquissa un sourire. « Je... je ne suis pas encore habitué aux autres magasins, alors je m'étais dit...

— Où est Ellen ?

— Elle a dû prendre l'avion pour Cleveland. Sa mère vient de mourir.

— Mon Dieu, je suis désolé, Jack... Ça a été si soudain ? »

Autour d'eux, à la froide lumière des tubes fluorescents, des clients allaient et venaient, poussant leurs caddies. Des haut-parleurs diffusaient de la musique — des vieux tubes qu'on reconnaissait vaguement, sans retrouver leur titre. Une femme passa près d'eux, poussant d'une main son caddie et traînant de l'autre un gamin de trois ans qui hurlait sans discontinuer ; les manches de son parka bleu étaient pleines de morve.

« Oui, très soudain », dit Jack Hobart en fixant son caddie avec un sourire stupide. Sur le côté, il y avait glissé un gros sac jaune où il y avait écrit :

KITTY-PAN LITIÈRE POUR CHATS

litière à jeter

Hygiénique !

« Oui, répéta Jack. Elle ne se sentait pas bien depuis quelque temps, mais elle attribuait ça au retour d'âge. En fait, c'était un cancer. Ils lui ont ouvert le ventre, ont jeté un coup d'œil, puis ont recousu sans rien toucher. Trois semaines plus tard, elle était morte. Ça a fichu un sacré coup à Ellen. Sa mère n'avait que vingt ans de plus qu'elle, après tout.

— Mmm, fit-il.

— Elle va rester quelque temps à Cleveland.

— Ouais...

— Ouais. »

Ils se regardèrent, souriant d'un air penaud face à l'incontournable réalité de la mort.

« Ça va, à Northside ? demanda-t-il.

— Pour te dire la vérité, Bart, les voisins ne semblent pas très aimables.

— Ah bon ?

— Tu te souviens qu'Ellen travaille dans une banque du centre ?

— Bien sûr !

— Les filles s'arrangeaient entre elles pour le transport. Tous les mercredis, par exemple, je laissais la voiture à Ellen : c'était son jour. Eh bien, à Northside, le même système existe, mais les filles qui l'utilisent font toutes partie d'une sorte de club, dont Ellen ne peut pas devenir membre parce qu'il faut habiter le quartier depuis au moins un an.

— Mais c'est ni plus ni moins que de la discrimination, Jack !

— Qu'elles aillent se faire foutre ! cracha Jack avec venin. Ellen refuserait de faire partie de leur club même si elles venaient l'en supplier à genoux. Je lui ai acheté une voiture d'occasion, une Buick. Elle était contente ! J'aurais dû le faire depuis longtemps.

— Et la maison ?

— Elle est plutôt bien. » Il soupira. « Mais c'est le tout-électrique. Si tu voyais notre facture ! Pas l'idéal, pour des gens qui ont un gosse à l'université. »

Ils avancèrent de quelques pas. Sa colère passée, Jack arborait de nouveau ce sourire embarrassé. Il se rendit compte que Jack était heureux — c'en était presque pathétique — de revoir un de ses anciens voisins, et faisait durer le moment. L'espace d'un éclair, il eut la vision de Jack errant tout seul dans sa maison emplie des échos fantomatiques de la télévision, tandis qu'à quinze cents kilomètres de là, sa femme enterrait sa mère.

« Ça te dirait de venir passer un moment à la maison ? lui demanda-t-il. On pourra vider quelques canettes de bière en regardant le journal télévisé.

— Excellente idée !

— Dès que nous serons sortis, je donne un coup de fil à Mary pour la prévenir. »

Il appela Mary, qui lui dit que c'était une bonne idée ; elle allait mettre quelques surgelés au four puis monter se coucher, pour ne pas passer son rhume à Jack.

« Il se plaît, à Northside ? demanda-t-elle.

— Pas trop mal, je crois. Ecoute, Mary... la maman d'Ellen est morte. Ellen est allée à Cleveland pour l'enterrement. C'était un cancer.

— Oh, *non !*

— Alors je me suis dit que Jack serait content d'avoir de la compagnie, tu comprends...

— Tu as eu parfaitement raison. Lui as-tu dit que nous allons peut-être bientôt être voisins ?

— Non.

— Tu devrais. Ça lui ferait sûrement plaisir.

— C'est vrai. A tout à l'heure, Mary.

— A tout à l'heure.

— Prends de l'aspirine avant de te coucher.

— D'accord.

— Au revoir.

— Au revoir, George. » Elle raccrocha.

Il fixa le téléphone, sentant un frisson glacé le parcourir. Elle ne l'appelait George que les rares fois où elle était particulièrement contente de lui. C'était Charlie qui avait inventé ce jeu : l'appeler Fred ou George selon les occasions.

A la maison, Jack et lui regardèrent le match et burent beaucoup de bière, mais elle n'était pas fameuse, et le cœur n'y était pas.

A minuit un quart, au moment de monter en voiture pour rentrer chez lui, Jack le regarda avec gravité : « Cette saleté d'autoroute ! C'est ça qui a tout foutu en l'air.

— Tu l'as dit. » Jack lui parut soudain très vieux, et cela l'effraya. Ils étaient à peu près du même âge. « On se fait signe, Bart.

— Sûr. »

Un peu éméchés, un peu écœurés, ils échangèrent un sourire incertain. Il regarda la voiture de Jack s'éloigner, puis disparaître en bas de la colline.

27 novembre 1973

Il avait une légère gueule de bois, et était fatigué parce qu'il s'était couché tard. Le vacarme des essoreuses lui faisait mal aux oreilles, et le chuintement incessant des machines à repasser l'agaçait.

Mais le pire, c'était Freddy. Un vrai démon, aujourd'hui.

Ecoute, lui disait Fred. C'est ta dernière chance, mon petit vieux. Tu as encore tout l'après-midi pour aller voir Monohan. Mais à cinq heures, il sera trop tard.

L'option n'expire qu'à minuit.

Comme si je ne le savais pas. Mais dès la fermeture des bureaux, Monohan éprouvera le besoin urgent d'aller voir des parents à lui. En Alaska, par exemple. Pour lui, cela signifie la différence entre une commission de quarante-cinq mille dollars et une commission de cinquante mille dollars — le prix d'une voiture neuve. Pas besoin d'une calculatrice de poche. Pour une somme pareille, il irait jusqu'à se trouver des parents dans les égouts de Bombay.

Mais c'était sans conséquences. Il était trop tard. Il y avait trop longtemps que la machine tournait sans lui. Il était comme hypnotisé par l'explosion imminente ; il en venait presque à la désirer, et se complaisait dans cet état.

Il passa la majeure partie de l'après-midi à la laverie, où Ron Stone et Dave testaient des échantillons de lessives. Le bruit était infernal et lui donnait mal à la tête — mais il l'empêchait d'entendre ses pensées.

Après le travail, il sortit sa voiture du parking — Mary la lui avait volontiers laissée pour la journée, car il allait voir une maison — et prit la direction de Norton.

A Norton, il y avait des Noirs partout : aux coins des rues, devant les bars... Des restaurants servant de la cuisine du Sud. Des enfants qui jouaient à la marelle sur les trottoirs. Il vit une énorme Cadillac Eldorado rose s'arrêter devant un immeuble en pierre de taille ; une vraie voiture de maquereau. L'homme qui en descendit était un gigantesque Noir coiffé d'un chapeau colonial blanc et portant un complet crème avec des boutons en nacre et des chaussures noires ornées de grosses boucles en or sur le côté. Il tenait une canne en jonc à pommeau d'ivoire. D'un pas majestueux, il contourna le capot de la voiture, sur lequel était monté un bois de renne. Au cou, il portait une petite cuiller en argent attachée à une chaînette. Elle étincelait au pâle soleil automnal. Dans son rétroviseur, il vit des enfants courir vers l'homme, qui allait sans doute leur distribuer des bonbons.

Plus loin, les derniers lotissements faisaient place à des champs marécageux : entre les sillons, stagnait une eau huileuse, à la surface irisée. Sur sa gauche, au niveau de l'horizon, il vit un avion se poser sur l'aéroport municipal.

Il suivait maintenant la Nationale 16, bordée des dernières excroissances de la ville : McDonald's, Shakey's, Nino's Grill, puis un glacier et un motel, tous deux fermés pour la saison. Sur la marquise du cinéma drive-in de Norton, les programmes étaient indiqués :

VEN — JEU — SAM
RESTLESS WIVES
SOME CAME RUNNING *Classé X*
EIGHT-BALL

Il passa devant un bowling et un karting également fermés pour la saison. Devant plusieurs stations-service ; deux d'entre elles affichaient :

PLUS D'ESSENCE

Il n'y avait pas vraiment de rationnement, mais les pompes ne recevraient leur quota de décembre que dans quatre jours. Il se sentait incapable de déplorer cette crise de science-fiction. Il y avait trop longtemps que le pays gaspillait gloutonnement le pétrole pour qu'on eût pitié de lui. Les petits, qui étaient comme toujours les premières victimes d'événements qui les dépassaient, c'était autre chose ; ils méritaient la sympathie.

Encore un bon kilomètre, et il arriva à MAGLIORE OCCASIONS. Il fut déçu, sans savoir pourquoi. Peut-être s'attendait-il à mieux. Tout sentait le provisoire. Des voitures étaient alignées face à la route, sous des banderoles rouges, jaunes, bleues et vertes flottant à un fil tendu entre deux lampadaires. Des prix et des slogans étaient dessinés au savon sur les pare-brise :

795 $

MOTEUR COMME NEUF !

550 $

UNE AFFAIRE !

et, sur une vieille Valiant poussiéreuse, aux pneus à plat et au pare-brise fendillé :

75 $

SPÉCIAL BRICOLEUR !

Un vendeur portant un loden gris-vert écoutait avec un sourire approbateur ce que lui disait un jeune type en veston de soie rouge. Ils se tenaient devant une Mustang bleue, manifestement atteinte d'un cancer de la carrosserie. Le gosse frappa une des portières du plat de la main, soulevant un petit nuage de rouille et de particules de peinture. Le vendeur haussa les épaules, sans cesser de sourire. La Mustang continua tranquillement à vieillir.

Au fond du terrain où étaient exposées les voitures, il y avait un garage flanqué d'un bureau. Il s'arrêta devant et descendit de voiture. Dans l'atelier, une vieille Dodge avec d'énormes ailes profilées se trouvait sur un élévateur. Un mécanicien qui s'affairait sous la voiture arriva, tenant précautionneusement un pot d'échappement entre ses mains couvertes de cambouis.

« Il ne faut pas rester là, Monsieur. Vous gênez le passage.

— Où dois-je me garer, alors ?

— Si vous allez au bureau, mettez-vous derrière l'atelier. »

Il remonta dans sa LTD et contourna le bâtiment, se frayant précautionneusement un passage entre la cloison en tôle ondulée et une rangée d'autos. Le vent lui parut glacial après la tiédeur de la voiture, et il dut ciller pour empêcher ses yeux de larmoyer.

Derrière, il y avait une gigantesque casse, qui s'étendait sur des hectares. A perte de vue, des voitures plus ou moins en morceaux, victimes d'une maladie si affreuse qu'on n'osait même pas les enterrer. Certaines n'avaient plus de roues, et reposaient sur leurs essieux. A d'autres, on avait vidé les entrailles; leur capot ouvert ne révélait qu'un trou béant. D'autres encore n'avaient plus de phares, et le fixaient avidement de leurs orbites vides.

Il revint sur le devant. Le mécano était en train de fixer l'échappement.

« M. Magliore est là ? » lui demanda-t-il. Il se sentait toujours idiot quand il parlait à des mécaniciens; il redevenait l'adolescent boutonneux qu'il était vingt-quatre ans auparavant, lorsqu'il avait acheté sa première voiture.

Le mécano tourna la tête vers lui, sans cesser d'actionner sa clef à rotule. « Ouais, il est au bureau avec M. Mansey.

— Merci.

— Pas de quoi. »

Il entra. Les murs étaient en stratifié imitation pin, et le sol, en dalles de linoléum blanches et rouges, passablement crasseuses. Entre deux vieilles chaises inoccupées, était posée une pile de magazines écornés. Il y avait une porte, donnant sans doute accès au bureau proprement dit, et, à sa gauche, une sorte de guérite occupée par une femme qui tapait sur une machine à calculer. Des lunettes en plastique multicolore pendaient sur sa poitrine plate au bout d'une chaîne en strass, et elle avait passé un crayon jaune dans ses cheveux. Il s'approcha d'elle avec une soudaine appréhension, et dut humecter ses lèvres avant de parler.

« S'il vous plaît... ?

— Oui ? »

Il résista à l'envie soudaine de dire : *Je veux voir Sally le Borgne. Remue ton cul, salope,* et se contenta de déclarer :

« J'ai rendez-vous avec M. Magliore.

— Ah oui ? » Elle lui lança un regard méfiant, puis feuilleta des fiches posées à côté de la machine à calculer. « Vous êtes M. Dawes ? Barton Dawes ?

— C'est cela.

— Vous pouvez entrer. » Elle le regarda en fronçant le nez, puis se remit à taper sur sa machine.

Il était de plus en plus inquiet. Ils devaient savoir qu'il leur avait raconté des salades. Vu la façon dont Mansey lui avait parlé au téléphone la veille, il était évident que leur commerce d'autos cachait autre chose. Et ils savaient qu'il savait. Il ferait peut-être mieux de sortir sans demander son reste, et de filer tout droit chez Monohan ; il avait peut-être une chance de l'attraper avant qu'il ne parte pour l'Alaska ou Tombouctou ou Dieu sait où.

Enfin ! s'exclama Freddy. Un peu de bon sens !

En dépit de Freddy, il se dirigea vers la porte, l'ouvrit et entra. Il y avait deux hommes. L'un d'eux, assis derrière le bureau, était très gras et portait des lunettes à verres épais. L'autre était grand et mince, presque émacié, et portait un veston sport couleur saumon qui lui rappela Vinnie. Il se tenait debout à côté du précédent. Ils étaient en train de regarder le catalogue de J. C. Whitney.

Ils levèrent les yeux et le regardèrent. Le gros — manifestement Magliore — sourit. Les lunettes faisaient paraître ses yeux énormes et flasques, comme des jaunes d'œufs pochés.

« M. Dawes ?

— C'est bien moi.

— Ravi que vous ayez pu venir. Vous refermez la porte, s'il vous plaît ?

— Bien sûr. »

Lorsqu'il se retourna, Magliore ne souriait plus. Et pas davantage Mansey. Ils se contentaient de le regarder. La température du bureau semblait avoir baissé d'au moins dix degrés.

« Bien, dit Magliore. Qu'est-ce que c'est que ces conneries ?

— Je voulais vous parler.

— Je parle quand je veux, et c'est gratis. Mais pas à des merdeux comme vous. Vous avez appelé Pete pour lui raconter un tas de bobards au sujet de deux Eldorado (il prononçait Eldoraydo). J'attends vos explications. »

Toujours debout près de la porte, il dit : « Il paraît que vous vendez des choses.

— C'est exact. Je vends des voitures.

— Non, dit-il, autre chose... Des trucs comme... » Il regarda avec méfiance les cloisons en faux pin. Dieu seul savait combien de micros la police ou le FBI avaient planqués ici. « Des trucs, quoi... termina-t-il en avalant sa salive.

— Vous parlez sans doute de came, de putes et de paris clandestins ? Ou alors vous voulez engager un tueur pour zigouiller votre femme ou votre patron ? » Voyant qu'il faisait une grimace de dégoût, Magliore eut un rire grinçant. « Pas mal, mon petit monsieur, pas mal du tout pour un petit morveux comme vous. C'était la grande scène des micros cachés, hein ? On vous apprend ça à l'école de la police, pas vrai ?

— Ecoutez, je ne suis pas un...

— Ta gueule », lui dit Mansey, qui tenait toujours le catalogue de J. C. Whitney à la main. Ses ongles brillaient comme s'il sortait de chez la manucure. Il n'avait jamais vu des ongles pareils, sauf à la télé, dans les pubs où l'annonceur présente en gros plan un tube d'aspirine ou quelque chose dans ce genre. « Tu parleras quand Sal te le dira, pas avant. »

Il eut un sursaut involontaire et serra les mâchoires. Cela commençait à ressembler à un cauchemar.

« Vous devenez vraiment de plus en plus cons, continua Magliore. Mais ça ne me gêne pas. J'aime bien avoir affaire à des cons. A force, je commence à savoir m'y prendre. Pour revenir à notre sujet, inutile de vous faire de la bile : le bureau est cent pour cent sûr — mais vous devez le savoir mieux que moi. On le nettoie toutes les semaines. Chez moi, j'ai une boîte à cigares pleine de micros : adhésifs, en forme de boutons ou de stylos, et des magnétophones Sony pas plus grands que la main. Ils ont fini par renoncer. A la place, ils m'envoient des petits merdeux comme vous. »

Il s'entendit dire : « Je ne suis pas un petit merdeux. »

Magliore ouvrit toute grande la bouche et haussa les sourcils de façon comique. Il se tourna vers Mansey : « T'as entendu ça ? Il dit qu'il est pas un petit merdeux !

— Ouais, j'ai entendu.

— Tu trouves pas qu'il a l'air d'un petit merdeux, toi ?

— Et comment !

— En plus, il *parle* comme un petit merdeux.

— Pour sûr.

— Si vous êtes pas un petit merdeux, dit Magliore en lui faisant de nouveau face, qu'est-ce que vous êtes, au juste ?

— Je suis... », commença-t-il, se demandant quoi dire. Qu'*était*-il, au juste ? Fred, où es-tu quand j'ai besoin de toi ?

« Allons, dit Magliore, allons... Police municipale ? Police fédérale ? Fisc ? FBI ? Tu trouves pas qu'il a la tête d'un type du Effe Bie Aïe, Pete ?

— Tout à fait, fit Pete.

— Même la police municipale n'oserait pas envoyer un merdeux pareil. Alors, qu'est-ce que t'es ? Effe Bie Aïe ou bien détective privé ? »

La colère commençait à monter en lui.

« Fous-le dehors, Pete », ordonna Magliore, estimant que le jeu avait assez duré. Mansey fit un pas vers lui.

« Pauvre saucisse ! s'écria-t-il soudain, n'y tenant plus. Vous êtes tellement stupide que vous devez regarder sous votre plumard pour voir s'il n'y a pas de flics ! Je parie que vous vous imaginez qu'ils sont en train de baiser votre femme pendant que vous êtes ici ! »

Magliore le fixa avec ses yeux ronds, rendus plus énormes encore par les lunettes. Mansey s'immobilisa, le regardant avec incrédulité.

« Saucisse ? » répéta Magliore, tournant et retournant le mot dans sa bouche comme un menuisier qui examine un outil inconnu. « Il m'a appelé saucisse ? »

Il était stupéfait et un peu épouvanté d'avoir dit cela.

« Je l'emmène faire un petit tour derrière, dit Mansey, faisant un nouveau pas en avant.

— Un moment », grogna Magliore. Il le regarda avec une curiosité non déguisée. « Vous m'avez appelé saucisse ?

— Je ne suis pas un flic, dit-il hâtivement. Ni un escroc. Simplement un type qui a entendu dire que vous vendiez des trucs si on avait de quoi payer. J'ai du fric. J'ignorais qu'il fallait un mot de passe ou je ne sais quelle connerie comme à la télé. Oui, je vous ai traité de saucisse. Je vous demande pardon, si ça peut empêcher cet homme de me passer à tabac. Je suis... » Il humecta ses lèvres, ne sachant comment continuer. Magliore et Mansey le regardaient avec fascination, comme s'il venait de se transformer sous leurs yeux en statue de marbre.

« Saucisse... répéta une fois encore Magliore. Pete, fouille-le. »

Pete lui donna un coup sec sur l'épaule et il fit volte-face.

« Les mains contre le mur », ordonna Mansey, la bouche tout près de son oreille. Son haleine sentait le désinfectant. « Et les jambes écartées. Comme au cinoche.

— Je ne vais jamais voir de films policiers », rétorqua-t-il, mais il savait ce qu'il voulait dire et se mit dans la position indiquée. Mansey tâta ses jambes et ses cuisses l'une après l'autre, ausculta ses organes génitaux avec une impartialité toute médicale, vérifia sa ceinture, palpa ses flancs et passa un doigt autour de son col.

« C'est bon, annonça Mansey.

— Retournez-vous », dit Magliore.

Il obéit. Magliore le regardait toujours avec fascination.

« Approchez. »

Il s'avança vers lui.

De l'index, Magliore tapota à plusieurs reprises le dessus de son bureau. Sous une tablette de verre, il y avait quelques photos : une femme aux cheveux noirs, souriant au photographe, des lunettes de soleil relevées sur le front ; des enfants basanés s'ébattant dans une piscine ; Magliore lui-même, sur une plage, en slip de bain noir, ressemblant au roi Farouk, suivi d'un grand colley blanc.

« Videz vos poches, ordonna-t-il.

— Hein ?

— Allez, mettez tout là-dessus. »

Il songea un moment à protester, mais Mansey était juste derrière lui. Il s'exécuta.

Des poches de son pardessus, il tira en tout et pour tout deux billets de cinéma — le dernier film que Mary et lui étaient allés voir, un machin plein de chansons, il ne se souvenait même plus du titre.

Il ôta le pardessus. De son veston, il sortit un briquet Zippo gravé à ses initiales — BGD. Un tube de pierres à briquet. Un cigare enveloppé de Cellophane. Une boîte de comprimés de magnésie Phillips. Une facture de A & S Pneus, où il avait acheté ses pneus cloutés. Mansey y jeta un coup d'œil et dit avec satisfaction : « Vous vous êtes bien fait avoir. »

Il retira son veston. Dans la poche de la chemise, rien. De son pantalon, il sortit les clefs de la voiture et quarante cents en pièces de cinq. Pour une raison inexplicable, il en avait toujours plein les poches. Mais jamais de pièces de dix cents, les seules qui allaient dans les parcmètres. Finalement, il prit son portefeuille dans sa poche-revolver et le posa sur le bureau à côté du reste.

Magliore prit le portefeuille et contempla un

moment le monogramme fané. Mary le lui avait offert quatre ans auparavant.

« Le G, c'est pour... ? demanda Magliore.

— George. »

Il ouvrit le portefeuille et en étala le contenu comme les cartes d'une réussite.

Deux billets de vingt dollars et trois billets de un dollar.

Des cartes d'achat et de crédit : American Express, Shell, Sunoco, Arco, Grant's, Sears, Carey's...

Permis de conduire. Carte de Sécurité sociale. Carte de donneur de sang — groupe A rhésus positif. Carte de bibliothèque. Photocopie d'extrait de naissance. Un porte-photos en plastique. Des factures, dont plusieurs étaient jaunies par l'âge. Des fiches de dépôts bancaires, dont certaines remontaient au mois de juin.

Magliore hocha la tête avec irritation : « Vous ne rangez donc jamais votre portefeuille ? Vous allez faire craquer votre poche si vous continuez comme ça !

— Je déteste jeter », répondit-il avec un haussement d'épaules. Curieux, pensa-t-il : quand Magliore me traite de merdeux, cela me met en rogne, mais quand il critique ma façon de ranger mon portefeuille, cela me laisse complètement froid.

Magliore regarda les photos. La première montrait Mary, louchant et tirant la langue. Une vieille photo ; elle était plus mince que maintenant.

« Votre femme ?

— Oui.

— Elle doit être jolie quand elle ne se fait pas prendre en photo. »

Il passa à la suivante. Un sourire — un vrai — éclaira son visage.

« Votre fils ? Le mien a à peu près le même âge. Il joue au base-ball ? Si, si, je parie que c'est un as !

— C'était mon fils, oui. Il est mort.

— Oh. Un accident ?

— Une tumeur au cerveau. »

Magliore baissa les yeux et regarda les autres photos. Bribes éparses d'une existence. La maison de Crestallen Street West ; Tom Granger et lui dans la laverie ; une photo le montrant sur un podium : il avait été chargé de présenter les orateurs l'année où la convention des blanchisseurs s'était tenue dans la ville ; une soirée barbecue sur la pelouse le montrant devant le gril, coiffé d'une toque de cuisinier et portant un tablier où l'on pouvait lire : PAPA CUISINE, MAMAN S'DÉBINE.

Magliore posa les photos, puis tendit à Mansey les cartes de crédit : « Fais-moi photocopier ça. Et prends aussi une des fiches de dépôt. Sa femme doit garder son carnet de chèques sous clef — exactement comme la mienne. » Il eut un petit rire.

Mansey le regarda avec scepticisme : « Tu ne vas quand même pas faire du business avec ce merdeux ?

— Ne l'appelle pas merdeux, et il ne me traitera peut-être plus de saucisse. » Il eut un rire chuintant qui cessa abruptement. « Occupe-toi de tes affaires, Pete, et ne te mêle pas des miennes. »

Mansey sourit bêtement puis sortit, très raide.

Lorsque la porte se fut refermée, Magliore le regarda. Après un nouveau rire chuintant, il hocha la tête. « Saucisse... On m'a traité d'un tas de noms, mais jamais de saucisse !

— Pourquoi va-t-il photocopier mes cartes de crédit ?

— Nous possédons une partie d'un ordinateur, sur la base du temps partagé ; ces trucs-là, ça n'appartient jamais à une seule personne. Si on connaît les codes, on a accès aux banques de mémoire des cinquante ou soixante principales sociétés établies dans la région. Je vais faire quelques vérifications. Si vous êtes de la police, nous le découvrirons. Si ces cartes de crédit sont fausses, nous le découvrirons. Si elles sont authentiques mais volées, nous l'apprendrons aussi. Mais vous m'avez convaincu. Je crois que vous êtes de bonne foi. Saucisse... » Il hocha de nouveau la tête en riant. « On était bien lundi, hier ? Vous avez eu de la chance de ne pas me traiter de saucisse un lundi, jeune homme.

— Je peux vous dire maintenant ce que je voudrais acheter ?

— En principe, oui. Même si vous étiez un flic avec six magnétophones sur vous, vous ne pourriez rien contre moi. Parce que vous m'auriez tendu un piège, et c'est illégal. Mais je ne veux pas le savoir maintenant. Revenez demain, même heure, même lieu, et je vous dirai si je suis prêt à vous écouter. Mais, même si vous êtes parfaitement okay, je refuserai peut-être de vous vendre quoi que ce soit. Et vous voulez savoir pourquoi ?

— Pourquoi ? »

Magliore éclata de rire. « Parce que vous êtes complètement givré. Vous roulez sur trois roues, vous naviguez aux instruments.

— Vous dites ça parce que je vous ai insulté ?

— Non, dit Magliore. Mais vous me rappelez un truc qui m'est arrivé quand j'avais à peu près l'âge de mon fils. Dans le quartier de truands où j'ai grandi à New York, il y avait un chien. C'était avant la Seconde Guerre mondiale, pendant la grande dépression. Un type nommé Piazzi avait un affreux bâtard noir, une chienne qui s'appelait Andréa, mais tout le monde l'appelait la chienne de M. Piazzi. Il la laissait toujours attachée, mais elle avait bon caractère — puis, par une chaude journée d'août, ça devait être en 1937, elle devint méchante. Elle se jeta sur un gosse qui était allé la caresser. Trente-sept points de suture au cou, un mois à l'hôpital. Mais j'avais prévu le coup. La chienne restait attachée en plein soleil. Tous les jours. Vers la mi-juin, elle avait cessé de remuer la queue quand les enfants venaient la caresser. Puis elle s'était mise à rouler les yeux. Fin juillet, elle commença à gronder du fond de la gorge dès qu'un gosse approchait. A partir de ce moment, je ne me risquais plus à la caresser. Les copains me disaient, qu'est-ce qui te prend, Sally ? T'as la frousse ? Et je répondais, non, je ne suis pas un froussard, mais je ne suis pas idiot ; cette chienne devient méchante, ça se voit. Ils se moquaient tous de moi : Eh, Sally, cette chienne a jamais mordu personne, elle ne toucherait pas un bébé qui mettrait sa tête entre ses mâchoires ! Allez-y, leur disais-je, caressez-la, aucune loi ne l'interdit, mais moi, je ne m'en approche plus. Sally est un froussard ! criaient-ils, Sally est une fille ! Il veut que sa maman le tienne par la main pour aller caresser la chienne de M. Piazzi ! Vous savez comment sont les mômes.

— Je sais », dit-il. Entre-temps, Mansey était revenu avec les cartes de crédit ; il se tenait près de la porte, et écoutait.

« Finalement, un de ceux qui criaient le plus fort y a eu droit. Luigi Bronticelli, qu'il s'appelait. Un brave petit Juif, comme moi. » Magliore émit de nouveau son rire chuintant. « Ouais. Par un après-midi d'août, si chaud qu'on aurait pu faire frire des œufs sur le trottoir, il alla caresser la chienne de M. Piazzi. Et depuis, c'est tout juste s'il est encore capable de murmurer. Les cordes vocales foutues. Il a un salon de coiffure à Manhattan. Les clients l'appellent Luigi le Muet. »

Magliore s'interrompit un moment et le regarda en souriant.

« Eh bien, vous me rappelez le chien de M. Piazzi. Vous ne grondez pas encore, mais si quelqu'un voulait vous caresser vous vous mettriez à rouler les yeux. Et il y a déjà un bon moment que vous ne remuez plus la queue. Luigi, rends-lui ses affaires. »

Mansey s'exécuta.

« Nous continuerons cette conversation demain, si vous revenez. » Magliore le regarda ranger les papiers dans son portefeuille. « Vous devriez vraiment mettre un peu d'ordre là-dedans, ajouta-t-il. Les coutures vont finir par craquer.

— Je verrai ça, dit-il.

— Pete, reconduis Monsieur à sa voiture.

— Bien, patron. »

Il était déjà dans l'entrée lorsqu'il entendit Magliore lui crier : « Vous savez ce qu'ils ont fait avec la chienne de M. Piazzi ? Ils l'ont emmenée à la fourrière et l'ont gazée ! »

Après dîner, pendant que John Chancellor expliquait aux téléspectateurs que la nouvelle limitation de vitesse sur l'autoroute du New Jersey avait réduit le nombre des accidents, Mary lui demanda comment il avait trouvé la maison.

« Pleine de termites, répondit-il.

— Oh, fit-elle d'une petite voix. Ça ne va pas, alors ?

— Je vais retourner voir demain. Si Tom Granger connaît un bon spécialiste, j'emmènerai le gars avec moi. Autant avoir l'avis d'un expert. C'est peut-être moins grave que ça ne paraît.

— Espérons, soupira-t-elle. Ça avait l'air bien, pourtant, avec un jardin et tout... »

T'es un vrai prince, dit soudain Freddy. Comment se fait-il que tu sois si gentil avec ta femme, George ? C'est inné, ou bien t'as pris des leçons ?

« Ferme-la, dit-il à voix haute.

— Comment ? fit Mary avec stupéfaction.

— Oh ! excuse-moi... je parlais à Chancellor. J'en ai ras le bol de toutes ces catastrophes que nous annoncent les Chancellor, Walter Cronkite et autres oiseaux de malheur.

— Ne rends pas le messager responsable des nouvelles qu'il apporte, dit-elle en regardant John Chancellor avec un regard teinté de méfiance.

— Tu as sans doute raison », répondit-il, tout en pensant : *Salaud de Freddy !*

Freddy lui dit de ne pas rendre le messager responsable des nouvelles qu'il apporte.

Ils regardèrent le journal en silence. Ensuite, il y eut une publicité pour un médicament contre le rhume : deux hommes dont les visages étaient transformés en blocs de morve. L'un d'eux avala une pilule ; aussitôt, le cube gélatineux et verdâtre qui enserrait sa tête se détacha et tomba en morceaux.

« Ton rhume a l'air d'aller mieux ce soir, fit-il observer.

— Oui, ça va mieux. Comment s'appelle l'agent immobilier, Bart ?

— Monohan, répondit-il automatiquement.

— Non, pas celui de l'usine. Celui qui vend la maison.

— Olsen », répondit-il aussitôt, puisant au hasard un nom dans le recoin de son esprit où il entassait les rebuts.

Après la pub, la suite du journal : David Ben Gourion allait bientôt rejoindre Harry Truman au sein du grand Secrétariat céleste.

« Jack se plaît dans son nouveau quartier ? » demanda Mary pendant un silence.

Il était sur le point de lui dire qu'il ne s'y plaisait pas du tout, mais s'entendit répondre : « Oui, oui, il a l'air plutôt content. »

John Chancellor termina le journal sur une note humoristique : des soucoupes volantes avaient été aperçues dans le ciel de l'Ohio.

Il se coucha à dix heures et demie. Le cauchemar dut commencer presque aussitôt, car en se réveillant, il vit que la pendule digitale annonçait :

11 : 22 *p. m.*

Dans le rêve, il se trouvait à Norton — au croisement de Venner Street et de Rice Street. Il se tenait juste au pied du poteau indiquant le nom des rues. Un peu plus bas, une énorme Cadillac rose avec des bois de renne montés sur le capot s'arrêta devant une confiserie. Aussitôt, des enfants sortirent des maisons et coururent vers la voiture.

Juste en face, un énorme chien noir était enchaîné à la façade d'une maison en brique qui paraissait toute de travers.

Un petit garçon s'approchait de lui d'un pas assuré.

Il voulut crier : *Ne caresse pas ce chien ! Va voir le monsieur qui distribue les bonbons !* mais aucun son ne sortit de sa bouche. Comme dans une scène de cinéma au ralenti, le maquereau en complet crème et chapeau colonial se retourna pour regarder. Ses mains étaient pleines de bonbons. Les enfants qui s'étaient assemblés autour de lui se retournèrent eux aussi. Tous étaient noirs ; seul le petit garçon qui s'approchait du chien était blanc.

Le chien passa à l'attaque, catapulté comme un javelot par la détente de ses pattes de derrière. Le petit garçon poussa un hurlement aigu et se recula d'un pas, les mains sur le cou. Lorsqu'il fit volte-face, le sang coulait à flots entre ses doigts. C'était Charlie.

Ce fut alors qu'il se réveilla.

Ces rêves. Ces foutus *rêves*.

Il y avait trois ans que son fils était mort.

28 novembre 1973

Lorsqu'il se leva, il neigeait, mais il ne tombait plus que quelques flocons lorsqu'il arriva à la blanchisserie. Il était encore assis dans sa voiture lorsqu'il vit Tom Granger, en bras de chemise, courir vers lui ; à chaque expiration, son haleine formait un petit panache blanc dans l'air glacé. Il vit à l'expression de Tom que la journée s'annonçait mal.

« Il y a eu un pépin, Bart !

— Grave ?

— Assez, oui. En revenant du Holiday Inn avec la première cargaison, Johnny Walker a eu un accident. Un type en Pontiac a brûlé le feu rouge de Deakman Boulevard et lui est entré dedans. » Haletant, il resta un moment à fixer la rampe de chargement, devant laquelle aucune camionnette n'attendait. « Les flics ont dit que Johnny était dans un sale état.

— Seigneur Dieu !

— J'y suis arrivé un quart d'heure ou vingt minutes après. Tu connais ce carrefour...

— Ouais-ouais, super-dangereux. »

Tom secoua la tête avec incrédulité. « Horrible, mais en même temps comique. J'ai failli éclater de rire. Des draps et des serviettes partout sur la chaussée. Et tu ne me croiras peut-être pas, mais il y avait des gens qui en volaient. Les vampires ! Ce que les gens en arrivent à faire... Et la camionnette, Bart... Du côté du conducteur, tout était arraché, la portière, la moitié du toit, tout. Johnny a été éjecté.

— Il est à l'hôpital central ?

— Non, à la clinique Sainte-Marie. Johnny est catholique, tu ne savais pas ?

— J'y vais. Tu viens ?

— Il vaut mieux pas. Ron se plaint déjà que la pression de la chaudière a baissé. » Il haussa les épaules avec découragement. « Tu connais Ron. Le boulot d'abord...

— Bon. A tout à l'heure. »

Il mit le contact et prit la direction de la clinique. Et il avait fallu que ça tombe sur Johnny ! Johnny était le seul employé de la blanchisserie qui était déjà là à son arrivée, en 1953 — en fait, Johnny y travaillait depuis 1946. Rien que d'y penser, il avait la gorge serrée. Un mauvais présage. Et juste en ce moment ! Lorsque la nouvelle autoroute serait terminée, ce carrefour n'existerait plus — il l'avait lu dans les journaux.

En fait, il ne s'appelait pas Johnny. Pas du tout. Son vrai nom était Corey Everett Walker — il avait suffisamment vu ses fiches de paie pour le savoir. Mais depuis toujours — depuis vingt ans, en tout cas — tout le monde l'appelait Johnny. Johnny Walker. Sa femme était morte en 56, alors qu'ils étaient en vacances dans le Vermont. Depuis, il vivait avec son frère, qui conduisait un camion de ramassage des ordures ménagères. Des dizaines d'employés de Ruban Bleu appelaient

Ron « Couilles de fer » derrière son dos, mais Johnny était le seul à le lui avoir dit en face — sans dégâts.

Si Johnny meurt, je serai le plus ancien employé de Ruban Bleu, se dit-il. Vingt années de bons et loyaux services, un record ! C'est pas beau, ça, Freddy ?

Non, Fred ne trouvait pas ça beau.

Le frère de Johnny était assis dans la salle d'attente du service des urgences — un grand gars qui n'était pas sans ressembler à Johnny et qui avait le même teint coloré que lui. Il portait une salopette vert olive et un blouson de drap noir. Il fixait le sol, triturant entre ses doigts une casquette du même vert que sa salopette. En entendant des pas approcher, il leva les yeux.

« Vous êtes de la blanchisserie ? demanda-t-il.

— Oui. Et vous êtes... » Il ne pensait pas se souvenir de son nom, mais ce fut le cas. « ... Arnie, c'est bien ça ?

— Arnie Walker, oui. » Il hocha doucement la tête. « J' sais pas trop, M... ?

— Dawes.

— J' sais pas trop, M. Dawes. Je l'ai vu dans la salle d'examen. Il avait l'air pas mal amoché. Ce n'est plus un gamin, vous savez. Il avait vraiment pas l'air en point.

— Je suis vraiment désolé, dit-il.

— C'est un carrefour très dangereux. Et c'était même pas la faute de l'autre type. S'il ne s'est pas arrêté au feu, c'est parce qu'il a dérapé dans la neige. Je ne lui en veux pas. Il paraît qu'il a seulement le nez cassé, c'est tout. C'est bizarre, les accidents.

— Ouais, c'est bizarre.

— Je me souviens, du temps où je conduisais un semi-remorque pour Hemingway & Co., au début des années soixante, je roulais sur l'autoroute de l'Indiana quand j'ai vu... »

La porte donnant sur l'extérieur s'ouvrit brusquement et un prêtre entra. Après avoir tapé ses chaussures sur le sol pour ôter la neige, il s'engagea rapidement dans le couloir ; tout juste s'il ne courait pas. Les traits d'Arnie se figèrent. Il émit un gémissement étranglé, qui venait du fond de la gorge, et voulut se lever.

Il passa un bras autour des épaules d'Arnie pour le calmer.

« Mon Dieu ! s'écria Arnie. Vous avez vu ? Il avait son ciboire. Il va lui administrer les derniers sacrements... il est peut-être déjà mort. *Johnny... !* »

D'autres personnes étaient assises dans la salle d'attente : un adolescent au bras cassé, une femme âgée avec un gros bandage élastique à la jambe, un homme dont le pouce était entouré d'un énorme pansement. Tous levèrent les yeux sur Arnie, puis, comme d'un commun accord, se replongèrent dans les magazines qu'ils lisaient.

« Doucement, dit-il à Arnie, tout en sachant que cela ne servait à rien. Du calme...

— Lâchez-moi ! Il faut que j'aille voir.

— Allons, Arnie...

— *Lâchez-moi !* »

Il ôta son bras. Arnie Walker partit dans la même direction que le prêtre, et disparut bientôt de sa vue.

Il resta assis dans le fauteuil en plastique moulé, se demandant que faire, regardant le sol couvert d'empreintes de chaussures boueuses. Il regarda ensuite le petit bureau vitré où une femme en blouse blanche s'occupait du standard téléphonique. Par la fenêtre, il vit qu'il ne neigeait plus.

Du couloir où se trouvaient les salles d'examen, jaillit un cri prolongé, mi-hurlement, mi-sanglot.

Tous ceux qui attendaient levèrent les yeux; tous avaient pâli, comme s'ils étaient sur le point de se trouver mal.

Un autre hurlement retentit, qui s'acheva par un sanglot spasmodique, semblable à un braiment angoissé.

Tous se replongèrent dans leurs magazines. Le gosse au bras cassé avala sa salive — dans le silence revenu cela fit un petit claquement sec, nettement audible.

Il se leva et se hâta de sortir sans regarder derrière lui.

Lorsqu'il arriva à la blanchisserie, les employés qui travaillaient au rez-de-chaussée vinrent tous à sa rencontre, sans que Ron essaie de les en empêcher.

« Je ne sais rien, leur dit-il. Je ne sais même pas s'il est vivant ou mort. On ne m'a donné aucun renseignement. Il faut attendre les nouvelles. Je ne sais rien du tout. »

Il monta au premier, se sentant très loin de ce qui l'entourait.

« Savez-vous comment va Johnny? » lui demanda Phyllis. Il remarqua pour la première fois que, en dépit de ses cheveux soigneusement teints (dans un ton bleuâtre très osé), Phyllis ne paraissait vraiment plus très jeune.

« Mal, répondit-il. Un prêtre est venu lui administrer les derniers sacrements.

— C'est vraiment affreux. A quelques jours de Noël...

— On a envoyé quelqu'un au carrefour de Deakman Boulevard pour récupérer le chargement de la camionnette ? »

Elle le regarda avec une pointe de reproche. « Tom a dit à Harry Jones d'y aller. Il est revenu il y a juste cinq minutes.

— Bien », dit-il, mais ce n'était pas bien. C'était mal. Il eut brusquement envie de descendre à la laverie et de verser dans les machines suffisamment d'Hexlite pour désintégrer tout le linge qui s'y trouvait — lorsque Pollack ouvrirait les machines après l'essorage, elles ne contiendraient plus qu'une boue grisâtre. *Ça,* ça serait bien.

Pendant qu'il était plongé dans ses pensées, Phyllis avait dit quelque chose qu'il n'avait pas enregistré.

« Excusez-moi. Vous pourriez répéter ?

— Je disais que M. Ordner a téléphoné. Il demande que vous le rappeliez sans tarder. Et aussi un certain Harold Swinnerton, qui a dit que les cartouches étaient arrivées.

— Harold Swin... » Il se souvint, alors. Harvey's, l'armurier. Mais Harvey était bel et bien mort et enterré. « Je vois, merci. »

Il alla dans son bureau et ferma la porte. La pancarte disait encore et toujours :

PENSEZ !

Ce sera peut-être une expérience nouvelle

Il prit le carton et le jeta dans la corbeille à papiers. *Clank.*

Il s'installa dans son fauteuil pivotant, prit tout le

courrier arrivé dans la matinée, et le mit à la corbeille sans même y jeter un coup d'œil. Il ferma un instant les yeux, puis regarda ce qui l'entourait. Les murs du bureau étaient lambrissés. A sa gauche, deux diplômes encadrés étaient accrochés : celui de l'université, et celui de l'Institut de la Blanchisserie, où il avait fait des stages au cours des étés 1969 et 1970. Juste derrière lui, un agrandissement photographique le montrait, serrant la main de Ray Tarkington dans le parking du Ruban Bleu, qui venait d'être refait à neuf. A l'arrière-plan, l'on voyait la laverie ; trois camionnettes attendaient devant la rampe de chargement ; la cheminée était encore presque blanche.

Il occupait ce bureau depuis 1967 — cela faisait plus de six ans. C'était avant Woodstock, avant les assassinats de Robert Kennedy et de Martin Luther King, avant l'élection de Nixon. Il avait passé de longues années de sa vie entre ces quatre murs : des millions d'inspirations et d'expirations, des millions et des millions de battements cardiaques. Il regarda de nouveau ce qui l'entourait, attentif à ses émotions. Il ressentait tout au plus une vague tristesse.

Il vida les tiroirs de son bureau, et jeta tous ses papiers personnels, sans oublier son livre de comptabilité. Il écrivit une courte lettre de démission au dos d'un imprimé — un bon de commande — et la glissa dans une enveloppe de paie. Il laissa tout ce qui ne le concernait plus : les trombones, le rouleau de Scotch, le chéquier de la société, la liasse de fiches de pointage entourée d'un gros élastique...

Il se leva, alla décrocher les deux diplômes et

les jeta à la corbeille. Le verre du diplôme de l'Institut de la Blanchisserie se brisa. Il ne restait sur le mur que deux rectangles un peu plus pâles que le reste.

Le téléphone sonna. Il décrocha, pensant que c'était Ordner. Mais c'était Ron, qui l'appelait d'en bas.

« Bart ?

— Oui.

— Johnny est mort il y a une demi-heure. Je suppose qu'il n'avait pas une chance.

— Je vois... Ron ? Je voudrais fermer l'établissement pour la journée. »

Ron poussa un soupir. « Je suis bien d'accord. Mais cela risque de t'attirer les foudres de nos patrons, non ?

— Je ne travaille plus pour eux. J'ai rédigé ma lettre de démission. » Ça y est, il l'avait dit. Avant, ce n'était pas vraiment réel.

Après un long silence, Ron dit : « J'ai dû mal entendre. Tu disais que... ?

— Tu as parfaitement entendu, Ron. Je démissionne. C'était chouette, de travailler avec toi et Tom et même avec Vinnie, quand il n'ouvrait pas trop sa grande gueule, mais c'est terminé.

— Allons, Bart, écoute... Je sais que ça t'a durement touché...

— Ça n'a rien à voir avec Johnny », dit-il, se demandant si c'était vrai ou non. Peut-être, après tout, aurait-il fait un ultime effort pour se sauver, pour sauver l'existence routinière et protégée qu'il menait depuis vingt ans. Mais lorsque le prêtre s'était hâté vers le lieu où Johnny était mort ou mourant, et que Arnie Walker avait poussé ce curieux braiment de désespoir, il avait abandonné.

Comme dans une voiture qui fait une embardée — on s'imagine qu'on continue à conduire, et puis soudain on lâche le volant et on se cache les yeux.

« Ça n'a rien à voir avec Johnny, répéta-t-il.

— Enfin, Bart, écoute... écoute... » Le désarroi de Ron était manifeste.

« On en parlera plus tard, Ron », dit-il, sans savoir s'il le ferait vraiment. « Pour le moment, arrête tout et donne congé au personnel.

— D'accord, d'accord, mais... »

Très doucement, il raccrocha.

Il sortit l'annuaire téléphonique du tiroir du bas et regarda dans les pages jaunes à ARMES, puis composa le numéro de Harvey's.

« Oui ? Ici Harvey's.

— Barton Dawes à l'appareil.

— Ah oui. Les munitions sont arrivées hier après-midi. Je vous avais dit que tout serait prêt largement avant Noël. Il y a deux cents cartouches.

— C'est parfait. Ecoutez, je suis très pris cet après-midi, mais si vous restez ouvert tard... ?

— Pendant les fêtes, nous ne fermons qu'à neuf heures.

— Excellent. J'essaierai de passer vers les huit heures. Sinon, demain après-midi à coup sûr.

— Rien ne presse, M. Dawes. Dites-moi, avez-vous vérifié s'il allait bien à Boca Rio ?

— Boca... » Ah oui, Boca Rio, où son cousin Nick Adams devait aller chasser. « Boca Rio. Oui, je crois que c'est ça.

— Je l'envie vraiment. Les meilleurs moments de la vie...

— Cessez-le-feu fragile mais respecté », dit-il, voyant soudain la tête naturalisée de Johnny Walker, accrochée au-dessus de la cheminée à bûche électrique de Stephan Ordner, avec une petite plaque en bronze où était gravé le texte suivant :

HOMO LAVOMAT
Tiré au carrefour Deakman
28 novembre 1973

« Pardon ? demanda Harry Swinnerton avec stupéfaction.

— Je disais que je l'envie moi aussi. » Il ferma les yeux, et sentit la nausée l'envahir. *Je craque,* pensa-t-il. *Cette fois, je perds la boule pour de bon.*

« Ah bon. Eh bien, à bientôt, M. Dawes.

— A bientôt. Et encore merci, M. Swinnerton. »

Il raccrocha, rouvrit les yeux, et jeta de nouveau un regard circulaire sur son bureau dénudé, puis appuya sur une touche de l'intercom.

« Phyllis ?

— Oui ?

— Johnny est mort. Nous fermons pour la journée.

— C'est ce que j'avais pensé en voyant partir les employés. » La voix de Phyllis était rauque, comme si elle avait pleuré.

« Avant de rentrer chez vous, pourriez-vous m'appeler M. Ordner, s'il vous plaît ?

— Certainement, M. Dawes. »

Il fit pivoter son fauteuil et regarda par la fenêtre. Un énorme engin orange vif, avec des chaînes autour de ses roues géantes, commençait à attaquer la chaussée. C'est de leur faute, Freddy. Tout ça, c'est à cause d'eux. Je me débrouillais, et tout allait plutôt bien, jusqu'à ce que ces types des ponts et chaussées décident d'éventrer ma vie. Tout allait bien, et moi aussi, pas vrai, Freddy ?

Freddy ?

Fred ?

Le téléphone sonna. Il décrocha : « Dawes à l'appareil.

— Vous êtes devenu fou, dit Steve Ordner posément. Complètement fou.

— Je ne comprends pas.

— J'ai personnellement appelé M. Monohan à neuf heures trente. Les représentants de McAn ont signé l'acte de vente de l'usine de Waterford à neuf heures, ce matin même. Vous pouvez m'expliquer ça, Barton ?

— Il serait préférable que nous en parlions de vive voix.

— Je suis bien d'accord. Et il faudra me donner des explications diablement convaincantes si vous tenez à conserver votre poste.

— Ne vous moquez pas de moi, Steve.

— Pardon ?

— Vous n'avez absolument pas l'intention de me garder, même comme balayeur. Ma lettre de démission est prête. J'ai fermé l'enveloppe, mais je peux vous la citer de mémoire : Je démissionne. Signé : Barton George Dawes.

— Mais pourquoi ? *Pourquoi ?* » Ordner paraissait blessé dans sa chair, mais il ne gémissait pas comme Arnie Walker. Il doutait d'ailleurs qu'Ordner se fût abaissé à gémir après son onzième anniversaire. Les gémissements, c'est l'ultime ressource des faibles.

« A deux heures, cela vous va ?

— Deux heures sera parfait.

— Au revoir, Steve.

— Bart... »

Il raccrocha et fixa le mur sans rien voir. Peu

après, Phyllis entrouvrit la porte et passa la tête. Son visage était hagard, sous son élégante coiffure de femme-plus-très-jeune. Le spectacle de son patron assis à ne rien faire devant un bureau vide, entouré de murs nus, ne fit certainement rien pour la rasséréner.

« Je peux partir, M. Dawes ? Si vous préférez que je reste, je...

— Merci, Phyllis, ce n'est pas la peine. Rentrez tranquillement chez vous. »

Elle parut lutter contre l'envie d'ajouter quelque chose ; pour leur éviter à tous deux une scène embarrassante, il se tourna vers la fenêtre et regarda dehors. Au bout d'un moment, il entendit la porte se refermer très doucement.

En bas, la vibration de la chaudière s'atténua, puis cessa complètement. Dans le parking, des voitures démarraient.

Il resta assis dans son bureau vide, au cœur de la blanchisserie déserte, jusqu'à ce qu'il fût l'heure d'aller voir Ordner. C'était une façon comme une autre de prendre congé.

Le bureau d'Ordner se trouvait dans le quartier des affaires, dans un de ces nouveaux gratte-ciel de bureaux que la crise de l'énergie allait sans doute rendre caducs d'ici peu. Soixante-dix étages, avec une façade tout en verre, difficile à chauffer en hiver, impossible à climatiser en été : un cauchemar. Les bureaux d'Amroco se trouvaient au cinquante-quatrième.

Il laissa sa voiture dans le parking souterrain, prit un premier ascenseur jusqu'au hall, puis un autre qui desservait les niveaux supérieurs. Il s'y trouva en compagnie d'une femme de couleur qui arborait une gigantesque coiffure afro. Elle était en chandail et tenait un bloc-sténo à la main.

« Vous avez un superbe afro », lui dit-il soudain, sans raison particulière.

Elle lui lança un regard glacial et ne répondit rien. Pas un mot.

La réception du bureau d'Ordner était équipée de fauteuils design et d'une secrétaire rousse assise sous une reproduction des *Tournesols* de Van Gogh. Un tapis vert d'eau à longs poils couvrait le sol. Eclairage indirect. Stéréo indirecte, susurrant du Mantovani.

La rousse lui adressa un charmant sourire. Elle portait un pull noir, et ses cheveux étaient retenus par un fin ruban doré. « M. Dawes, n'est-ce pas ?

— Oui.

— Vous pouvez entrer. M. Ordner vous attend. »

Ordner était en train d'écrire. Son bureau était couvert d'une impressionnante plaque de marbre. Derrière lui, une vaste baie vitrée offrait un panorama de la partie ouest de la ville. Il leva les yeux et posa son stylo.

« Bonjour, Bart. » Sa voix était parfaitement calme.

« Bonjour.

— Asseyez-vous.

— Cela va prendre longtemps ? »

Ordner le fixa un bon moment. « J'ai envie de vous gifler. Vous comprenez ? De vous faire sortir d'ici à coups de baffes. Pas de vous donner un coup de poing dans la figure ou de vous tabasser, non. Juste de vous gifler.

— Je sais, répondit-il, et c'était vrai.

— Vous ne vous rendez sans doute pas compte de ce que vous avez fichu en l'air. Je suppose que les gens de McAn vous ont acheté. J'espère qu'ils vous ont bien payé. Parce que je vous avais personnellement réservé un poste de vice-président dans cette société. Avec un salaire de début de trente-cinq mille dollars par an. J'espère pour vous que vous avez touché davantage.

— Je n'ai pas touché un sou.

— Vous me dites la vérité ?

— Oui.

— Mais alors, pourquoi, Bart ? Au nom du ciel, pourquoi ?

— Pour quelle raison vous le dirais-je, Steve ? » Il prit le fauteuil qu'Ordner lui avait désigné, le siège du suppliant, et le transporta de l'autre côté de l'imposant bureau.

Un moment, Ordner perdit son assurance, secouant la tête comme un boxeur qui vient d'être touché, mais pas trop durement.

« Parce que vous êtes mon employé. Cela devrait suffire ?

— Pas vraiment.

— Expliquez-vous.

— Ecoutez, Steve. J'étais l'employé de Ray Tarkington. Ray était une personne, une vraie. Vous ne l'aimiez peut-être pas particulièrement, mais vous devez reconnaître que c'était quelqu'un. Tout en vous parlant, il lui arrivait de péter, de roter ou de se gratter les oreilles. Et il avait de vrais problèmes. Parfois, j'étais un de ces problèmes. Un jour, il m'a littéralement projeté contre la porte, parce que j'avais pris une décision erronée concernant un de nos clients, un motel de Crager Plaza. Vous n'êtes pas comme ça, Steve. Pour vous, la blanchisserie Ruban Bleu, c'est un joujou. Vous vous fichez complètement de moi et de ce que je peux devenir.

La seule chose qui vous intéresse, ce sont vos perspectives de promotion. Alors, ne me faites pas le coup des bonnes relations employeur-employé. Et n'allez pas prétendre que vous avez mis votre pine dans ma bouche, et que je l'ai mordue. »

Si l'expression d'Ordner était une façade, elle ne trahissait rien de plus qu'une inquiétude soigneusement contrôlée. « Vous croyez vraiment cela ?

— Oui. Vous vous intéressez au Ruban Bleu uniquement dans la mesure où cela affecte votre statut au sein d'Amroco. Alors trêve de plaisanterie. Tenez. » Il fit glisser sa lettre de démission sur la plaque de marbre.

Ordner hocha imperceptiblement la tête. « Avez-vous pensé à tous ces gens dont vous mettez l'avenir en danger, Bart ? Tous ces petits employés qui dépendaient de vous ? Vous occupiez après tout une position importante, une position de responsabilité. » Il semblait savourer ces termes. « Les employés de la blanchisserie qui vont perdre leur travail, parce qu'il n'y aura pas de nouvelle usine ?

— Pauvre minable ! cracha-t-il dans un ricanement. Vous vous croyez tellement supérieur que vous ne savez même pas ce qui se passe au niveau des gens ordinaires ! »

Ordner rougit, puis lui dit en contrôlant soigneusement sa voix : « Vous feriez mieux de vous expliquer, Bart.

— Tous les employés de la blanchisserie, de Tom Granger jusqu'au petit Pollack, sont assurés contre le chômage. Ils ont *droit* à des indemnités. Ils ont *payé* pour cela. Si ce concept vous paraît difficile à comprendre, imaginez qu'il s'agit de frais déductibles — comme un repas d'affaires chez Benjamin's. »

Piqué au vif, Ordner rétorqua : « C'est de la charité, et vous le savez parfaitement.

— Pauvre minable », répéta-t-il.

Ordner joignit les mains comme un enfant qui va dire le Notre Père avant de se coucher, puis les serra jusqu'à les faire craquer. « Vous dépassez les bornes, Bart.

— Absolument pas. Vous m'avez demandé de venir. Vous m'avez demandé des explications. Qu'espériez-vous ? Que je dise : Je regrette, j'ai commis une erreur, je vais essayer de la réparer ? Cela m'est impossible. Je ne regrette rien. Je n'essaierai pas de réparer quoi que ce soit. Et si j'ai commis une erreur, elle ne concerne que Mary et moi-même. Mary ne saura d'ailleurs jamais vraiment ce qui s'est passé. Allez-vous me raconter que j'ai lésé la société Amroco ? Je suppose que même un homme comme vous reculera devant un tel mensonge. Lorsqu'une société a atteint une certaine importance, plus *rien* ne peut la toucher. Quand tout va bien, elle fait d'énormes bénéfices, quand ça va mal, elle fait simplement des bénéfices, et quand la situation est catastrophique, elle déduit son déficit du bénéfice imposable des années précédentes. Ce n'est pas vous qui allez me dire le contraire.

— Admettons, dit Ordner prudemment, mais votre propre avenir ? Y avez-vous pensé ? Et celui de Mary ?

— Allons, vous vous en fichez éperdument ! Ce n'est qu'un argument dont vous essayez de vous servir contre moi. Je voudrais vous poser une question, Steve. Est-ce que cela va vous nuire, à vous personnellement ? Est-ce que cela va affecter votre salaire ? Vos dividendes annuels ? Votre retraite future ? »

Ordner secoua la tête. « Rentrez chez vous, Bart. Vous n'êtes pas vous-même.

— Pourquoi ? Parce que je parle de vous, et pas simplement de fric ?

— Vous êtes perturbé, Bart.

— Vous ne savez rien », dit-il en se levant et en plantant son poing sur le plateau de marbre du bureau d'Ordner. « Vous êtes furieux contre moi, et vous ne savez même pas pourquoi. Quelqu'un vous a dit que si jamais une situation comme celle-ci se présentait, vous devriez vous mettre en colère. Mais vous ne savez pas pourquoi.

— Vous êtes perturbé, Bart, répéta Ordner en prenant garde à ne pas élever la voix.

— Parfaitement, je suis perturbé ! Et vous ne l'êtes pas, peut-être ?

— Rentrez chez vous, Bart.

— Non, mais je vais vous fiche la paix, puisque c'est ce que vous voulez. Auparavant, je voudrais vous poser une question, une seule. Cessez un instant de vous identifier à votre société, et répondez-moi franchement. Est-ce que tout cela vous importe le moins du monde ? Est-ce que cela vous fait quelque chose ? »

Ordner le regarda pendant un moment qui lui parut très long. Derrière lui, la ville s'étendait à perte de vue, royaume de tours enveloppées de brumes et de grisaille. « Non », répondit Ordner.

« Bien, dit-il très doucement, en regardant Ordner sans la moindre animosité. Je n'ai pas agi comme je l'ai fait pour vous nuire, et pas davantage pour nuire à Amroco.

— Mais pourquoi, alors ? J'ai répondu à votre question. Répondez à la mienne. Vous auriez pu conclure l'achat de l'usine de Waterford. La suite n'était plus de votre responsabilité, même s'il y avait eu des problèmes. Pourquoi ne pas l'avoir fait ?

— Je ne peux pas vous expliquer, dit-il. Je me suis écouté. Au fond d'eux-mêmes, les gens parlent un autre langage. Ça ne peut pas s'exprimer. Si on essaie de l'expliquer, ça devient des fadaises écœurantes. Mais j'ai fait ce qui s'imposait. »

Ordner le regarda sans broncher. « Et que deviendra Mary ? »

Il ne répondit pas.

« Rentrez chez vous, Bart.

— Que voulez-vous, Steve ? Que cherchez-vous ? »

Ordner hocha la tête d'un air excédé. « Nous n'avons plus rien à nous dire, Bart. Si vous avez besoin de parler à quelqu'un, allez dans un bar.

— Que voulez-vous de moi ?

— Que vous sortiez d'ici pour rentrer chez vous, rien d'autre.

— Que voulez-vous de la vie, alors ? Qu'est-ce qui vous passionne ?

— Rentrez chez vous.

— *Répondez-moi !* Que *voulez*-vous ? » Il regarda Ordner bien en face, sans pudeur.

Ordner répondit calmement : « Je veux ce que tout le monde veut. Rentrez chez vous. »

Il partit sans se retourner. Et ne revint jamais.

Quand il arriva chez MAGLIORE OCCASIONS, il neigeait dru ; la plupart des voitures avaient allumé leurs codes. Ses essuie-glaces balayaient à un rythme régulier le pare-brise en Securit, sur les bords duquel la neige à demi fondue coulait en larmes épaisses.

Il gara sa voiture derrière l'atelier et gagna le bureau. Avant d'entrer, il regarda son reflet fantomatique dans la porte en verre dépoli et essuya ses lèvres, couvertes d'une mince pellicule rose. La rencontre avec Ordner l'avait davantage affecté qu'il ne l'aurait cru. En route, il avait acheté un flacon de Pepto-Bismol dans une pharmacie et avait avalé la moitié des comprimés en roulant. De quoi être constipé pendant une semaine, Fred. Mais Freddy n'était pas là. Sans doute était-il allé voir les parents de Monohan à Bombay.

La femme installée dans la petite guérite le dévisagea avec curiosité et lui fit signe d'entrer.

Magliore était seul. Il lisait le *Wall Street Journal ;* quand il entra, Magliore jeta le journal au panier, où il atterrit avec fracas.

« Tout se casse la gueule, grogna Magliore, comme s'il poursuivait un monologue intérieur commencé depuis longtemps. Ces actionnaires et agents de change sont tous des vieilles filles. Pas de couilles. Le président va-t-il démissionner ? Va-t-y ? Va-t-y pas ? Va-t-y ? Va-t-y pas ? Est-ce que General Electric va couler à cause de la crise du pétrole ? J'en ai plein le cul !

— C'est bien vrai », dit-il, sans trop savoir ce qu'il approuvait. Il se sentait mal à l'aise, et se demandait si Magliore se souvenait vraiment de lui. Que fallait-il dire ? *Je suis le gars qui vous a traité de saucisse, vous vous souvenez ?* Comme entrée en matière, il y avait mieux.

« Il neige de plus en plus fort, hein ? dit Magliore.

— Oui, ça tombe pas mal.

— Je déteste la neige. Mon frère, il part tous les

ans pour Porto Rico le 1er novembre et ne revient pas avant le 15 avril. Il possède quarante pour cent d'un hôtel, là-bas, et prétend qu'il doit surveiller son investissement. Mon œil ! Il est déjà incapable de veiller à... Bref. Que voulez-vous ?

— Hein ? fit-il en sursautant comme un voleur pris sur le fait.

— Vous êtes venu me voir parce que vous vouliez quelque chose. Comment voulez-vous que je vous le trouve si vous ne me dites pas ce que c'est ? »

La question était trop directe, trop soudaine. Il eut du mal à parler. Le mot dont il avait besoin semblait trop carré, ou trop épineux, pour sortir de sa bouche. Il se souvint d'une anecdote de son enfance et ébaucha un sourire.

« On peut savoir ce qui est drôle ? lui demanda Magliore sur un ton agréablement familier. Vu la façon dont les affaires marchent, ça me ferait du bien de rigoler un coup.

— Quand j'étais petit, il y a longtemps, j'avais mis un yo-yo dans ma bouche.

— Qu'est-ce que ça a de drôle ?

— C'est la suite qui est drôle. Je ne pouvais plus le retirer. Ma mère m'a emmené chez le docteur, et il a réussi à l'enlever : il m'a simplement pincé les fesses, et quand j'ai ouvert la bouche pour crier, je l'ai recraché.

— En tout cas, je ne vais pas vous pincer les fesses, dit Magliore. Alors, Dawes, qu'est-ce que vous voulez ?

— Des explosifs. »

Magliore le regarda en levant les yeux au ciel. Il parut sur le point de dire quelque chose, puis se donna une claque retentissante sur une de ses bajoues avant de répéter : « Des explosifs...

— Oui.

— Je savais bien que ce gars était timbré, dit Magliore, se parlant à lui-même. Après votre départ, j'ai dit à Pete : " Ce type attend manifestement qu'il arrive un accident. " Voilà ce que je lui ai dit, mot pour mot. »

Il ne répondit pas. Quand on parlait d'accident, cela le faisait penser à Johnny Walker.

« Bon, admettons. Et pourquoi voulez-vous des explosifs ? Pour faire sauter le pavillon égyptien de l'Expo commerciale ? Pour détourner un avion ? Ou simplement pour envoyer votre belle-mère en enfer ?

— Je ne gaspillerais pas des explosifs pour ma belle-mère », dit-il avec raideur. Ils rirent tous deux de cette remarque, mais cela ne suffit pas à dissiper la tension.

« A qui en voulez-vous, alors ?

— Je n'en veux à personne. Si je voulais tuer quelqu'un, j'achèterais un pistolet. » Il se souvint alors qu'il *avait* acheté un pistolet, ainsi qu'un fusil, et son estomac anesthésié par le Pepto-Bismol se souleva de nouveau.

« Dans ce cas, pour quelle raison vous faut-il des explosifs ?

— Je veux faire sauter une route. »

Magliore le regarda avec incrédulité. Toutes ses émotions paraissaient excessives, comme pour s'adapter au pouvoir grossissant de ses lunettes. « Vous voulez faire sauter une route ! Quelle route ?

— Elle n'est pas encore construite. » Il commençait à prendre un plaisir pervers à ce jeu. Et, bien sûr, plus il prolongeait la conversation, plus il retardait l'inévitable face-à-face avec Mary.

— Ah bon, vous voulez faire sauter une route qui

n'existe pas. Je m'étais trompé sur votre compte. Vous n'êtes pas simplement timbré, mais complètement givré. Pourriez-vous être un peu plus logique ? »

Choisissant ses mots avec soin, il répondit : « On est en train de construire une route ; plus exactement, de prolonger la 784. Quand ce sera fait, l'autoroute à péage traversera la ville d'un bout à l'autre. Or, pour certaines raisons que je ne veux pas expliquer — parce que je ne le peux pas — cette route a réduit à néant vingt années de ma vie. C'est...

— Pour la construire, ils vont démolir la blanchisserie où vous travaillez et la maison où vous habitez, c'est ça ?

— Comment le savez-vous ?

— Je vous avais dit que j'allais me renseigner sur vous. Vous ne me prenez peut-être pas au sérieux ? Je sais aussi que vous allez perdre votre travail — je le savais peut-être même avant vous.

— Non, je le savais depuis un mois, répondit-il, sans vraiment penser à ce qu'il disait.

— Et comment allez-vous vous y prendre ? Passer près du chantier en bagnole, allumer les mèches avec votre cigare et balancer des bâtons de dynamite par la fenêtre ?

— Non. Les dimanches et jours fériés, ils laissent les engins sur le chantier. Je veux les faire sauter. Et les trois nouvelles passerelles. Je veux que tout ça disparaisse. »

Magliore le fixa avec des yeux plus ronds et plus gros que jamais. Cela dura un bon moment. Ensuite, il rejeta la tête en arrière et se mit à rire, d'un énorme rire gras, pantagruélique, qui secouait sa grosse bedaine et faisait tressauter sa boucle de ceinture comme un bateau pris dans la tempête. Il rit jusqu'à en pleurer, puis sortit d'une de ses poches un très grand mouchoir de toutes les couleurs, un vrai mouchoir d'opéra comique, et essuya ses larmes.

Il regarda Magliore rire tout son soûl. Il le regarda avec soulagement, tout à fait certain maintenant que ce gros homme aux grosses lunettes allait lui vendre les explosifs dont il avait besoin. Il sourit à Magliore, nullement vexé par son rire. Au contraire, ce rire lui faisait du bien.

Lorsqu'il se fut un peu calmé, Magliore lui dit entre deux hoquets : « Pour être siphonné, on peut dire que vous êtes siphonné ! Dommage que Pete ait raté ça. Il n'en croira pas ses oreilles. Hier, vous m'avez traité de saucisse, et aujourd'hui... aujourd'hui... » Le rire le submergea de nouveau, et il recommença à s'essuyer le visage avec son mouchoir grand comme une serviette de table.

Reprenant son sérieux, il demanda : « Et comment allez-vous financer cette petite entreprise, M. Dawes ? Maintenant que vous n'exercez plus d'activité rémunératrice ? »

Exercer une activité rémunératrice... La formule était inattendue. Mais elle disait bien ce qu'elle voulait dire. Il n'avait plus de travail. Et ce n'était pas un rêve.

« Le mois dernier, j'ai touché mon capital d'assurance vie. Il y a dix ans, j'avais souscrit une police de dix mille dollars. Ils m'ont versé dans les trois mille dollars.

— Il y a longtemps que vous préparez ce coup ?

— Non. Lorsque j'ai encaissé cet argent, je ne savais pas encore ce que j'allais en faire. » Et c'était vrai.

« Vous n'aviez pas encore fait votre choix, hein ? Vous hésitiez entre cela et mitrailler la route, ou y mettre le feu ou bien l'étrangler...

— Non. Je n'avais encore pris aucune décision. Mais maintenant, je sais ce que je dois faire.

— Ne comptez pas sur moi, en tout cas.

— Hein ? » Il regarda Magliore en clignant des yeux, muet de surprise. Ce n'était pas prévu au scénario. Pas du tout. Magliore devait lui faire la leçon, lui donner des conseils paternels, jusqu'à ce qu'il soit à bout de patience — puis lui vendre les explosifs. En expliquant bien qu'il dégageait sa responsabilité : *Si vous vous faites pincer, je ne vous connais pas.*

« Qu'avez-vous dit ?

— J'ai dit non. N.O.N. Ça se prononce : non. » Il se pencha vers lui. Ses yeux ne pétillaient plus de malice. Il avait cessé d'être un gros père Noël jovial.

« Ecoutez, dit-il à Magliore. Si jamais je me fais prendre, je ne dirai pas un mot de vous. Pas un mot.

— Vous me prenez pour un con ? Vous diriez tout aux flics, tout, et puis vous plaideriez l'irresponsabilité. Et moi, j'en prendrais pour vingt ans ou plus.

— Ecoutez...

— C'est vous qui allez m'écouter. Vous m'avez fait rire pendant un moment, mais maintenant, je ne vous trouve plus amusant du tout. J'ai dit non, et c'est définitif. Pas de pistolets, pas d'explosifs, pas de dynamite, rien. Pourquoi ? Parce que vous êtes un cinglé et que je suis un businessman. Quelqu'un vous a dit que je pouvais procurer certaines choses. Et je le peux. J'ai fourni un tas de trucs à un tas de gens. Et il m'est aussi *arrivé* un tas de trucs. En 1946, j'ai écopé de deux à cinq ans pour port d'arme — j'en ai tiré dix mois. En 52, j'ai été inculpé d'association de malfaiteurs, mais j'ai été acquitté. En 55, j'ai eu un procès pour fraude fiscale — relaxé de justesse. En 59, j'ai été condamné pour recel — j'ai tiré dix-huit mois à Castleton, mais le mec qui avait causé au jury d'accusation a fini au cimetière. Depuis 59, j'ai encore été jugé trois fois ; deux non-lieux, un sursis, mais de justesse. Les flics aimeraient me pincer une fois de plus : à la prochaine condamnation, je suis bon pour vingt ans fermes, sans remise de peine. Au bout de vingt ans de cabane, pour un type de mon âge, dans mon état de santé, il n'y a plus que les reins de bons — ils pourront les greffer à un Nègre de l'assistance publique. Pour vous, c'est un jeu, cette affaire. Un jeu de cinglé, mais un jeu. Pas pour moi. Vous croyez que vous dites la vérité en affirmant que vous ne parlerez pas si vous êtes pris. Mais vous mentez. Pas à moi, mais à *vous-même.* Ma réponse est donc un non catégorique. » Il leva les bras au ciel. « Si vous aviez voulu des putes, je vous en aurais donné deux gratis après le petit spectacle que vous nous avez donné hier. Mais ça — rien à faire.

— Je vois. » Il avait plus mal à l'estomac que jamais, et se sentait sur le point de vomir.

« Cet endroit est *okay,* reprit Magliore, nous pouvons y causer sans crainte. Et je sais que vous êtes *okay,* mais Dieu sait que vous ne le resterez pas longtemps si vous continuez sur cette voie. Je vais vous raconter une histoire. Il y a à peu près deux ans, un Nègre est venu me voir. Il voulait lui aussi des explosifs. Pas pour détruire une simple route, non. Il voulait faire sauter le tribunal fédéral de je ne sais plus quel bled. »

Ne m'en dis pas plus, pensait-il, arrête, ou je vais

dégobiller. Il avait l'impression que son estomac était plein de plumes qui le chatouillaient.

« Je lui ai vendu la marchandise, poursuivit Magliore. Un peu de tout. J'ai discuté avec lui, j'ai discuté avec ses copains. On a marchandé. L'argent a changé de main — un tas d'argent. Je lui ai livré la camelote. Et puis il s'est fait pincer avec deux de ses potes. Avant d'avoir eu le temps de tuer quelqu'un, encore heureux. Moi, je me faisais pas de bile ; je n'ai jamais eu peur qu'il parle aux flics ou au juge d'instruction ou au Effe Bie Aïe. Et vous savez pourquoi ? Parce qu'il était avec toute une *bande* de cinglés, de cinglés noirs par-dessus le marché, ce sont les pires, et une *bande* de dingues, c'est pas la même chose du tout. Un cinglé comme vous, il se fout de tout. Le monde entier peut bien sombrer avec lui, il en a rien à glander. Mais quand il y a une bande de trente types, et que trois d'entre eux se font coffrer, ils ferment leur gueule.

— Je vois », dit-il de nouveau. Ses yeux étaient brûlants, et il avait l'impression qu'ils étaient devenus tout petits.

« De toute façon, lui dit Magliore sur un ton un peu plus calme, trois mille dollars n'auraient pas suffi. C'est comme le marché noir, vous savez. Il vous faudrait trois ou quatre fois plus. »

Il ne répondit rien. Il ne pouvait pas partir avant que Magliore ne le lui dise. C'était une sorte de cauchemar, mais bien réel. Il ne cessait de se répéter de ne rien faire de stupide en présence de Magliore — comme de se pincer pour se réveiller, par exemple.

« Dawes ?

— Hein ?

— Ça n'aurait de toute façon servi à rien, vous

savez. On peut descendre un type ou faire sauter une baraque ou détruire un chef-d'œuvre, comme ce tordu qui s'était attaqué à la Piéta — qu'il pourrisse en enfer ! Mais on ne peut pas faire sauter des bâtiments publics ou une route ou des trucs comme ça. C'est ce que tous ces dingues de Nègres n'arrivent pas à piger. Si vous faites sauter un tribunal, les autorités en construiront deux à la place — un pour remplacer celui qui a été détruit et un autre pour juger tous les foutus Négros sur qui ils pourront mettre la main. Si vous vous mettez à descendre des flics, ils en embaucheront six pour remplacer chaque victime — en choisissant des gars qui haïssent les Nègres de toutes leurs tripes. Vous ne pouvez pas gagner, Dawes. Que vous soyez blanc ou noir. Si vous vous mettez au travers de cette route, ils vous réduiront en bouillie avec votre maison et votre boulot. »

Il entendit sa propre voix venir de très loin : « Je crois qu'il est temps que je m'en aille.

— Ouais. Vous n'avez pas l'air en forme, vous savez. Il faudrait vous purger le système de tout ça. Si vous voulez, je peux vous trouver une vieille pute. Vieille et conne. Vous pourrez même la tabasser, si le cœur vous en dit. Pour débarrasser votre organisme de ce poison. Je vous trouve plutôt sympa, et... »

Il se leva et courut comme un fou vers la porte, traversa l'antichambre et sortit dehors. Il resta un moment à frissonner, aspirant goulûment de grandes bouffées d'air glacial et chargé de neige. Il eut soudain la certitude que Magliore allait lui courir après, l'empoigner par le col et le ramener dans son bureau, pour continuer à lui parler jusqu'à la fin des temps. Lorsque Gabriel ferait sonner les trompettes de l'Apocalypse, Sally le Borgne continuerait à lui expliquer patiemment l'invulnérabilité de tous les systèmes et à lui proposer une vieille pute imbécile.

Lorsqu'il arriva chez lui, il y avait plus de dix centimètres de neige. La rue avait été dégagée ; il dut franchir un remblai de neige croûteuse pour gagner son garage. La LTD s'en tira facilement. C'était une bonne bagnole, lourde et solide.

La maison était plongée dans l'obscurité. Lorsqu'il ouvrit la porte, et s'essuya les pieds sur le paillasson, il n'entendit aucun bruit. Merv Griffin ne bavardait pas avec des célébrités.

« Mary ? » appela-t-il. Il n'y eut pas de réponse « *Mary ?* »

Il s'efforça, non sans soulagement, de croire qu'elle était sortie, jusqu'au moment où il entendit des sanglots étouffés venir du living. Il ôta son pardessus et l'accrocha dans l'entrée. Une petite caisse en bois était posée sous les portemanteaux.

La caisse était vide. Mary la posait à cet endroit au début de chaque hiver, pour que les gouttes ne tombent pas sur le sol. Il lui arrivait de se demander : qui se soucie de quelques gouttes d'eau sur le linoléum ? La réponse était parfaite dans sa simplicité : *Mary* s'en soucie.

Il entra dans le living. Mary était assise sur le sofa, face à la télé éteinte, et pleurait. Elle n'avait pas de mouchoir, et ses mains pendaient à ses côtés. Mary n'était pas du genre à pleurer en public ; elle montait dans sa chambre, ou, si c'était trop soudain, se cachait la face dans les mains ou derrière un mouchoir. Vu ainsi, son visage paraissait d'une nudité obscène — un visage de victime d'accident d'avion. Il en eut un pincement au cœur.

« Mary », dit-il doucement.

Elle continua à pleurer, en évitant de le regarder. Il s'assit à côté d'elle.

« Allons, Mary, ce n'est pas tragique. Rien n'est tragique. » Mais il n'en était pas vraiment sûr.

« C'est la fin de tout. » Ses mots étaient hachés par les sanglots. Curieusement, la beauté qu'elle n'avait jamais tout à fait atteinte ni tout à fait perdue était présente, maintenant. Sous le coup qui l'achevait, elle était rayonnante de beauté.

« Qui te l'a dit ?

— *Tout le monde !* » s'écria-t-elle. Elle se refusait toujours à le regarder, mais sa main battit l'air un moment, avant de retomber à ses côtés. « Tom Granger a téléphoné. Ensuite, la *femme* de Ron Stone a téléphoné. Ensuite, Vincent Mason a téléphoné. Ils voulaient tous savoir ce qui clochait chez toi ! Et je ne le savais pas ! Je ne savais même pas que quelque chose clochait !

— Mary », répéta-t-il, en essayant de lui prendre la main. Elle la retira brusquement, comme s'il était contagieux.

« Tu as fait ça pour me torturer ? demanda-t-elle, se décidant enfin à le regarder. C'est cela ? Tu veux me faire du mal ?

— Oh non, Mary ! Oh non ! » Il eut envie de pleurer, mais ce ne serait pas bien. Pas en ce moment. Pas bien du tout.

« Parce que je t'ai donné un enfant mort-né, puis un autre enfant dont la destruction était programmée ? Tu crois que j'ai tué ton fils ? C'est cela ?

— C'était *notre* fils, Mary...

— *C'était le tien !* hurla-t-elle.

— Non, Mary, non... » Il voulut la prendre par les épaules mais elle se dégagea brutalement.

« Ne me touche surtout pas ! »

Ils se regardaient avec stupéfaction, comme s'ils venaient de découvrir en eux de vastes espaces inexplorés, de l'existence desquels ils ne s'étaient jamais doutés.

« Ecoute, Mary, je n'ai pas pu m'empêcher d'agir comme je l'ai fait. Je n'y peux rien. S'il te plaît, crois-moi. » Cela pouvait ressembler à un mensonge, sans doute, mais il persévéra : « Peut-être cela a-t-il un rapport avec Charlie, après tout. J'ai fait des choses que je ne comprends pas. Je... En octobre, je suis allé toucher le capital de mon assurance vie. C'était le début, le premier acte *concret*, mais il se passait déjà des choses dans ma tête bien avant. Et il était plus facile d'agir que de tenter de m'expliquer. Tu peux comprendre cela ? Tu peux essayer de le comprendre ?

— Que vais-je devenir, Barton ? Je suis ta femme, et je ne sais rien faire d'autre. Que vais-je devenir ?

— Je ne sais pas.

— C'est comme si tu m'avais violée. » Elle se remit à pleurer.

« S'il te plaît, Mary, arrête. Ne... Essaie de ne plus pleurer.

— En faisant tout *ça*, t'est-il jamais arrivé de penser à moi ? Ne t'es-tu jamais dit que je *dépendais* de toi ? »

Il lui était impossible de répondre. Il avait une impression étrange, déconnectée de la réalité : il était toujours avec Magliore, qui l'avait ramené de force chez lui, puis s'était déguisé en Mary, masque compris. Et ensuite ? Allait-on lui proposer une vieille pute ?

Elle se leva : « Je monte dans la chambre. Il faut que je m'allonge.

— Mary... » Elle ne l'interrompit pas, mais il s'aperçut qu'il n'avait plus rien à dire.

Elle sortit du living et il entendit le bruit de ses pas dans l'escalier. Il entendit le craquement du lit lorsqu'elle s'y allongea. Ensuite, elle se remit à pleurer. Il se leva, alluma la télé, et monta le son au maximum pour ne plus l'entendre. Sur l'écran, Merv Griffin bavardait avec des célébrités.

2

Décembre

Aimons-nous d'amour sincère !
Car le monde qui, tel un pays de rêve,
Nous apparaît dans sa beauté si variée et neuve
Ne recèle en vérité ni joie, ni amour, ni lumière
Ni certitude, paix ou remède à la douleur ;
Il est pour nous comme une sombre plaine
Où des armées aveugles s'affrontent de nuit,
Un lieu de combat et de fuite éperdue.

Matthew Arnold
« La Plage de Douvres »

5 décembre 1973

Il buvait son drink personnel, Southern Comfort et Seven-Up, en regardant un programme de télé dont il ignorait le nom. Le héros du feuilleton était soit un flic en civil, soit un détective privé, et un type lui avait flanqué un coup sur la caboche. Le flic en civil (ou détective privé) en conclut qu'il était sur la bonne piste. Avant qu'il n'eût le temps d'expliquer en quoi elle consistait, il fut interrompu par une pub pour un genre de concentré de viande. Mélangé à de l'eau tiède, cela donnait en cinq secondes une sauce exquise. Est-ce qu'on ne dirait pas du vrai ragoût de bœuf ? demandait la présentatrice. Barton George Dawes avait plutôt l'impression que cela ressemblait à un bol plein de diarrhée. Le feuilleton continua. Le flic privé (ou détective en civil) interrogeait un barman noir fiché par la police. Le barman utilisait des mots comme *cool,* s'éclater, *speed.* Pas de doute, le barman était *in,* mais Barton George Dawes trouvait le détective privé (ou inspecteur en civil) plutôt ringard.

Il était complètement soûl, et regardait la télé en caleçon. Il n'avait rien d'autre sur lui. Il faisait très chaud dans la maison. Depuis le départ de Mary, il avait réglé le thermostat à vingt-cinq degrés. Quelle crise de l'énergie ? Allez vous faire foutre, flics et contrôleurs de tout poil ! Quand il allait sur l'autoroute, il faisait du cent vingt (la vitesse était limitée à quatre-vingts) et faisait des gestes obscènes aux automobilistes qui klaxonnaient pour le faire ralentir. L'expert du président en matière d'économies d'énergie, une femme qui avait peut-être été une star dans les années trente avant que les ans ne la transforment en hermaphrodite politique, était venu à la télé deux jours auparavant pour parler de *toutes les façons!!* dont Vous et Moi (!!) pouvons économiser l'électricité à la maison. Elle s'appelait Virginia Knauer et parlait avec enthousiasme des différentes manières dont Vous et Moi pouvons faire des économies d'énergie, parce que la situation est grave, et qu'il faut tous se serrer les coudes. L'émission terminée, il était allé à la cuisine et avait branché le mixer électrique. Mrs Knauer avait dit que les mixers étaient l'un des petits appareils électroménagers qui gaspillaient le plus d'énergie. Il avait laissé le mixer tourner toute la nuit, et lorsqu'il s'était levé le lendemain matin — hier matin — le moteur avait cramé. Les appareils consommant selon Mrs Knauer le plus d'énergie étaient les chauffages d'appoint. Il n'en possédait pas, mais avait songé à en acheter un afin de le laisser branché jour et nuit jusqu'à ce que les résistances grillent. S'il était soûl à en perdre conscience, il grillerait peut-être avec. Ce serait la fin de cette situation stupide, de tout ce stupide gâchis, et il cesserait de s'apitoyer sur lui-même.

Il se prépara un autre verre de Comfort plus Seven-Up, et repensa avec nostalgie aux vieux programmes de télé, ceux qu'il regardait avec Mary sur leur première RCA noir et blanc, quand ils étaient encore presque des jeunes mariés. De quoi ouvrir de grands yeux. Il y avait Jack Benny, et Amos 'n Andy, du vrai swing, et aussi « Dragnet » — le premier, avec Ben Alexander, qui avait depuis été remplacé par un nouvel acteur, Harry machin chose. Highway Patrol, où Broderick Crawford parlait d'une voix rauque dans son micro, et où tout le monde roulait dans des Buicks longues comme ça. Et les hit-parades... Gisele MacKenzie chantant *Green Door* et *Stranger in Paradise*. Une belle chanson, que le rock avait reprise. Et les jeux ! Avec toute une mise en scène, les personnes interrogées qui devaient s'enfermer dans des cabines de verre avec des casques style ONU sur la tête, pour écouter des questions invraisemblables qu'ils connaissaient d'avance. La « Question à 64 000 dollars » de Hal March... Et les émissions du samedi matin, comme « Annie Oakley », qui sauvait toujours son petit frère d'un tas de catastrophes épouvantables. « Rin-Tin-Tin », qui était de service à Fort Apache, et « Sergent Preston », qui se passait sur le Yukon. « Range Rider », aussi, avec Jock Mahoney. Et bien d'autres encore... Mary lui disait, Bart, si les gens savaient que tu regardes tous ces machins, ils te prendraient pour un faible d'esprit. Franchement, un homme de ton âge ! Et il lui répondait, je veux être capable de parler à mes enfants, mon chou. Sauf qu'il n'y avait jamais eu d'enfants, pas vraiment. Le premier n'avait en fait jamais existé — un enfant mort-né, un ange, comme on dit — et le second, c'était Charlie, auquel il valait mieux ne pas penser. On se verra dans mes rêves, Charlie. Toutes les nuits, il lui semblait que son fils et lui se retrouvaient dans un rêve, pas toujours le même. Barton George Dawes et Charles Frederick Dawes, réunis grâce aux miracles du subconscient. Et voilà, mes amis, nous sommes revenus au dernier trip mental de Disneyworld, le Pays de l'Apitoiement sur Soi-même. Embarquez pour une promenade en gondole sur le Canal des Larmes, visitez le Musée des Vieilles Photos, et venez faire un tour dans le Merveilleux Nostalgia Mobile, conduit par Fred MacMurray ! Le dernier arrêt de la visite guidée est cette stupéfiante réplique de Crestallen Street West. Vous la voyez juste devant vous, dans cette bouteille géante de Southern Comfort, préservée pour la postérité. Parfait, Madame, baissez la tête pour franchir le col, il va bientôt s'élargir. Et nous voici dans la maison de Barton George Dawes, dernier habitant de Crestallen Street West. Oui, regardez par la fenêtre pour mieux voir — attends, fiston, je vais te soulever, hop ! Et voilà George en chair et en os. C'est bien lui, assis devant sa télé couleur Zenith dans son caleçon rayé : il tient un verre à la main et il pleure. Il pleure ? Bien sûr, il pleure ! Que ferait-il d'autre au Pays de l'Apitoiement sur Soi-même ? Il pleure sans discontinuer. Le débit de ses larmes est contrôlé par notre ÉQUIPE D'INGÉNIEURS DE RÉPUTATION MONDIALE. Les lundis, où l'affluence est moindre, il se contente de larmoyer un peu. Les autres jours, il pleure nettement plus. Pendant le week-end, il passe en overdrive, et pour Noël, on le verra peut-être se noyer dans des flots de larmes. Je reconnais que c'est un spectacle peu ragoûtant, mais George est tout de même un de nos personnages les plus populaires, au même titre que notre re-création de King Kong sur l'Empire State Building. C'est...

Il lança son verre avec force contre la télévision.

Il loupa l'écran d'une bonne largeur de main. Le

verre alla rebondir sur le mur, puis se brisa sur le sol. Il éclata de nouveau en sanglots.

Tout en pleurant, il pensait : regarde-toi, mais regarde-toi ! Ciel ce que tu peux être répugnant ! Quel gâchis tu as fait de toi-même ! C'en est incroyable. Tu as fichu toute ta vie en l'air et celle de Mary aussi, et tu restes assis à en rigoler, espèce de déchet ! Ô mon Dieu, mon Dieu, mon Dieu...

Il était déjà à mi-chemin du téléphone lorsqu'il se reprit. La nuit dernière, ivre et en pleurs, il avait appelé Mary et l'avait suppliée de revenir. Il avait gémi et supplié jusqu'à ce qu'elle éclate en sanglots et lui raccroche au nez. Il sourit honteusement en y repensant. Ciel ! comment avait-il pu se laisser aller à faire une chose pareille !

Il alla à la cuisine chercher la pelle et la balayette. Après avoir fermé la télé, il rassembla les éclats de verre. Il regagna la cuisine d'un pas mal assuré, et versa les débris dans la poubelle. Ensuite, il resta un long moment à se demander que faire.

Le réfrigérateur se mit en marche. Son bourdonnement d'insecte lui fit peur. Il alla se coucher. Et rêva.

6 décembre 1973

Il était trois heures et demie de l'après-midi, et il rentrait chez lui par l'autoroute, fonçant à cent vingt. Le ciel était dégagé, et la lumière était très vive et dure ; dehors, il faisait quelques degrés audessous de zéro. Depuis que Mary était partie, il allait tous les jours faire un long tour sur l'autoroute. C'était en quelque sorte un succédané de travail. Cela le calmait. Lorsque la route défilait devant lui, délimitée des deux côtés par des talus couverts des premières neiges de l'hiver, il ne pensait plus à rien, et trouvait la paix. Parfois, quand il y avait un chanteur à la radio, il l'accompagnait d'une voix grave et résonnante. Souvent, il pensait à continuer, suivant une autoroute après l'autre, prenant de l'essence avec sa carte de crédit. Il continuerait à rouler vers le sud et ne s'arrêterait que lorsqu'il n'y aurait plus de route, ou plus de pays. Pouvait-on aller en voiture jusqu'à la pointe de l'Amérique du Sud ? Il n'en savait rien.

Mais il revenait toujours. A la sortie de l'autoroute, il s'arrêtait quelque part pour avaler un hamburger et des frites, puis continuait jusqu'à la ville, où il arrivait au coucher du soleil ou peu après.

Il passait toujours par Stanton Street, et s'arrêtait

pour voir où en était le chantier de la 784. La société de travaux publics avait installé une plate-forme destinée aux badauds — pour la plupart des hommes âgés ou des gens venus faire leurs courses dans les supermarchés des environs. Le jour, elle était toujours pleine de curieux. Ils se pressaient contre le garde-fou, alignés comme des pantins dans un tir de foire, et regardaient avec ébahissement les bulldozers et autres engins, les géomètres avec leurs sextants et leurs trépieds... Il les aurait avec joie abattus jusqu'au dernier.

Mais le soir, quand il faisait moins quinze, que le soleil couchant traçait à l'ouest une ligne d'un orange impitoyable, et que les étoiles glaciales brillaient déjà au firmament, il pouvait sans être importuné observer les progrès du chantier. Les moments qu'il passait sur la plate-forme avaient une grande importance pour lui. Il se demandait si, d'une façon inexplicable, ils ne rechargeaient pas ses batteries, et s'ils ne constituaient pas le lien qui le reliait à un monde tant soit peu normal. Durant ces minutes, avant la nuit et la longue plongée dans l'ivresse de l'alcool, avant qu'il ne soit pris de l'irrésistible besoin d'appeler Mary, avant de commencer les activités nocturnes du Pays de l'Apitoiement sur Soi-même, il était totalement lui-même, parfaitement sobre et d'une froide lucidité. Empoignant des deux mains le tube d'acier, il regardait le chantier jusqu'à ce que ses doigts deviennent aussi insensibles que le métal lui-même, jusqu'à ce qu'il lui fût impossible de dire où s'arrêtait son monde à lui — le monde du sang et des émotions humaines — et où commençait le monde extérieur des grues, des tracteurs et des plates-formes d'observation. Il ne ressentait plus le besoin de fouiller en pleurnichant dans le bric-à-brac qui encombrait sa mémoire. Durant ces moments, il sentait son *moi* palpiter chaudement dans la froide indifférence du soir hivernal : une personne réelle, encore intacte peut-être.

Soudain, alors qu'il fonçait sur l'autoroute, encore à plus de soixante kilomètres du péage de Westgate, il aperçut une silhouette qui se tenait sur l'accotement, juste après la sortie 16. La silhouette était emmitouflée dans un gros paletot de marin et coiffée d'un bonnet noir en tricot. Elle tenait une pancarte disant (cela faisait drôle, dans toute cette neige) : LAS VEGAS, et en dessous, comme par défi : OU CASSEZ-VOUS !

Il écrasa le frein et sentit la ceinture de sécurité s'enfoncer dans ses côtes, tout émoustillé par le hurlement très sportif de ses pneus. Il s'arrêta une vingtaine de mètres au-delà de l'auto-stoppeur, qui coinça sa pancarte sous son bras et se mit à courir vers lui. A sa démarche, il vit que c'était une fille.

La portière s'ouvrit et elle s'installa à côté de lui.

« C'est chic de vous être arrêté. Merci !

— Pas de quoi. » Il jeta un coup d'œil dans le rétroviseur, s'engagea sur la chaussée et accéléra de nouveau jusqu'au cent vingt. L'autoroute se remit à défiler devant lui. « Ça fait un bout de chemin, Las Vegas.

— Pour sûr. » Elle lui adressa le sourire standard réservé aux gens lui disant que Las Vegas, c'était loin, et retira ses gants. « Cela vous dérange que je fume ?

— Non, non, allez-y. »

Elle sortit un paquet de Marlboro. « Vous en voulez une ?

— Non, merci. »

Elle prit une boîte d'allumettes de cuisine dans la poche de son paletot, alluma la cigarette, inhala une longue bouffée de fumée et la rejeta, embuant le pare-brise, remit les Marlboro et les allumettes dans sa poche, défit le foulard bleu foncé qu'elle portait au cou et dit : « C'est gentil de m'avoir prise. Il fait drôlement froid, dehors.

— Vous attendiez depuis longtemps ?

— A peu près une heure. Le type d'avant était complètement soûl. J'étais contente de descendre, je ne vous dis que ça. »

Il hocha la tête. « Je vous laisserai à la fin de l'autoroute.

— A la fin ? » Elle se tourna pour le regarder. « Vous allez jusqu'à Chicago ?

— Chicago ? Oh non ! » Il lui dit le nom de la ville.

« Mais l'autoroute va jusqu'à Chicago ! » Elle sortit de son autre poche une carte routière Sunoco tout écornée. « C'est *marqué* sur la carte !

— Dépliez-la et regardez bien. »

Elle s'exécuta.

« De quelle couleur est la partie de l'autoroute sur laquelle nous sommes ?

— Elle est en vert.

— Et la partie qui traverse la ville ?

— En... Zut, ce sont des *pointillés* verts ! Cela veut dire qu'elle est en construction !

— Exactement. C'est le mondialement célèbre raccordement de l'autoroute 784. Si vous voulez arriver à Las Vegas, vous devriez lire plus attentivement la légende de votre carte. »

Elle se pencha en avant, le nez touchant presque la carte. Elle avait un teint très clair, sans doute laiteux en des conditions normales, mais le froid avait rosi ses joues et son front. Le bout de son nez était rouge, et une petite goutte pendait à sa narine gauche. Ses cheveux étaient courts. Une mauvaise coupe, sans doute l'avait-elle faite elle-même. Ils étaient d'une jolie couleur châtain. Dommage de les couper, et encore plus de les couper mal. Comment s'appelait encore ce conte de Noël de O. Henry ? Ah oui ! *Le Cadeau des Mages.* Pour qui as-tu acheté une chaîne de montre, petit vagabond ?

« La ligne verte reprend à Landy, dit-elle. C'est à quelle distance de la fin de cette autoroute ?

— Une bonne cinquantaine de kilomètres.

— Oh *non* ! »

Elle se replongea dans la lecture de la carte, les sourcils froncés. Ils passèrent la sortie 15.

Elle finit par relever la tête. « Et quel est le meilleur itinéraire pour Landy ? demanda-t-elle. Il y a des routes partout, je n'y comprends rien.

— Le mieux, c'est de prendre la nationale 7, dit-il. On la rejoint à Westgate — c'est la dernière sortie. » Après un instant d'hésitation, il ajouta : « Mais vous feriez mieux de laisser tomber pour aujourd'hui. Il y a un Holiday Inn juste à la sortie. Nous n'y serons guère avant le coucher du soleil, et je ne vous conseille pas de faire du stop sur la 7 la nuit.

— Pourquoi pas ? » demanda-t-elle en le regardant. Ses yeux étaient d'un vert déconcertant : une couleur dont on parle dans les livres, mais qu'on ne voit presque jamais.

« C'est une voie express, expliqua-t-il en se mettant sur la file de gauche et en doublant une longue ligne de véhicules qui faisaient sagement du quatre-vingts. Cela lui valut plusieurs coups de Klaxon rageurs. « Quatre voies, avec une petite séparation au milieu. Deux voies vers l'ouest, direction Landy, et deux voies vers l'est, direction centre ville. C'est plein de centres commerciaux, de selfs, de bowlings. Les gens ne vont en général pas loin, et personne ne s'arrête.

— Je vois, soupira-t-elle. Il n'y a pas de bus, pour Landy ?

— Il y avait une ligne municipale, mais elle n'existe plus : elle a dû faire faillite. Il doit y avoir un arrêt des Greyhound quelque part...

— Oh, puis zut ! » Elle replia la carte, la fourra dans sa poche, et regarda la route avec découragement.

« Vous n'avez pas de quoi vous payer une chambre de motel ?

— J'ai treize dollars sur moi. Je ne trouverais même pas une niche de chien à ce prix-là.

— Vous pouvez venir à la maison, si vous voulez.

— Bien sûr... Vous feriez peut-être mieux de me laisser ici.

— Peu importe. Je retire mon offre.

— Que dirait votre femme, si vous m'ameniez ? » Elle jeta un regard éloquent sur son alliance. Son regard suggérait aussi qu'il était du genre à danser quand le chat n'était pas là.

« Nous sommes séparés.

— Depuis longtemps ?

— Non. Depuis le 1er décembre.

— Je vois. Vous avez du retard et un petit coup de main serait le bienvenu. » Il y avait du mépris dans sa voix, mais c'était un mépris qui remontait à loin, qui n'était pas spécifiquement dirigé contre lui. « Surtout de la part d'une jeunesse comme moi.

— Je n'ai pas envie de baiser, répondit-il honnêtement. Je ne suis même pas sûr que je serais capable de bander. » Il se rendit compte qu'il venait d'utiliser deux termes dont il ne s'était encore jamais servi en présence d'une femme, mais cela semblait normal. Pas bien ni mal, mais normal.

« C'est un défi ? » demanda-t-elle, avant de tirer avidement sur sa cigarette.

« Non, dit-il. Evidemment, ça peut s'interpréter comme ça. Je suppose qu'une fille seule doit toujours être sur ses gardes.

— Et ça, dit-elle d'une voix où une pointe d'amusement et de lassitude se mêlait maintenant à un reste d'hostilité et de mépris, c'est sans doute l'acte trois. " Comment une jeune fille comme vous a-t-elle pu monter dans la voiture d'un inconnu. "

— Vous êtes vraiment impossible.

— C'est vrai. » Elle écrasa son mégot dans le cendrier et fronça le nez. « Regardez-moi ça ! C'est plein de papiers de bonbons, de Cellophane et d'un tas de saletés. Vous devriez avoir un sac poubelle dans votre voiture !

— Je ne fume pas, que voulez-vous. Si vous m'aviez téléphoné avant pour me dire, eh mon vieux Barton, je compte faire du stop sur l'autoroute aujourd'hui, et ça serait bien que tu me prennes ; à propos, vide les ordures qui encombrent ton cendrier, parce que j'ai l'intention de fumer — alors, je l'aurais nettoyé. Pourquoi ne videz-vous pas tout ça par la fenêtre ?

— Mais vous avez de l'humour ! » Elle souriait, maintenant.

« Ma triste existence me l'a appris.

— Savez-vous combien de temps il faut pour qu'un bout filtre soit dégradé biologiquement ? Deux cents ans, pas moins ! Vos petits-enfants seront morts avant. »

Il haussa les épaules : « Vous me faites respirer

cette fumée cancérigène qui s'attaque à mes bronches, mais vous vous refusez à jeter un ou deux bouts filtre sur l'autoroute. Moi, je veux bien.

— Ça veut dire quoi, ça ?

— Rien du tout.

— Vous voulez que je descende ?

— Non. Parlons plutôt d'un sujet neutre. L'état du dollar. L'état de l'Union. L'Etat d'Arkansas.

— Ça vous ennuie que je fasse un petit somme ? J'ai bien l'impression que je ne fermerai pas l'œil de la nuit.

— Ne vous gênez pas. »

Elle enfonça le bonnet sur ses yeux, croisa les bras et s'immobilisa. Bientôt, sa respiration se fit plus lente et plus profonde. De temps à autre, il la regardait à la dérobée, comme un voleur. Elle portait des jeans délavés, dont le tissu ne paraissait guère épais. Ils moulaient ses jambes de si près qu'il était manifeste qu'elle ne portait pas de collants. Des jambes très longues qu'elle avait repliées sous le tableau de bord pour être plus à l'aise ; elles étaient probablement rouges comme des écrevisses, maintenant, et devaient la démanger terriblement. Il faillit lui demander si ses jambes la grattaient, mais jugea préférable de s'abstenir : comment aurait-elle interprété *cela ?* Ça le rendait mal à l'aise de penser qu'elle allait faire du stop toute la nuit sur la 7, sans que personne la prenne, ou alors pour deux ou trois bornes. La nuit, le froid, des jeans élimés... Enfin, c'était son problème. Si elle avait trop froid, elle pourrait toujours entrer se réchauffer quelque part.

Sortie 14... sortie 13. Il cessa de la regarder et fit attention à sa conduite. L'aiguille du tachymètre restait imperturbablement sur cent vingt, et il restait imperturbablement sur la file de gauche. Régulièrement, d'autres automobilistes klaxonnaient pour le faire ralentir. A la hauteur de la sortie 12, un type dans une station-wagon portant sur la vitre arrière un autocollant qui disait : RESPECTEZ LE 80 klaxonna trois fois et lui fit des appels de phares. Il lui adressa un pied de nez.

Sans rouvrir les yeux, elle dit : « Vous roulez trop vite. C'est pour ça qu'ils klaxonnent.

— Je le sais bien.

— Mais vous vous en fichez.

— Eperdument.

— Encore un citoyen responsable qui contribue à libérer l'Amérique du chantage pétrolier !

— La crise de l'énergie, je n'en ai rien à fiche.

— C'est ce que nous disons tous...

— Ecoutez, sur l'autoroute, je roulais toujours à quatre-vingt-dix. Ni plus, ni moins. C'est la vitesse où je consomme le moins. Mais maintenant, je proteste contre l'Ethique du Chien Dressé. Vous avez dû étudier ça, en socio ? Vous êtes étudiante, ou est-ce que je me trompe ? »

Elle se redressa et ôta le bonnet de ses yeux. « J'ai étudié la socio pendant un semestre. Enfin, étudié, c'est un bien grand mot. Mais je n'ai jamais entendu parler de l'Ethique du Chien Dressé.

— Pas étonnant, je viens de l'inventer.

— Oh », fit-elle avec dégoût, en rabattant son bonnet sur ses yeux.

« L'Ethique du Chien Dressé, exposée pour la première fois par Barton George Dawes en 1973, éclaire des mystères tels que la crise monétaire, l'inflation, la guerre du Vietnam et l'actuelle crise de l'énergie. Prenons celle-ci pour exemple. Les citoyens des Etats-Unis sont des chiens dressés ; en l'occurrence, dressés à aimer des joujoux consommant d'énormes quantités de pétrole. Grosses voitures, motoneiges, yachts à moteur, motos, mobylettes, camping-cars et bien d'autres encore. Au cours de la période s'étendant de 1973 à 1980, un nouveau dressage leur apprendra à détester les jouets consommateurs d'énergie. Les citoyens américains adorent être dressés. Quand on les dresse, ils agitent gaiement la queue. Consommez de l'énergie, ne consommez pas d'énergie, pissez sur le journal... Je ne suis pas contre les économies d'énergie. Je suis contre le dressage. »

Il se surprit à repenser au chien de M. Piazzi, qui avait d'abord cessé de remuer la queue, puis s'était mis à rouler les yeux, et avait pour finir égorgé Luigi Bronticelli.

« C'est comme le chien de Pavlov, reprit-il. Il avait été dressé à saliver quand on agitait une sonnette. Nous sommes dressés à saliver quand nous voyons un motoneige avec overdrive, ou une télé couleur à grand écran avec antenne orientable motorisée. J'en ai une à la maison. Une Zenith. Elle a aussi un nouveau gadget spatial, la télécommande. Sans bouger de votre fauteuil, vous pouvez changer de chaîne, régler le contraste ou le volume du son, l'ouvrir et la fermer. Un jour, j'ai mis le gadget dans ma bouche et j'ai appuyé sur le bouton avec la langue. La télé s'est allumée ! Le signal était passé, à travers mes os, mes muscles et mon cerveau ! C'est beau, la technique, non ?

— Vous êtes complètement dingo, dit-elle.

— C'est bien possible. » Ils passèrent la sortie 11. « Je crois que je vais dormir. Réveillez-moi quand on sera arrivés.

— Okay. »

Elle croisa de nouveau les bras et referma les yeux.

Ils passèrent la sortie 10.

« En fait, dit-il, ce n'est même pas à l'Ethique du Chien Dressé que j'en veux, mais au fait que les dresseurs sont des crétins — mentalement, moralement et spirituellement des crétins.

— Vous essayez d'apaiser votre conscience avec toute cette rhétorique, dit-elle, les yeux fermés. Vous ne pourriez pas ralentir et faire du quatre-vingts ? Je me sentirais plus tranquille.

— *Mais pas moi !* » cracha-t-il avec une telle véhémence qu'elle se redressa pour le regarder avec inquiétude.

« Ça va ? lui demanda-t-elle.

— Ça va très bien. J'ai perdu ma femme et mon travail parce que le monde est devenu fou, à moins que ça ne soit moi. Et puis je m'arrête pour prendre une auto-stoppeuse — une gamine de dix-neuf ans, bon Dieu, du genre qui devrait, du moins en principe, trouver normale l'idée que le monde est devenu fou —, et elle me dit que c'est moi qui suis marteau, et que le monde va parfaitement bien. Le pétrole se fait un peu rare, sans doute, mais à part ça, tout marche comme sur des roulettes.

— J'ai vingt et un ans.

— Tant mieux pour vous, dit-il avec amertume. Si le monde va si bien que ça, pourquoi une gosse comme vous ferait-elle du stop en plein hiver ? Prête à continuer toute la nuit sur la 7, au risque d'attraper des engelures parce qu'elle ne porte rien sous son jean ?

— Je porte quelque chose en dessous ! s'écria-t-elle avec indignation. Pour qui me prenez-vous !

— Je vous prends pour une idiote ! explosa-t-il. Vous allez vous geler le cul, cette nuit !

— Catastrophe ! répliqua-t-elle sur un ton suave. Il ne pourrait plus servir, quel dommage, n'est-ce pas ?

— Aïe-aïe-aïe, marmonna-t-il, aïe-aïe-aïe... »

Ils doublèrent en rugissant une grosse voiture qui se traînait à quatre-vingts. Le conducteur donna trois petits coups de klaxon.

« *Va te faire enculer !* rugit-il.

— Je préférerais vraiment que vous me laissiez ici, dit-elle calmement.

— Ce n'est rien, répondit-il. Je ne vais pas nous tuer, n'ayez crainte. Dormez. »

Elle le regarda avec méfiance pendant un bon moment, puis croisa les bras et ferma les yeux. Ils passèrent la sortie 9.

Il était quatre heures cinq lorsqu'ils arrivèrent à la sortie 2. Les ombres qui s'allongeaient sur la chaussée avaient cette teinte bleue caractéristique qu'elles ne prennent qu'en hiver. A l'est, Vénus était déjà levée. Aux abords de la ville, la circulation était devenue plus dense.

Il jeta un coup d'œil sur sa passagère et vit qu'elle était assise bien droite, et regardait les autos qui défilaient, anonymes et indifférentes. La voiture qu'ils suivaient transportait un arbre de Noël sur sa galerie. Les yeux verts de la jeune fille étaient grands ouverts, et il se perdit en eux : un de ces moments de parfaite empathie que les humains connaissent en des occasions miséricordieusement fort rares. Il vit que toutes ces voitures allaient en des lieux bien chauffés, où il y avait des affaires à traiter, des amis à accueillir, ou le tissu d'une vie familiale à reprendre et à enjoliver.

Il vit leur indifférence aux étrangers. Dans un bref et froid éclair de compréhension, il vit ce que Thomas Carlyle appelait la grande locomotive morte du monde, fonçant aveuglément de l'avant.

« Nous sommes bientôt arrivés ? demanda-t-elle.

— Un petit quart d'heure.

— Dites, je n'ai peut-être pas été très chic avec vous...

— Non, c'est moi qui n'ai pas été chic. Ecoutez, je n'ai rien de spécial à faire. Je vais vous conduire jusqu'à Landy.

— Non...

— Ou alors, je vous installe au Holiday Inn pour la nuit. Je ne vous demanderai rien en échange, vous savez. Considérez ça comme un cadeau de Noël...

— Vous êtes vraiment séparé de votre femme ?

— Oui.

— Et depuis si peu de temps ?

— Oui.

— C'est elle qui a la garde des gosses ?

— Nous n'avons pas d'enfants. »

Ils arrivaient au péage. Les feux verts ou rouges clignotaient mécaniquement dans le crépuscule.

« Alors, emmenez-moi chez vous.

— Je ne suis pas obligé de faire ça... Je veux dire, vous n'êtes pas obligée de...

— J'aime autant ne pas rester seule ce soir, dit-elle. Et je n'aime pas faire du stop la nuit. Ça me fait peur. »

Il s'arrêta devant une cabine de péage et descendit la vitre, laissant entrer l'air froid. Il tendit à l'employé sa carte et un dollar quatre-vingt-dix, puis redémarra lentement. Ils passèrent devant un grand panneau :

MERCI D'AVOIR CONDUIT PRUDEMMENT

« D'accord », dit-il. Il avait probablement tort d'essayer de la rassurer — cela risquait plutôt d'avoir l'effet opposé — mais il ne pouvait s'en empêcher. « Vous comprenez, c'est simplement que je me sens très seul, dans cette grande maison vide. Nous pourrons dîner, et peut-être regarder la télé en mangeant du pop-corn. Je vous laisserai la chambre du premier et je... »

Elle eut un petit rire, et il la regarda, tandis qu'ils tournaient sur la rampe de sortie. Mais elle n'était plus qu'une forme indistincte dans la pénombre. Peut-être faisait-elle partie d'un de ses rêves. Cette idée le tracassa.

« L'ivrogne dont je vous ai parlé, vous vous souvenez ? J'aime mieux vous le dire tout de suite. J'ai passé la nuit avec lui. Il allait à Stilson, où vous m'avez prise. C'était son prix. »

Il s'arrêta au feu rouge.

« La copine avec qui j'habite m'avait dit que ça serait comme ça, mais je ne voulais pas la croire. » Elle lui lança un regard de côté, mais il ne pouvait distinguer son expression. « Je n'allais pas traverser le pays en payant chaque étape avec mon cul — pas moi, ah non ! Mais en fait, ce n'est pas tant que les gens vous y *obligent*. On est complètement déconnecté, comme si on marchait dans l'espace, en apesanteur. Une sorte d'aliénation, si vous voulez. Quand on arrive dans une grande ville et qu'on pense à tous ces gens qui y vivent, ça vous donne envie de pleurer. Je ne sais pas pourquoi, mais c'est comme ça. Pour finir, on passe la nuit avec un mec tout boutonneux, juste pour l'entendre parler et respirer.

— Peu m'importe avec qui vous avez couché », dit-il en s'engageant dans la circulation. Automatiquement, il prit l'itinéraire passant par le chantier de la 784.

« Un représentant de commerce, reprit-elle. Marié depuis quatorze ans. Il ne cessait de le répéter tout en me sautant. Quatorze ans, Sharon, disait-il tout le temps, quatorze ans, quatorze ans. Et il a dû éjaculer au bout de quatorze secondes ! » Elle eut un rire sans joie.

« C'est votre nom, Sharon ?

— Non. Je suppose que c'était celui de sa femme. »

Il s'arrêta le long du trottoir.

« Que faites-vous ? demanda-t-elle, instantanément méfiante.

— Rien. Je m'arrête ici chaque fois que je rentre chez moi. Vous pouvez descendre, si vous voulez. Je vous montrerai quelque chose. »

Ils montèrent sur la plate-forme d'observation, déserte à cette heure. Il posa ses mains sur le froid tube d'acier du garde-fou et regarda en bas. Il vit qu'ils avaient mis un premier revêtement. Les trois jours précédents, ils avaient étendu du gravier. Une étape de plus. Des machines silencieuses — camions, bulldozers, énormes pelleteuses jaunes — étaient rangées dans la grisaille du soir comme des monstres préhistoriques dans un musée. Voici le stégosaure végétarien, le tricératops carnivore et la redoutable excavatrice diesel dévoreuse de terre. Bon appétit !

« Qu'en pensez-vous ? lui demanda-t-il.

— Je devrais en penser quelque chose de particulier ? dit-elle, s'efforçant de comprendre ce qu'il voulait.

— Vous devez bien en penser quelque chose, non ?

— C'est un chantier comme il y en a plein, répondit-elle en haussant les épaules. On construit une route dans une ville que je ne reverrai sans doute jamais. Que voulez-vous que j'en pense ? C'est laid.

— C'est laid, répéta-t-il avec soulagement.

— J'ai passé mon enfance à Portland, dans le Maine. Nous vivions dans un immeuble, et un jour, ils ont construit un grand centre commercial juste en face.

— Ils ont dû abattre des maisons pour le construire ?

— Comment ?

— Ont-ils...

— Oh, non, c'était une sorte de terrain vague, avec des champs derrière. Je devais avoir six ou sept ans. Je croyais qu'ils ne cesseraient jamais de creuser, d'aplanir, de remblayer. Et moi... c'est drôle, ma seule pensée, c'était : pauvre vieille terre, qu'est-ce qu'ils te font subir ! C'était comme s'ils lui administraient sans cesse des lavements, sans même lui demander si elle en avait besoin. J'avais attrapé un genre d'infection intestinale, cette année-là, et j'étais devenue la grande spécialiste des lavements dans le quartier.

— Ah bon, fit-il.

— Le dimanche, quand ils ne travaillaient pas, on allait sur le chantier. C'était incroyablement calme, comme ici, on aurait dit un immense cadavre allongé dans un lit. Ils avaient commencé les fondations, et il y avait plein de tiges de métal peintes en orange qui dépassaient du béton...

— L'armature.

— Peut-être. Il y avait aussi un tas de tuyaux, des rouleaux de gros fil de fer enveloppés de plastique transparent, et plein de terre remuée partout. Cette terre-là me paraissait crue — comme de la viande qui n'a pas été cuite. C'est curieux, non, de dire que de la terre est crue ? Nous y jouions à cache-cache, mais un jour, ma mère nous a surprises, et nous a donné une bonne fessée, à ma sœur et à moi. Elle disait qu'un chantier, c'était dangereux pour les enfants, qu'il pouvait leur arriver un tas d'ennuis. Ma petite sœur, qui n'avait que quatre ans, était inconsolable. Elle pleurait et hurlait... C'est drôle de se souvenir de tout ça. On peut remonter en voiture ? Je commence à avoir froid.

— Allons-y. »

Quand il eut démarré, elle poursuivit : « Tous ces tas de terre, tous ces trucs dans tous les sens... je ne me serais jamais imaginée qu'ils pourraient en faire quelque chose de propre. Et tout d'un coup, le centre commercial fut terminé. Je me souviens encore du jour où ils ont goudronné le parking. Après, une petite voiture spéciale est venue tracer les traits jaunes, pour délimiter les places. Pour finir, ils ont donné une grande réception, et un gros ponte a coupé le ruban. Puis, les gens ont pris l'habitude d'y aller, comme si ça avait toujours existé. C'était un énorme centre, un genre de Mammouth. Maman y faisait ses courses. Quand je l'accompagnais, il m'arrivait de repenser à ces bouts de ferraille qui dépassaient du béton — mais je ne le disais à personne, c'était mon secret. »

Il approuva de la tête. Les pensées secrètes, oui, il connaissait.

« Et vous, demanda-t-elle, qu'en pensez-vous ?

— J'en suis encore à me le demander », répondit-il.

Il allait leur faire réchauffer des repas-télé, mais en regardant dans le frigo, elle vit le rôti et dit qu'elle allait le préparer s'il avait la patience d'attendre qu'il soit cuit.

« Allez-y, dit-il. Je ne savais pas combien de temps il fallait le laisser au four, ni à quelle température.

— Votre femme vous manque ?

— Terriblement.

— Parce que vous ne savez pas faire cuire le rôti ? »

Il ne répondit pas. Pour accompagner la viande, elle mit des pommes de terre au four et fit cuire du maïs surgelé. Ils mangèrent dans la cuisine. Elle prit quatre tranches épaisses de rôti, deux grosses pommes de terre et deux bonnes portions de maïs.

« Ça doit faire un an que je n'ai pas fait un repas pareil, annonça-t-elle en allumant une cigarette. Ça va me faire gonfler le ventre.

— Que mangez-vous, d'habitude ?

— Des biscuits pour chiens.

— Hein ?

— Des biscuits pour chiens.

— C'est bien ce que j'avais cru entendre.

— C'est bon marché et ça calme la faim. C'est plein de protéines et de vitamines et tout ça. C'est marqué sur le paquet.

— Vitamines mon cul. Vous allez vous rendre malade à manger des trucs pareils. Ce n'est plus de votre âge. Venez. »

Il la conduisit dans la salle à manger et ouvrit le

vaisselier de Mary. Il en sortit une saucière en argent, dont il tira une épaisse liasse de billets. Elle le regarda avec des yeux exorbités.

« Qui avez-vous dévalisé ?

— Ma compagnie d'assurances. Tenez, voilà deux cents dollars. Pour vous acheter à manger. »

Elle ne toucha pas à l'argent. « Vous êtes fou, dit-elle. Qu'est-ce que vous croyez que je vais vous faire, pour deux cents dollars ?

— Rien. »

Elle éclata de rire.

« Comme il vous plaira. » Il posa les deux cents dollars sur le buffet et remit la saucière en place. « Si vous ne les emmenez pas demain matin, je les jeterai aux W.-C. » Mais il ne pensait pas qu'il le ferait réellement.

Elle le regarda bien en face : « Vous en seriez capable. »

Il ne répondit rien.

« Enfin ! dit-elle. On verra ça demain matin.

— C'est ça, répondit-il... Demain. »

Il regardait « Vrai ou Faux » à la télévision. Deux concurrents racontaient des mensonges sur la championne mondiale de dressage de chevaux sauvages, et un troisième disait la vérité. Un jury composé de « célébrités » plus ou moins connues devait deviner qui disait la vérité. Garry Moore, l'increvable et sûrement tricentenaire animateur, souriait, faisait des bons mots, et agitait une sonnette chaque fois qu'un des participants marquait un point.

L'auto-stoppeuse regardait par la fenêtre. « Mais dites donc, qui est-ce qui habite cette rue ? Il n'y a pas une seule fenêtre éclairée.

— Moi et les Dankman, répondit-il. Et les Dankman déménagent le 5 janvier.

— Pourquoi ?

— L'autoroute, dit-il simplement. Vous voulez boire quelque chose ?

— Comment ça, l'autoroute ?

— Elle va passer par ici. Si j'ai bien lu les plans, cette maison se retrouvera quelque part sur la bande médiane.

— C'est pour cela que vous m'avez montré le chantier ?

— Probablement. Je travaillais dans une blanchisserie, à environ trois kilomètres d'ici. Elle se trouve également sur le tracé de l'autoroute.

— C'est pour ça que vous avez perdu votre travail ? Parce que la blanchisserie allait disparaître ?

— Pas vraiment. Je devais conclure l'achat d'une nouvelle usine, dans une banlieue appelée Waterford, et je ne l'ai pas fait.

— Pourquoi ?

— L'idée m'était intolérable, répondit-il simplement. Qu'est-ce que je vous sers ?

— Vous n'avez pas besoin de me soûler, vous savez.

— Seigneur ! s'exclama-t-il en levant les yeux au plafond. Vous ne pensez donc qu'à ça ? »

Un silence inconfortable s'installa. Ce fut elle qui le rompit : « Je n'aime guère que les jus de fruits avec quelque chose dedans. Une vodka-orange, si c'est possible ?

— Il y a tout ce qu'il faut.

— Vous n'avez pas d'herbe, je suppose ?

— Non. Je n'en ai jamais fumé. »

Il alla à la cuisine, prépara la vodka-orange puis

un Southern Comfort au Seven-Up, et ramena les deux verres au living. Elle s'amusait avec le gadget spatial; passant sans cesse d'une chaîne à l'autre, la télé faisait étalage de ses merveilles : « Vrai ou Faux », neige, « Le Métier que j'ai choisi », « Je rêve de Jeannie », neige, « L'île de Gilligan », neige, « J'aime Lucie », neige, neige, Julia Child confectionnant avec des avocats un machin qui ressemblait à de la pâtée pour chiens, « Le Prix des choses », neige, et retour à Garry Moore, qui mettait les jurés au défi de découvrir lequel des trois concurrents était l'auteur d'un livre racontant ce qu'il avait vécu lorsqu'il s'était perdu un mois durant dans les forêts du Saskatchewan.

Il lui tendit son verre.

« Avez-vous mangé des cafards, Numéro Deux ? demanda un membre du jury.

— C'est pas drôle, dit l'auto-stoppeuse. Pourquoi ne mettez-vous pas " Star Trek " ? Vous ne croyez en rien, ou quoi ?

— Ici, ça passe à quatre heures sur la huit.

— Vous le regardez ?

— De temps à autre. Ma femme regarde toujours Merv Griffin.

— Je n'ai pas vu un seul cafard, répondit Numéro Deux. Mais si j'en avais vu, je les aurais mangés. » Le public s'esclaffa et applaudit.

« Pourquoi est-elle partie ? Vous n'êtes pas obligé de me répondre. » Elle le regarda avec méfiance, comme s'il allait exiger un prix exorbitant pour sa confession.

« Pour la même raison qui m'a fait perdre mon travail, dit-il en s'asseyant.

— Parce que vous n'avez pas acheté cette usine ?

— Non, parce que j'ai omis d'acheter une nouvelle maison.

— Je vote pour Numéro Deux, annonça un autre membre du jury, parce qu'on voit bien qu'il serait prêt à manger des cafards s'il en trouvait. » Le public s'esclaffa et applaudit.

« Vous avez... Oh la la ! » Elle le regarda sans ciller par-dessus son verre ; son expression était un mélange de respect, d'admiration et d'épouvante. « Et qu'allez-vous faire ?

— Je n'en sais rien.

— Vous ne travaillez pas ?

— Non.

— Que faites-vous, toute la journée ?

— Je roule sur l'autoroute.

— Et le soir, vous regardez la télé ?

— Et je bois. Parfois, je fais griller du pop-corn. Je vais en faire dans un moment, d'ailleurs.

— Je n'aime pas le pop-corn.

— Je le mangerai seul, alors. »

Elle appuya sur le bouton « arrêt » du gadget spatial (qu'il appelait parfois le « module », parce qu'on appelle de plus en plus souvent module tout ce qui se branche et se débranche) ; sur l'écran, l'image rétrécit jusqu'à n'être plus qu'un point lumineux, puis disparut.

« Je voudrais être sûre d'avoir bien compris, reprit-elle. Vous avez fichu en l'air votre boulot et votre femme...

— Mais pas nécessairement dans cet ordre.

— Peu importe. Vous avez fichu tout ça en l'air à cause de cette route. C'est bien ça ? »

Il regardait avec gêne l'écran sombre et vide. Bien qu'il ne suivît que rarement de près ce qui s'y passait, cela le mettait mal à l'aise qu'il fût éteint. « Je ne suis même pas sûr que ce soit cela. Le simple fait d'avoir agi d'une certaine façon n'implique pas nécessairement qu'on en comprenne la raison.

— C'était une protestation ?

— Je *ne* sais *pas*. Quand on proteste contre quelque chose, c'est parce qu'on pense qu'une autre chose serait préférable. Tous ces gens ont protesté contre la guerre parce qu'ils pensaient que la paix serait mieux. D'autres protestent contre la loi sur les stupéfiants parce qu'ils pensent qu'une autre loi serait plus juste, ou plus amusante, ou moins dangereuse... Je ne sais pas. Pourquoi ne remettez-vous pas la télé ?

— Dans un moment. » Il remarqua de nouveau à quel point ses yeux étaient verts et intenses, comme des yeux de chat. « Est-ce parce que vous haïssez cette route ? Et la société technologique dont elle est l'expression ? L'effet déshumanisant de...

— Non », dit-il. Il était si difficile d'être honnête, et il se demanda pourquoi il se donnait tant de mal, alors qu'un mensonge mettrait fin à cette discussion de façon tellement plus rapide et élégante. Elle était comme tous ces gosses, comme Vinnie, comme tous ceux qui confondent le savoir et la vérité : elle voulait de la propagande, avec de belles explications et un beau graphique — mais pas une *vraie* réponse. « J'ai vu construire des routes et des bâtiments toute ma vie. Cela ne me posait aucun problème. Je n'y pensais même pas, sauf peut-être quand ça m'emmerdait de prendre une déviation ou de traverser parce que le trottoir était défoncé ou qu'on abattait une maison du côté où je me trouvais.

— Mais quand ça vous a touché directement...

quand c'est devenu une menace contre *votre* maison et *votre* travail, vous avez dit non.

— J'ai dit non. Ça, c'est certain. » Mais il ne savait pas trop à quoi il avait dit non. Ou bien avait-il dit oui, au contraire ? Oui, enfin oui, à un instinct suicidaire présent en lui depuis toujours, comme le mécanisme autodestructeur de la tumeur de Charlie ? Il se prit soudain à souhaiter que Freddy vienne faire un tour. Freddy lui aurait dit ce qu'elle désirait entendre. Mais Freddy gardait ses distances.

« Soit vous êtes fou, soit vous êtes un homme vraiment remarquable.

— Les gens ne sont remarquables que dans les livres, dit-il. Vous remettez la télé ? »

Elle alluma le poste. Il la laissa choisir l'émission.

« Qu'est-ce que vous buvez ? »

Il était neuf heures moins le quart, et il était un peu éméché, mais pas aussi soûl que s'il avait été seul. Il était allé dans la cuisine pour préparer le pop-corn ; cela l'amusait de voir les grains de maïs éclater dans la casserole spéciale en verre trempé, sautant comme des flocons de neige qui jailliraient du sol au lieu de tomber du ciel.

« Southern Comfort et Seven-Up.

— *Hein ?* »

Il eut un rire embarrassé.

« J'aimerais essayer. Vous voulez bien ? » Elle lui tendit son verre en souriant. C'était la première fois qu'elle avait une expression naturelle depuis qu'il l'avait prise sur l'autoroute. « La vodka-orange n'était pas terrible.

— Je sais, je ne connais pas bien les proportions.

Seven-Up et Southern Comfort, c'est mon mélange personnel. En public, je prends toujours du scotch. Je déteste le scotch. »

Le pop-corn était prêt. Il le versa dans un grand bol en plastique.

« Vous m'en faites un ?

— Bien sûr. »

Il lui prépara un Southern Comfort au Seven-Up, puis mélangea une plaquette de beurre entière au pop-corn.

« Ça va vous donner plein de cholestérol. » Elle était appuyée contre l'encadrement de la porte séparant la cuisine du living. Elle porta le verre à ses lèvres. « Mais c'est drôlement bon, dites !

— Et comment ! Ne donnez pas la recette à n'importe qui, d'accord ? C'est encore meilleur si ça reste un secret. »

Il sala le pop-corn.

« Le cholestérol bouche les artères du cœur, reprit-elle. Elles deviennent de plus en plus étroites, et un beau jour... *Aaaaah !* » Elle porta la main à son cœur d'un geste mélodramatique, renversant une partie de son drink sur son sweater.

« Je le métabolise parfaitement », répondit-il en gagnant le living. Au passage, il frôla sa poitrine (chastement protégée par un soutien-gorge, d'ailleurs). Il y avait longtemps que les seins de Mary ne lui faisaient plus cet effet-là. Non, non, il ne fallait pas penser cela.

Elle mangea presque tout le pop-corn.

Pendant le journal de onze heures — où il était surtout question de la crise de l'énergie et des enregistrements de la Maison-Blanche —, elle commença à bâiller.

« Montez, lui dit-il. Allez vous mettre au lit. »

Elle le regarda, puis détourna les yeux.

« Si vous voulez que nous soyons copains, cessez de vous comporter comme si on vous avait pincé les fesses chaque fois qu'on prononce le mot " lit ". Le premier et principal usage du Grand Lit Américain est de dormir, pas de copuler. »

Cela la fit sourire.

« Vous ne viendrez même pas me border ?

— Vous n'êtes plus une petite fille. »

Elle le regarda sans broncher. « Vous pouvez monter avec moi si le cœur vous en dit. J'ai décidé cela il y a exactement une heure.

— Non... mais vous ne pouvez pas savoir combien cette invitation me fait plaisir. Je n'ai couché qu'avec trois femmes dans ma vie entière, et je me souviens à peine des deux premières. C'était avant mon mariage.

— Vous plaisantez ?

— Absolument pas.

— Ecoutez, ce n'est pas seulement parce que vous m'avez prise en stop ou invitée à passer la nuit ici. Ou à cause de l'argent que vous m'avez proposé.

— C'est gentil à vous de dire cela. Allez, montez vous coucher. »

Elle ne s'avoua pas vaincue : « Vous devriez au moins savoir pourquoi vous ne le faites pas.

— Vous croyez ?

— Absolument. Si vous faites des choses que vous ne pouvez pas expliquer, comme vous l'avez dit, ce n'est somme toute pas grave, puisque vous les faites, en fin de compte. Mais si vous décidez de ne pas faire quelque chose, vous devriez savoir pourquoi.

— Puisque vous insistez. » D'un geste de la tête, il désigna la salle à manger, où les deux cents dollars étaient toujours sur le buffet. « C'est à cause de l'argent. Vous êtes trop jeune pour vendre votre corps.

— Je ne le prendrai pas, rétorqua-t-elle vivement.

— Je le sais bien. Et c'est pour cela que je refuse. Je tiens à ce que vous le preniez.

— Parce que vous êtes un type bien, pas comme tout le monde ?

— Exactement. » Il la regarda avec défi.

Elle hocha la tête avec exaspération. « Comme vous voulez. Mais vous avez une mentalité de bourgeois. Vous le savez ?

— Oui. »

Elle s'approcha de lui et l'embrassa sur la bouche. Il trouva cela très excitant. Son odeur lui plaisait. Il eut presque immédiatement une érection.

« Allez, montez, lui dit-il.

— Si vous changez d'avis cette nuit...

— Ce ne sera pas le cas. » Il la regarda monter l'escalier, pieds nus. « Dites ! »

Elle se retourna, levant les sourcils.

« Comment vous appelez-vous ?

— Olivia. Quelle importance ? C'est un nom stupide, non ? Ça fait penser à Olivia De Havilland.

— Non, il me plaît. Bonne nuit, Olivia.

— Bonne nuit. »

Elle monta. Il entendit le déclic de l'interrupteur, comme chaque fois que Mary montait se coucher avant lui. En prêtant l'oreille, il aurait pu capter le froissement affolant du sweater glissant sur la peau nue, ou le léger crissement de la fermeture Eclair de son jean...

Utilisant le module spatial, il ralluma la télé.

Son sexe le gênait dans son pantalon trop serré. Il gonflait sa braguette ; Mary appelait ça le Rocher des Siècles, ou le serpent changé en pierre, du temps où les plaisirs du lit n'étaient qu'un sport comme un autre. Il tira en vain sur le tissu, et essaya de rajuster son slip. Pour finir, il se leva, et attendit que son membre se ramollisse avant de se rasseoir.

Après le journal, il y avait un film : *Le Cerveau de la planète Arous,* de John Agar. Il finit par s'endormir devant la télé, tenant toujours le module spatial à la main. Peu après, il sentit vaguement le tissu de son pantalon se tendre : son érection revenait, comme un voleur retournant sur les lieux d'un crime ancien.

7 décembre 1973

Mais au cours de la nuit, il alla la retrouver.

Il fit de nouveau le rêve du chien de M. Piazzi ; cette fois, il savait que le gamin approchant de la chienne était Charlie avant même que la bête ne passe à l'attaque. C'était cela, le pire. Jamais son rêve n'avait été aussi horrible. Lorsque le chien bondit sur l'enfant, il s'arracha au sommeil comme un homme griffant le sol pour sortir d'une tombe creusée dans le sable.

Encore à moitié endormi, il griffa désespérément l'air, et perdit l'équilibre — il avait fini par se recroqueviller sur le sofa. Désorienté, terrifié par son fils mort qui ne cessait de mourir de nouveau dans ses rêves, il resta un moment en équilibre instable sur le bord du sofa.

Sa tête heurta le sol ; il se fit également mal à l'épaule. Cela le réveilla suffisamment pour qu'il comprenne qu'il était chez lui, dans son living, et que le rêve était fini. La réalité était elle aussi lamentable, mais pas aussi terrifiante.

Qu'était-il en train de faire ? Un hideux raccourci de sa vie, de ce qu'il avait fait de sa vie, se présenta à son esprit. Il l'avait déchirée au beau milieu, comme un bout de tissu bon marché. Tout allait de travers.

Il avait mal. Au fond de la gorge, il sentait un vieux relent de Southern Comfort, et il eut un rot acide, qu'il se hâta de ravaler.

Il fut pris de frissons, et se saisit les genoux dans un futile effort pour se réchauffer. Dans le noir, tout paraissait anormal. Que faisait-il, assis par terre dans son living, se tenant les genoux et tremblant comme un vieil ivrogne au fond d'une impasse ? Ou plutôt comme un catatonique, comme un dingue bon pour l'asile. Etait-ce cela ? Etait-il fou ? Rien de drôle comme un dingo ou une saucisse, mais tout simplement un fou ? Cette idée l'emplit d'une terreur renouvelée. Etait-il vraiment allé voir un gangster pour essayer de lui acheter des explosifs ? Cachait-il vraiment un revolver et un fusil d'un calibre suffisant pour tuer un éléphant ? Un gémissement ténu monta de sa gorge, et il essaya prudemment de se lever, sentant ses os craquer comme ceux d'un vieillard. Sans se donner le temps de réfléchir, il monta l'escalier et entra dans sa chambre à coucher. « Olivia ? » murmura-t-il. C'était absurde, comme une scène d'un vieux film de Rudolph Valentino. « Vous êtes réveillée ?

— Oui, répondit-elle d'une voix nullement ensommeillée. L'horloge m'empêchait de dormir. La pendule digitale. Elle faisait tout le temps *clic*. J'ai ôté la prise.

— Vous avez bien fait. » De plus en plus ridicule. « J'ai eu un mauvais rêve. »

Un bruit de couvertures qu'on rejette, puis : « Viens. Viens te coucher.

— Je...

— Vas-tu enfin te taire ? »

Il s'allongea à côté d'elle. Elle était nue. Ils firent l'amour. Puis dormirent.

Au lever du jour, il faisait moins douze degrés. Elle lui demanda s'il avait un journal.

« On le recevait tous les matins. Kenny Upslinger venait le porter. Mais sa famille est partie pour l'Iowa.

— L'Iowa, si loin », dit-elle en ouvrant la radio. C'était juste l'heure du bulletin météo. Ciel dégagé, froid vif.

« Vous voulez un œuf au plat ?

— Deux, si c'est possible.

— Pas de problème. Dites, à propos de la nuit dernière...

— Ne vous faites pas de bile pour ça. J'ai eu un orgasme, ce qui m'arrive rarement. Cela m'a fait plaisir. »

Il ressentit une pointe de fierté, qu'il se garda d'ailleurs bien de montrer. Peut-être était-ce précisément ce qu'elle voulait. Il prépara les œufs. Deux pour elle, deux pour lui. Des toasts. Du café. Elle en prit trois tasses, avec du lait et du sucre.

« Alors, qu'allez-vous faire ? lui demanda-t-elle lorsqu'ils eurent fini de déjeuner.

— Vous conduire jusqu'à l'autoroute, se hâta-t-il de répondre.

— Mais non, pas ça, fit-elle avec un geste excédé. Qu'allez-vous faire de votre *vie*.

— Grave problème, dit-il en souriant.

— Pas pour moi. Pour vous.

— Je n'y ai pas vraiment réfléchi. Vous savez, avant... » Il accentua légèrement le mot *avant*, pour lui faire exprimer toute sa vie, tous les éléments qui composaient cette vie qu'il avait jetée par-dessus bord. « ... Avant que l'irrémédiable n'arrive, je devais me sentir comme un condamné à mort dans sa cellule. Rien ne paraissait réel. Comme si je vivais dans un rêve qui n'en finissait pas. Mais maintenant, tout me semble réel. Ce qui s'est passé la nuit dernière... c'était très réel.

— J'en suis heureuse, dit-elle, paraissant sincèrement heureuse. Mais qu'allez-vous faire, maintenant ?

— Je n'en sais absolument rien.

— Je trouve cela triste.

— L'est-ce vraiment ? » demanda-t-il, et c'était une vraie question.

Ils étaient de nouveau dans la voiture, suivant la 7 en direction de Landy. La circulation était difficile : les gens allaient au travail. Ils avançaient d'une centaine de mètres puis s'arrêtaient, et repartaient pour s'arrêter un peu plus loin. Lorsqu'ils passèrent devant le chantier de l'autoroute, celui-ci était déjà en pleine activité. Des hommes en casque de plastique jaune et bottes de caoutchouc vertes montaient dans les engins, leur haleine formant de longs panaches blancs dans l'air glacial. Le moteur d'un énorme camion-benne orange toussa à plusieurs reprises, puis démarra avec une détonation de mortier, cala, redémarra, et se mit à tourner au ralenti avec plein de ratés, pétaradant comme une mitrailleuse chaque fois que le chauffeur accélérait pour l'empêcher de caler de nouveau. Des bruits de guerre.

« D'ici, on dirait des gosses s'amusant avec des dinky-toys sur un tas de sable », fit-elle observer.

Dès qu'ils sortirent de la ville, la circulation devint fluide. Elle avait pris les deux cents dollars, sans hésitation ni embarras — mais sans empressement excessif.

Elle avait décousu un petit morceau de la doublure de son paletot, y avait introduit les billets, puis avait recousu l'endroit avec une aiguille et du fil bleu trouvés dans la trousse à couture de Mary. Elle avait refusé son offre de la conduire à la gare routière, disant que l'argent durerait plus longtemps si elle continuait en stop.

« Alors, que fait une gentille jeune fille comme vous dans une voiture comme celle-ci ? demanda-t-il.

— Hmmm ? fit-elle, s'arrachant à ses réflexions.

— Pourquoi vous ? Pourquoi Las Vegas ? Vous vivez plus ou moins en marge de la société, comme moi-même. Expliquez-moi un peu qui vous êtes, d'où vous venez, ce que vous faites. »

Elle haussa les épaules. « Il n'y a pas grand-chose à raconter. J'étais en troisième année à l'université du New Hampshire, à Durham. C'est près de Portsmouth. Je vivais en dehors du campus. Avec un type. On s'est mis à se droguer très fort.

— Vous preniez de l'héroïne ? » demanda-t-il, effrayé.

Elle eut un rire presque joyeux. « Oh non ! On n'avait même pas de copains junkies. Les braves petits-bourgeois comme nous s'en tiennent aux hallucinogènes. Acide lysergique. Mescaline. J'ai aussi pris deux ou trois fois du peyotl et du STP. Divers trucs synthétiques. J'ai bien dû faire seize ou dix-huit trips entre septembre et novembre.

— Comment était-ce ?

— Vous voulez savoir si j'ai fait des mauvais trips ?

— Oh non, ce n'est pas ce que je voulais dire, répondit-il, sur la défensive.

— Il y a eu quelques " mauvais " voyages, mais ils

avaient aussi des bonnes parties. Et pas mal de bons trips avaient de mauvais moments. Une fois, je m'étais mis dans la tête que j'avais la leucémie. Plutôt sinistre. Mais la plupart du temps, c'était surtout curieux, désorientant. Je n'ai jamais vu Dieu. Je n'ai jamais eu la tentation de me suicider. Je n'ai jamais essayé de tuer quelqu'un. »

Elle resta un moment perdue dans ses pensées. « On a beaucoup exagéré au sujet de toutes ces drogues. Chacun essaie de tirer la couverture à soi. Les *straights* affirment qu'elles vous tuent. Les *freaks* disent qu'elles ouvrent toutes les portes. Un tunnel pour accéder au centre de soi-même, à croire que l'âme est un trésor, comme dans les romans de Rider Haggard. Vous connaissez ?

— J'ai lu *She* dans ma jeunesse. C'est bien de lui ?

— Oui. Croyez-vous vraiment que votre âme soit pareille à une émeraude ornant le front d'une idole ?

— Je ne me suis jamais posé la question.

— Moi en tout cas, je ne le crois pas. Je vais vous raconter ce qui m'est arrivé de meilleur et de pire en prenant des trucs. Le plus chouette, c'était la fois où je planais en regardant le papier peint, chez moi. Il était plein de petits ronds, de petits cercles, mais je me suis mise à voir de la neige. Assise dans le living, j'ai passé une bonne heure à regarder une tempête de neige sur le mur. Et puis, une petite fille est arrivée, avançant péniblement dans la neige. Sa tête était couverte d'un fichu en grosse toile, qu'elle tenait comme ça ». Elle se mit le poing sous le menton. « Alors, j'ai décidé qu'elle rentrait chez elle, et *bang !* une longue rue est apparue, toute couverte de neige. Elle descendit la rue, s'engagea dans une allée et entra dans une maison. C'était mon meilleur trip. Regarder la murovision, tranquillement installée chez soi. Jeff disait que c'était plutôt de la céphalovision !

— Jeff, c'était votre copain ?

— Oui. Et le pire trip, c'était le jour où j'ai voulu déboucher l'évier. Allez donc savoir pourquoi. On a parfois des drôles d'idées quand on voyage, mais elles vous paraissent parfaitement normales. Il *fallait* que je débouche l'évier. J'ai pris la ventouse et je me suis mise au boulot. Si vous aviez vu toute la *merde* qui sortait de l'évier... Je ne sais toujours pas dans quelle mesure c'était de la vraie merde et dans quelle mesure ça sortait de ma tête. J'ai vu arriver du marc de café. Un vieux morceau de chemise. Des gros blocs de graisse figée. Une masse rouge qui ressemblait à du sang coagulé. Et puis cette main... Une main de mec.

— Une quoi ?

— Une *main*. J'ai appelé Jeff pour lui dire, eh ! on a mis quelqu'un dans l'évier ! Mais il avait décollé pour je ne sais où, et j'étais seule. J'actionnais la ventouse comme une forcenée. A force, j'ai fini par sortir l'avant-bras. La main était dans le bac en faïence, pleine de marc de café, et voilà que le bras arrivait, montant droit du tuyau d'écoulement. Je me suis précipitée dans le living pour voir si Jeff était de retour, et quand je suis revenue dans la cuisine une minute après, la main et le bras n'étaient plus là. Je trouvais ça... inquiétant qu'ils aient disparu comme ça. Il m'arrive encore d'en rêver.

— C'est dingue, cette histoire, dit-il en ralentissant parce qu'ils franchissaient un pont qui était en travaux.

— Ces produits vous rendent dingue, dit-elle. Parfois, c'est bien, mais la plupart du temps, pas. En tout cas, on s'était mis à en prendre pas mal. Avez-vous déjà vu un de ces dessins montrant la structure de l'atome, avec les protons, les neutrons et les électrons tournant autour du noyau ?

— Oui.

— Eh bien, c'est comme si notre appartement était le noyau, et que tous les gens qui venaient étaient les protons et les électrons. Ils allaient et venaient, entraient, sortaient, d'une façon décousue, anarchique, comme dans *Manhattan Transfer.*

— Je ne l'ai pas lu.

— Vous devriez. Jeff disait toujours que Dos Passos était le premier journaliste gonzo. Un livre bizarre et effrayant. Ouais... Certains soirs, on était assis à regarder la télé avec le son coupé en écoutant un disque, tout le monde complètement stone, sans doute un ou deux couples en train de baiser dans la chambre, et on ne savait même plus qui *étaient* tous ces foutus mecs et nanas. Vous voyez ce que je veux dire ? »

Se souvenant de certaines soirées qu'il avait traversées dans les brumes de l'alcool, aussi ébahi qu'Alice au pays des Merveilles, il lui dit qu'il voyait.

« Un de ces soirs, donc, il y avait une émission spéciale avec Bob Hope. Tout le monde regardait la télé après je sais plus combien de joints, riant comme des tordus à ces répliques vieilles comme le monde, à ces expressions stéréotypées, à ces critiques gentillettes contre les maniaques du pouvoir de Washington. Assis devant la boîte, comme tous les braves pères et mères de famille américains. Et je me suis dit, eh ben, si c'est pour ça que nous avons subi la guerre du Vietnam, pour que Bob Hope puisse combler le fossé des générations ! Enfin, chacun prend son pied comme il peut...

— Mais vous étiez trop pure pour cela ?

— Trop pure ? Non, ce n'était pas ça. Mais j'ai commencé à voir les quinze dernières années comme une sorte d'absurde partie de Monopoly. Francis Gary Powers se fait descendre dans son U-2. Un mauvais point. Des Noirs dispersés par des lances à incendie à Selma et foutus en tôle. Des partisans de la paix tués et blessés à coups de fusil dans le Mississippi, des défilés, des rassemblements. Lester Maddox avec son manche de cognée. Kennedy qui se fait descendre à Dallas, le Vietnam, nouveaux défilés, le Kentucky, nouvelles manifs, le Women's Lib, et tout ça pour quoi ? Pour qu'une bande de mecs complètement pétés puissent regarder Bob Hope à la télé dans un appart miteux ? Merci. Alors, j'ai décidé de me tirer.

— Et Jeff ?

— Il a une bourse. Il est bien noté. Il a dit qu'il viendrait me rejoindre l'été prochain ; s'il arrive, on verra, mais je n'irai pas le chercher. » Ses traits exprimaient une certaine déception, mais elle ressentait plutôt une indulgence stoïque.

« Il vous manque ?

— Toutes les nuits.

— Pourquoi Las Vegas ? Vous y connaissez quelqu'un ?

— Non.

— Curieuse destination pour une idéaliste, non ?

— Vous me prenez donc pour une idéaliste ? » Elle sourit en hochant la tête, puis alluma une cigarette. « Peut-être, après tout. Mais je ne crois pas qu'un idéal ait besoin d'un cadre particulier.

Je veux voir cette ville. Elle est tellement différente du reste du pays que ça doit être bien. Mais je n'y vais pas pour jouer. Je vais essayer de me trouver un boulot.

— Et ensuite ? »

Elle rejeta la fumée en haussant les épaules. Ils passaient devant un panneau disant :

LANDY 8 KM

« Essayer d'y voir clair. Ne plus me droguer pendant très longtemps, et arrêter *ça.* » Elle agita sa cigarette ; par accident, le bout incandescent dessina un cercle parfait, comme pour illustrer une autre vérité. « Je vais cesser de prétendre que ma vie n'a pas encore commencé. C'est faux : j'en ai déjà vécu vingt pour cent. Le meilleur.

— Regardez, c'est l'entrée de l'autoroute. »

Il s'arrêta sur l'accotement.

« Et vous ? Qu'allez-vous faire ? »

Choisissant soigneusement ses mots, il répondit : « Voir comment les événements évoluent. Garder ma liberté de choix.

— Votre situation n'est pas bien géniale, si vous me permettez de vous le dire. Ce n'est pas la grande forme, hein ?

— Cela ne me vexe pas.

— Tenez. C'est pour vous. » Elle lui tendit un minuscule paquet fait d'une feuille de papier d'aluminium.

Il l'examina. Le soleil matinal se reflétant sur la surface métallique envoyait des dards de lumière vers ses yeux.

— « Qu'est-ce que c'est ?

— Mescaline synthétique Formule Quatre. Le

psychédélique de synthèse le plus pur et le plus puissant qu'on ait jamais fabriqué. » Elle hésita un moment avant d'ajouter : « Vous feriez peut-être mieux de le jeter aux chiottes en arrivant chez vous. Cela risque de vous chambouler encore plus. Ça peut aussi vous remettre la tête sur les épaules. Il paraît que ça arrive.

— Vous en connaissez des exemples ? »

Elle eut un sourire désenchanté. « Non.

— Voulez-vous faire quelque chose pour moi ? Si vous pouvez ?

— Si je peux.

— Appelez-moi le jour de Noël.

— Pour quoi faire ?

— Vous êtes comme un livre que je n'aurais pas terminé. Je voudrais connaître un petit bout de la suite. Appelez en PCV. Attendez, je vais vous donner mon numéro. »

Il cherchait un stylo dans sa poche lorsqu'elle dit : « Non. »

Il la regarda, surpris et un peu blessé. « Non ?

— Je pourrais toujours le demander aux renseignements. Mais il vaudrait peut-être mieux pas.

— Pourquoi ?

— Je ne sais pas. Je vous aime bien, mais on dirait qu'on vous a jeté un sort. Je ne peux pas m'expliquer mieux. On a l'impression que vous allez faire quelque chose de complètement cinglé.

— Vous me prenez pour un fou, hein ! s'entendit-il dire. Allez vous faire voir ! »

Elle descendit de voiture avec raideur. Il se pencha dehors : « Olivia...

— Ce n'est peut-être pas mon vrai nom.

— Peut-être que si. Je vous en prie, téléphonez-moi.

— Faites gaffe avec ce truc, dit-elle, montrant le petit paquet qu'il tenait toujours à la main. Vous aussi, vous marchez en apesanteur.

— Au revoir. Soyez prudente.

— Prudente ? Qu'est-ce que ça veut dire ? » Elle eut de nouveau ce sourire amer. « Au revoir, M. Dawes, et merci. Vous êtes très bien au lit, si vous me permettez de le dire. Vraiment. Au revoir. »

Elle claqua la portière, traversa la route et se posta devant la rampe d'accès, le pouce levé. Deux voitures passèrent sans s'arrêter. Aucune autre voiture n'était en vue. Il démarra, effectua un tournant en épingle à cheveux, et klaxonna une fois. Dans son rétroviseur, il la vit, déjà loin, qui agitait le bras.

Quelle stupide gamine, se dit-il, la tête farcie d'idées plus tordues les unes que les autres. Mais lorsqu'il voulut ouvrir la radio, il s'aperçut que sa main tremblait.

Il retraversa la ville, prit l'autoroute, et parcourut trois cents kilomètres à cent dix à l'heure. Une fois, il faillit jeter le petit paquet en alu par la fenêtre. Une autre fois, il faillit prendre la pilule qu'il contenait. Pour finir, il se contenta de le mettre dans la poche de son veston.

Lorsqu'il arriva chez lui, il se sentait vidé de toute émotion. Depuis la veille, le chantier de la 784 avait avancé. Dans une quinzaine de jours, la blanchisserie serait bonne pour la démolition. Ils avaient déjà enlevé tout le matériel lourd. Au début de la semaine, Tom Granger le lui avait annoncé, à l'occasion d'une conversation téléphonique confuse et tendue. Le jour où ils la raseraient, il ne manquerait pas d'assister au spectacle. Il comptait même emmener un pique-nique.

Il y avait une lettre pour Mary, de son frère de Jacksonville : il ignorait donc qu'ils étaient séparés. Il la posa automatiquement sur la pile de courrier destiné à Mary ; il oubliait toujours de le faire suivre.

Il mit un repas-télé au four, puis songea à prendre un verre, mais décida de s'en abstenir. Il voulait repenser à sa rencontre sexuelle de la veille, en explorer toutes les nuances. Après quelques verres, cela risquait de prendre la couleur fiévreuse et artificielle d'un mauvais film porno, du genre *Collégiennes en chaleur,* et il ne voulait pas penser à elle de cette façon.

Mais cela ne venait pas, pas comme il l'aurait voulu. Il était incapable de se souvenir de la texture et de la fermeté exacte de ses seins ni de la saveur de ses mamelons. La friction même du coït avait été plus délicieuse qu'avec Mary. Olivia l'engainait plus confortablement ; à un moment donné, son pénis était sorti de son vagin avec un son nettement audible, comme lorsqu'on débouche une bouteille de champagne. Mais il ne parvenait pas à cerner la nature exacte du plaisir qu'il avait ressenti. Dans sa frustration, il eut envie de se masturber. Ce désir le dégoûta. Et ce dégoût le dégoûta encore davantage. Elle n'était pas une sainte, se dit-il en s'attablant pour avaler son repas-télé. Rien de plus qu'une vagabonde mendiant sur les routes. Pour aller à Las Vegas, quand même. Il en vint à regretter de ne pouvoir considérer cet épisode avec le regard bilieux de Magliore, ce qui le dégoûta encore plus que tout le reste.

Plus tard, il finit par se soûler en dépit de ses

bonnes résolutions, et, vers dix heures, alors qu'il en était au stade larmoyant, il sentit s'éveiller en lui le besoin tristement familier d'appeler Mary. Mais au lieu de décrocher le téléphone, il se masturba devant la télé, et éjacula au moment où un présentateur apportait la preuve irréfutable que l'Anacin était le meilleur de tous les remèdes contre la douleur.

8 décembre 1973

Samedi, il ne prit pas sa voiture. Il erra stupidement dans la maison, retardant le moment de faire ce qu'il avait décidé. Finalement, il composa le numéro de ses beaux-parents. Lester et Jean Calloway, les parents de Mary, approchaient tous deux des soixante-dix ans. Lors de ses appels précédents, c'était toujours Jean (que Charlie appelait « Mama Jean ») qui avait décroché, sa voix se faisant glaciale dès qu'elle le reconnaissait. A ses yeux — et, selon toute probabilité, aux yeux de Lester — il était une sorte d'animal soudain devenu enragé, qui avait mordu leur fille. Et maintenant, l'animal ne cessait de téléphoner, manifestement ivre, pleurnichant pour que leur fille revienne afin de la mordre de nouveau.

« Oui ? » C'était Mary elle-même. Il reconnut sa voix avec un tel soulagement qu'il en devint capable de parler normalement.

« C'est moi, Mary.

— Oh, Bart. Comment vas-tu ? » Son ton était inscrutable.

« Pas trop mal.

— Tes réserves de Southern Comfort sont suffisantes ?

— Enfin, Mary ! Je ne bois pas !

— C'est une victoire ? » Son ton lui parut très froid, et il eut un moment de panique. Comment avait-il pu si mal la juger ? Comment une personne qu'il avait connue si longtemps et si bien, du moins le croyait-il, pouvait-elle lui échapper si facilement ?

« Je suppose que c'en est une, dit-il piteusement.

— J'ai entendu dire que la blanchisserie allait fermer.

— Ce n'est sans doute que provisoire. » Il eut l'impression inquiétante d'avoir une conversation dans un ascenseur, avec une personne qui le considérait comme un raseur.

« Ce n'est pas ce que m'a dit la femme de Tom Granger. » Ah ! enfin une vraie accusation. Une accusation, c'était mieux que rien.

« Tom n'aura pas de problèmes. Il y a des années que la concurrence essaie de l'attirer. La blanchisserie Brite-Kleen, tu sais. »

Il crut l'entendre soupirer. « Pourquoi as-tu appelé, Bart ?

— Je pense que nous devrions nous voir, Mary. Pour faire le point de la situation.

— Tu penses à un divorce ? » Elle avait dit cela très calmement, mais il crut discerner une nuance de panique dans sa voix.

« Tu voudrais que nous divorcions ?

— Je *ne* sais *pas* ce que je veux ! » Son calme vola en éclats. Elle semblait à la fois angoissée et en colère. « Je croyais que tout allait bien. J'étais heureuse, et je te croyais heureux. Et puis tout d'un coup, tout s'est écroulé.

— Tu croyais que tout allait bien, répéta-t-il, soudain furieux contre elle. Tu devais être bien bête, si tu croyais cela. T'imagines-tu que j'ai fichu mon travail en l'air pour faire une bonne blague, comme un collégien lançant une bombe puante dans les toilettes ?

— Mais alors, que s'est-il passé, Bart ? Je n'y comprends plus rien. »

Sa colère s'effondra comme un vieux talus de neige pourrie, et il s'aperçut qu'elle cachait des larmes. Il les refoula opiniâtrement, se sentant trahi. Ce n'était pas censé lui arriver quand il était à jeun. Quand on n'a pas bu, on contrôle ses émotions, nom d'un chien ! Et pourtant, il était prêt à dire tout ce qu'il avait sur le cœur, prêt à sangloter comme un gamin qui a cassé sa luge et s'est fait bobo au genou. Mais il ne pouvait pas lui dire ce qui n'allait pas, parce qu'il ne le savait pas vraiment, et pleurer sans savoir pourquoi, ça n'allait plus du tout, à croire qu'il était bon pour l'asile.

« Je ne sais pas, finit-il par dire.

— C'est Charlie ?

— Si c'est là une des raisons, dit-il faiblement, comment as-tu pu être aussi aveugle à tout le reste ?

— Moi aussi, je le regrette, Bart. Je le pleure tous les jours. »

Il sentit renaître sa rancœur. *Si c'est le cas, tu as une drôle de façon de le montrer.*

« Tout cela ne nous mène nulle part », dit-il après un nouveau silence. Des larmes coulaient sur ses joues, mais il contrôlait parfaitement sa voix. *Messieurs, la victoire est à nous !* pensa-t-il, et il faillit ricaner. « Pas au téléphone. J'appelais pour te proposer de déjeuner ensemble lundi. Chez Andy's.

— Si tu veux. A quelle heure ?

— Aucune importance. Je peux partir de mon travail n'importe quand. » La boutade expira lamentablement sans répandre une seule goutte de sang.

« Une heure, ça te va ?

— Très bien. Je m'occupe de nous trouver une table.

— Téléphone pour réserver. Mais surtout, n'arrive pas deux heures avant et ne te mets pas à boire.

— Je le promets », dit-il avec humilité, conscient que ce serait pourtant sans doute le cas.

Il n'y avait apparemment plus rien à dire. Sur la ligne, des voix fantomatiques, à peine audibles, parlaient en chuintant de choses irréelles. Elle rompit le silence, et ce qu'elle dit le prit totalement au dépourvu :

« Bart ? Tu devrais aller voir un psychiatre.

— Un quoi ?!

— Un psychiatre. Je sais, quand on dit ça de but en blanc, ça peut sembler... Mais je tiens à ce que tu saches que, quoi que nous décidions, je ne reviendrai jamais vivre avec toi si tu n'acceptes pas de le faire.

— Au revoir, Mary, dit-il en étirant les mots. A lundi.

— Tu as besoin d'aide, Bart. D'une aide que je ne peux pas te donner. »

Insérant soigneusement la lame du couteau malgré les trois kilomètres de fil de cuivre sans âme qui les séparaient, il dit : « Je n'avais pas besoin de toi pour me l'apprendre. Au revoir, Mary. »

Il raccrocha avant d'entendre le résultat, et se sentit soudain tout joyeux. Il projeta un broc en plastique à travers la pièce. Se rendant compte qu'il était content de ne pas avoir lancé un objet fragile, il alla ouvrir le buffet, en sortit les deux premiers verres sur lesquels il put mettre la main, et les jeta par terre. Ils se brisèrent.

« *Ah mon pote !* se mit-il à hurler. *Mon sacré pote ! Pourquoi ne retiens-tu pas ta foutue respiration jusqu'à ce que tu deviennes tout* BLEU *?* »

Il tapa du poing sur le mur pour ne plus entendre sa voix, et cria de douleur. Tenant sa main droite endolorie dans la gauche, il resta debout au milieu de la pièce, tout tremblant. Lorsqu'il se fut calmé, il alla à la cuisine chercher la pelle et la balayette, et rassembla les débris, se sentant à la fois angoissé, de mauvaise humeur et malade d'avoir trop bu.

9 décembre 1973

Il alla sur l'autoroute, roula pendant deux cent cinquante kilomètres, puis refit le même trajet en sens inverse. Il n'avait pas osé aller plus loin. C'était le premier dimanche sans essence : toutes les pompes étaient fermées. Il n'avait pas envie de revenir à pied. Tu vois ? se dit-il. C'est comme ça qu'ils finissent par avoir les petits merdeux comme toi, Georgie.

Fred ? C'est vraiment toi ? A quoi dois-je l'honneur de cette visite, Freddy ?

Va te faire foutre, mon petit vieux.

Pendant le trajet du retour, il entendit un communiqué officiel à la radio :

« Vous êtes comme nous tous inquiets de la pénurie de carburant, et vous voulez éviter d'être pris de court cet hiver. C'est naturel. Vous avez donc décidé d'aller chez le pompiste de votre quartier avec une douzaine de jerricans dans le coffre. Si vous vous souciez vraiment du bien-être des vôtres, vous devriez faire demi-tour et rentrer chez vous ! Le stockage de l'essence dans de mauvaises conditions est dangereux. Il est aussi illégal, mais laissons cela de côté pour le moment. Vous l'ignoriez peut-être, mais les vapeurs d'essence mélangées à l'air constituent un violent explosif. Un gallon d'essence possède en puissance le même pouvoir détonant que douze bâtons de dynamite. Pensez-y avant de faire remplir ces jerricans. Pensez à votre femme et à vos enfants. La vie est notre bien le plus précieux.

« C'était un communiqué spécial de WLDM. Le stockage de l'essence est une affaire de spécialistes — n'essayez pas de les imiter. »

Il arrêta la radio, ralentit jusqu'à quatre-vingts à l'heure et regagna la file de droite. « Douze bâtons de dynamite, dit-il à voix haute. C'est fantastique, ça ! »

S'il s'était regardé dans le rétroviseur, il aurait vu qu'il arborait un large sourire.

10 décembre 1973

Il arriva chez Andy's peu après onze heures et demie. Le maître d'hôtel lui donna une table juste sous les ailes de chauve-souris stylisées séparant la salle à manger du bar — pas une très bonne table, mais une des rares qui restaient. Les spécialités de la maison étaient les grillades et un truc baptisé Andyburger, qui ressemblait à une salade composée fourrée dans un pain au sésame coupé en deux, avec un cure-dent piqué dedans pour que le tout ne s'effondre pas. Comme tous les restaurants du quartier des affaires, Andy's était victime des fluctuations de la mode. Deux mois auparavant, il aurait pu arriver à midi pile et choisir une des meilleures tables — dans trois mois, il en irait peut-être de même. Pour le moment, le restaurant était « in ». Pour lui, c'était un des petits mystères de la vie, comme les incidents des livres de Charles Fort ou l'instinct qui ramène toujours les hirondelles à Capistrano.

En s'asseyant, il jeta un rapide coup d'œil autour de lui, craignant d'apercevoir Vinnie Mason, Steve Ordner ou un autre cadre de la blanchisserie. Mais il n'y avait que des visages inconnus. A sa gauche, un jeune homme tentait de convaincre son amie qu'ils pouvaient se permettre d'aller passer trois jours dans la Sun Valley en février. Les autres conversations se fondaient en un bourdonnement apaisant.

Un garçon approcha, carnet de commandes à la main. « Un apéritif, Monsieur ?

— Scotch on the rocks, s'il vous plaît.

— Bien, Monsieur. »

Il fit durer le premier jusqu'à midi, en vida deux autres entre midi et midi et demi, puis, par pure obstination, commanda un double. Il venait juste d'en vider les dernières gouttes lorsque Mary apparut à l'entrée de la salle, le cherchant des yeux. Plusieurs personnes levèrent la tête pour la regarder, et il pensa *Tu es vraiment belle, Mary. Tu devrais m'en être reconnaissante.* Il lui fit signe de la main.

Elle retourna son salut et vint vers la table. Elle portait une robe de lainage venant aux genoux, d'un camaïeu de gris très doux. Ses cheveux étaient réunis en une tresse qui tombait jusqu'au milieu du dos. Il ne se souvenait pas de l'avoir vue coiffée de cette façon (peut-être était-ce précisément pour cette raison qu'elle s'était coiffée ainsi aujourd'hui). Cela la rajeunissait ; il eut soudain une brève vision d'Olivia accouplée à lui, dans le lit qu'il avait si souvent partagé avec Mary, et se sentit coupable.

« Bonjour, Bart, dit-elle.

— Salut. Tu es ravissante.

— Merci.

— Tu prends quelque chose ?

— Non... Juste un Andyburger. Tu attends depuis longtemps ?

— Non, pas très. »

L'affluence était déjà moindre : le garçon arriva presque aussitôt. « Vous désirez commander, Monsieur ?

— Oui, merci. Deux Andyburgers. Un verre de lait pour madame et un autre double pour moi. » Il lança un regard furtif à Mary, mais elle n'avait pas bronché. Dommage. Si elle avait dit quelque chose, il aurait décommandé son whisky. Il espérait ne pas avoir envie d'aller aux toilettes, car il n'était pas sûr de pouvoir marcher droit : une anecdote croustillante à raconter aux vieux quand elle rentrerait. Il réprima une soudaine envie de rire.

« En tout cas, tu n'es pas soûl, constata-t-elle. Mais tu es en bonne voie. » Elle déplia sa serviette et la mit sur ses genoux.

« Pas mal, dit-il. Tu avais préparé cette réplique ?

— Allons, Bart, ne commençons pas à nous chamailler.

— C'est bon, c'est bon. »

Elle joua avec la carafe, tandis qu'il tripotait sa serviette.

« Alors ? demanda-t-elle au bout d'un moment.

— Alors quoi ?

— Apparemment, tu voulais qu'on se voie pour une raison précise. Maintenant que l'alcool t'a donné du courage, dis-moi ce que c'est ?

— Ton rhume va mieux », dit-il stupidement, tout en déchirant par mégarde un coin de la serviette. Il ne pouvait pas lui dire ce qui le préoccupait : de la voir soudain aussi changée ; elle semblait devenue sophistiquée et dangereuse, comme une secrétaire en chasse qui a décroché une invitation à déjeuner, mais refusera de prendre un verre si l'offre ne vient pas d'un homme portant un costard à quatre cents dollars — et saura en juger rien qu'en jetant un coup d'œil sur le tissu.

« Qu'allons-nous faire, Bart ?

— Je peux aller voir un psychiatre, si tu y tiens, dit-il en baissant la voix.

— Quand ?

— Dans pas longtemps.

— Tu peux prendre rendez-vous cet après-midi même, cela ne tient qu'à toi.

— Je ne connais aucun psy... chiatre, ou analyste, ou je ne sais quoi.

— Regarde dans les pages jaunes.

— Sûrement pas la meilleure façon de choisir un psy ! »

Elle se contenta de le regarder, et il finit par détourner les yeux, mal à l'aise.

« Tu m'en veux, n'est-ce pas ? demanda-t-elle.

— Ben... je ne travaille pas, comme tu le sais. Cinquante dollars l'heure, c'est un peu cher pour un chômeur, non ?

— Et comment crois-tu que je m'en tire ? rétorqua-t-elle vivement. Je vis de la charité de mes parents. Qui sont tous deux à la retraite, si tu n'as pas oublié.

— Si je me souviens bien, ton père possède suffisamment d'actions pour vous permettre à tous de vivre confortablement jusqu'au XXIe siècle.

— Tu te trompes, Bart. » Elle semblait à la fois surprise et vexée.

« Ça m'étonnerait ! L'hiver dernier, ils sont allés à la Jamaïque. L'année d'avant, c'était Miami, au Fontainebleau, pas moins, et encore l'année d'avant, ils étaient à Honolulu. Sa retraite d'ingénieur n'y suffirait certainement pas. Alors je t'en prie, ne me fais pas le coup de tes pauvres parents sans le sou.

— Arrête, Bart. La coupe est pleine.

— Sans même parler de leur Cadillac Gran De

Ville *et* de leur station-wagon Bonneville. Pas trop mal. Laquelle prennent-ils pour aller à la soupe populaire ?

— *Arrête ça !* siffla-t-elle en montrant ses petites dents très blanches et en s'agrippant au bord de la table.

— Désolé, marmonna-t-il.

— Notre commande arrive, d'ailleurs. »

La température de leurs relations baissa sensiblement tandis que le garçon leur servait les Andyburgers, accompagnés de pommes frites, de haricots verts et de petits oignons étuvés. Ils mangèrent un moment sans parler, trop occupés à éviter que le jus ne coule sur leur menton ou sur leurs genoux. Les Andyburgers ont dû sauver bien des mariages, se dit-il, grâce à leur qualité unique et proverbiale : quand on les mange, on est obligé de la boucler.

Elle reposa le sien, s'essuya soigneusement la bouche avec sa serviette et fit observer : « Ils sont toujours aussi délicieux. Mais sérieusement, Bart, as-tu une idée tant soit peu sensée de ce que nous allons faire ?

— Bien sûr », rétorqua-t-il, piqué au vif. L'ennuyeux, c'était qu'il ne savait pas du tout en quoi cette idée pouvait consister. Peut-être qu'après un autre double, il aurait mieux cerné le problème.

« Tu veux divorcer ? »

Il lui sembla que le moment était venu de dire quelque chose de positif. « Non, répondit-il.

— Veux-tu que je revienne vivre avec toi ?

— Et toi, le veux-tu ?

— Je ne sais pas. Veux-tu que je te dise quelque chose, Bart ? Pour la première fois depuis vingt ans, je me fais du souci pour moi-même. Je me retrouve sans rien, et c'est *dur* de ne pas perdre pied. » Elle leva son Andyburger comme pour en manger une bouchée, puis le reposa sur l'assiette. « Sais-tu que j'avais bien failli ne pas t'épouser ? Je parie que cette idée ne t'avait jamais effleuré ! » Ses traits exprimaient une telle surprise que cela parut la satisfaire.

« Cela m'aurait étonné. Comme j'étais enceinte, je voulais bien sûr t'épouser. Mais une partie de moi-même s'y refusait. Quelque chose en moi ne cessait de me murmurer à l'oreille que ce serait la pire erreur de ma vie. Trois jours durant, je me suis mise à la torture. Tous les matins, je vomissais — et je t'en voulais à cause de cela. Un tas d'idées me traversaient l'esprit. M'enfuir. Me faire avorter. Avoir le bébé et le faire adopter. Avoir le bébé et le garder. Et puis, en fin de compte, je me suis décidée pour la solution raisonnable. » Elle eut un rire bref. « *Raisonnable !* Et après ça, j'ai perdu le bébé...

— Oui, tu l'as perdu », murmura-t-il. Si seulement elle pouvait changer de sujet ! Il avait l'impression d'ouvrir un placard, pour s'apercevoir qu'il était plein de vomissures.

« Mais j'ai été heureuse avec toi, Bart.

— Vraiment ? » dit-il automatiquement. Il se rendit compte qu'il avait envie de partir. Ça n'allait pas du tout, ça. Pas pour lui, en tout cas.

« Oui. Mais le mariage change la femme bien plus qu'il ne change l'homme. Quand tu étais petit, tu avais une entière confiance en tes parents, tu te souviens ? Tu n'avais aucune crainte à ce sujet ? Tu considérais normal qu'ils soient toujours là, au même titre que la nourriture, le chauffage, les vêtements. Tu te souviens ?

— Bien sûr.

— Et puis, je me suis bêtement fait mettre

enceinte. Et pendant trois jours, un univers totalement nouveau s'est ouvert à moi. »

Elle s'était penchée en avant, et son regard était devenu brillant. Il se rendit compte avec une consternation croissante que ce monologue était *important* pour elle, bien plus que de retrouver ses amies, ou de décider quel pantalon elle allait acheter chez Banberry's, ou de deviner quelles célébrités Merv Griffin allait interviewer ce soir. Oui, c'était *important* pour elle ; avait-elle vraiment traversé vingt années de mariage avec en tête cette unique pensée importante ? Vraiment ? A l'entendre, on pouvait le croire. Vingt ans, mon Dieu ! Il sentit son estomac se soulever. Il préférait, de loin, l'image où elle brandissait triomphalement dans sa direction une bouteille vide, en restant bien sagement de son côté de la route.

Mary continuait à parler : « Je me voyais pour la première fois comme une personne indépendante. Quelqu'un qui ne dépend de personne, qui n'est subordonné à personne. Que personne n'essaie de changer — j'étais malléable, et je savais que c'était mon point faible. Mais aussi personne sur qui compter si j'étais malade, ou angoissée, ou simplement fauchée. Alors, j'ai fait ce qui était *raisonnable.* Comme ma mère avant moi, et comme sa mère à elle. Comme mes amies. J'en avais assez d'être une demoiselle d'honneur lorgnant sur le bouquet de la mariée. Je t'ai donc dit oui, comme tu t'y attendais, et la vie a suivi son cours. Je n'avais plus de soucis, et quand le bébé est mort, puis quand Charlie est mort, il restait toi. Et tu as toujours été bon avec moi. Je t'en suis reconnaissante, tu sais. Mais c'était un environnement clos. Je ne pensais plus par moi-même. Je m'imaginais que je pensais, mais ce n'était pas vrai. Et maintenant, cela me fait mal de penser. *Mal.* » Un instant, mais un instant seulement, elle le regarda avec un vif ressentiment. « Alors, je te demande de penser à ma place, Bart. Qu'allons-nous faire, maintenant ?

— Je vais chercher du travail, mentit-il.

— Du travail.

— Et aller voir un psychiatre. Tout ira bien, Mary. Je t'assure. J'étais un peu déphasé, mais je vais me reprendre. Je suis...

— Veux-tu que je revienne à la maison ?

— Bien sûr, mais seulement dans deux ou trois semaines. Le temps de m'organiser un peu et...

— A la maison ? Mais qu'est-ce que je raconte ! Ils vont la démolir. Je dis vraiment n'importe quoi, je parle de la maison... Mon Dieu, quel affreux gâchis ! Pourquoi a-t-il fallu que tu me mettes dans une *merde* pareille ? »

Il ne pouvait supporter de la voir dans cet état. Ce n'était pas la Mary qu'il connaissait, pas du tout. « Peut-être ne le feront-ils pas, dit-il en avançant le bras pour lui prendre la main. Peut-être ne vont-ils pas démolir la maison, Mary. Ils peuvent changer d'avis. Si je vais les voir, pour leur expliquer la situation, il n'est pas impossible qu'ils... »

Elle retira brutalement sa main et le regarda avec épouvante.

« Bart... murmura-t-elle d'une voix rauque.

— Qu'est-ce que... » Il se tut, n'y comprenant plus rien. Qu'avait-il dit ? Pourquoi prenait-elle une expression aussi horrifiée ?

« Tu *sais* qu'ils vont la démolir. Tu le sais depuis longtemps. Et nous restons là à ne rien faire, à tourner en rond...

— Non, dit-il, non. Ce n'est absolument pas ça.

Nous ne... Nous... nous... » Mais que faisaient-ils ? Il se sentait complètement irréel.

« Il vaut mieux que je parte, Bart.

— Je vais trouver du travail...

— Je te téléphone. » Elle se leva en heurtant le coin de la table avec sa cuisse, ce qui fit tinter les verres.

« Le psychiatre, Mary, je te promets...

— Mama m'avait demandé de lui faire une course...

— *Vas-y, alors!* cria-t-il si fort que plusieurs clients tournèrent la tête dans leur direction. *Et fiche le camp* d'ici, saleté! Je t'ai donné ce que j'avais de meilleur, et que me reste-t-il ? Une maison que les ponts et chaussées vont foutre par terre! Hors de ma *vue!* »

Elle prit la fuite. Pendant un interminable moment, un grand silence se fit dans la salle du restaurant. Puis, le bourdonnement des conversations reprit son cours. Il baissa les yeux sur son hamburger à moitié mangé et dégoulinant de sauce ; il était tout tremblant et avait peur de vomir. Quand il fut sûr que cela n'arriverait pas, il paya l'addition et partit sans regarder autour de lui.

12 décembre 1973

La veille au soir (ivre) il avait fait une liste de Noël. Dans la matinée, il était allé dans le quartier commerçant, muni d'une version abrégée. La liste complète était hallucinante. Plus de cent vingt noms : tous ses parents proches ou lointains ainsi que ceux de Mary, plein d'amis et de connaissances et pour finir Steve Ordner, sa femme, et leur — nom d'une pipe, oui — leur *bonne !*

Il avait supprimé la plupart des noms, dont certains l'avaient fait doucement rigoler, et se promenait maintenant devant les vitrines pleines de cadeaux de Noël, destinés à commémorer ce bandit hollandais du temps jadis qui entrait chez les gens par la cheminée pour les dépouiller de leurs biens. De sa main gantée, il tâtait dans sa poche une liasse de cinq cents dollars en billets de dix.

Il vivait sur l'argent de son assurance vie, dont les premiers mille dollars avaient disparu à une vitesse stupéfiante. Il avait calculé que, à ce rythme, il se retrouverait sans le sou vers la mi-mars, voire plus tôt, mais s'était aperçu que cette perspective ne le tracassait absolument pas. L'idée de ce qu'il deviendrait ou ferait en mars lui paraissait aussi insondable que le calcul intégral.

Il entra dans une bijouterie et acheta pour Mary une broche en argent martelé représentant une chouette. Les yeux étaient de petits éclats de diamants qui lançaient des éclairs glacials. Il lui en coûta cent cinquante dollars, plus la taxe. La vendeuse, débordante d'amabilité, lui assura que sa femme adorerait ce cadeau. Il sourit. Et voilà que s'envolent trois séances avec le Dr Psycho, pas vrai ? Qu'est-ce que tu en penses, Freddy ?

Freddy n'était pas en humeur de parler.

Il entra dans un grand magasin et prit l'escalator pour monter au rayon jouets, que dominait une magnifique présentation de trains électriques. Des collines en plastique vert percées de tunnels, des gares en plastique, des ponts, des postes d'aiguillage, et, se frayant joyeusement son chemin au milieu de tout cela, une locomotive Lionel qui émettait des nuages de fumée synthétique et traînait derrière elle une longue file de wagons de marchandises : B & O, SOO LINE, GREAT NORTHERN, GREAT WESTERN, WARNER BROTHERS (WARNER BROTHERS ? ?), DIAMOND INTERNATIONAL, SOUTHERN PACIFIC. Des petits garçons accompagnés de leur papa se tenaient derrière la clôture en bois qui entourait la maquette ; en les regardant, il se sentit envahi d'une vague de tendresse dénuée de toute jalousie. S'il s'était écouté, il serait allé les remercier d'exister, en cette belle saison des fêtes. Il leur aurait également dit d'être prudents.

Il alla vers le rayon des poupées, et en choisit une pour chacune de ses nièces : Cathy la Bavarde pour Tina, Maisie l'Acrobate pour Cindy, et une grande poupée à coiffer pour Sylvia, qui avait maintenant onze ans. Au rayon voisin, il acheta un « GI Joe » pour Bill, et, après quelques hésitations, un jeu d'échecs pour Andy. Andy avait douze ans et causait bien du souci à sa famille. La brave Bea de Baltimore avait confié à Mary qu'elle ne cessait de découvrir des taches douteuses sur ses draps. Etait-ce possible ? Si jeune ? Mary avait expliqué à Bea que les enfants devenaient de plus en plus précoces d'année en année. Bea supposait que cela venait de tout le lait qu'ils buvaient et des vitamines, mais tout de même, elle déplorait qu'Andy n'aime pas davantage les sports d'équipe. Ou les colonies de vacances. Ou le cheval. Ou des choses saines de ce genre.

Peu importe, Andy, se dit-il en mettant le jeu d'échecs sous son bras, tu pourras toujours t'exercer à faire échec à la dame en te branlant sous la table, si c'est ça qui t'amuse.

Au centre du rayon, il y avait un énorme fauteuil de père Noël. Le fauteuil était inoccupé, et une grande pancarte posée sur le siège annonçait :

LE PÈRE NOËL EST ALLÉ DÉJEUNER
À NOTRE CÉLÈBRE GRILL
Faites comme lui !

Un jeune homme en jean et blouson de toile, les bras chargés de paquets, regardait le trône. Lorsque le jeune homme se retourna, il vit que c'était Vinnie Mason.

« Vinnie ! » s'exclama-t-il.

Vinnie sourit en rougissant légèrement, comme s'il avait été surpris à faire quelque chose de vilain. « Salut, Bart », dit-il en venant vers lui. Le problème de la poignée de main ne se posa pas : ils étaient trop chargés.

« Tu fais du shopping pour Noël ? demanda-t-il à Vinnie.

— Eh oui. » Il gloussa. « Samedi, j'avais emmené Sharon et Bobbie — Bobbie, c'est ma fille Roberta. On voulait la faire prendre en photo avec le père Noël, ça fait un chouette souvenir et ça ne coûte qu'un dollar. Mais il n'y a pas eu moyen. Elle pleurait tant qu'elle pouvait. Sharon était toute triste.

— Que veux-tu, c'est un inconnu, avec une grande barbe. Les petits enfants sont très impressionnables. L'année prochaine, elle ne demandera peut-être pas mieux.

— Peut-être », dit Vinnie avec un sourire fugitif.

Il sourit également, content que leurs relations soient plus faciles. Il aurait voulu dire à Vinnie de ne pas trop le haïr. Il aurait voulu lui dire qu'il regrettait d'avoir fichu sa vie en l'air. « Alors, Vinnie, que deviens-tu ? »

Le visage de Vinnie s'éclaira. « Tu n'en croiras pas tes oreilles tellement c'est chouette ! Je suis directeur de cinéma. Et l'été prochain, il y aura trois salles.

— Pour Media Associates ? » C'était une des filiales d'Amroco.

« C'est ça. Nous faisons partie du circuit de distribution Cinemate. Ils nous envoient les films, rien que des succès prouvés...

— Et ils vont agrandir ?

— Oui. Les salles II et III doivent ouvrir l'été prochain. Sans compter un drive-in, dont je m'occuperai aussi.

— Je vois, dit-il après un instant d'hésitation. Mais il y a une chose que je ne comprends pas bien, Vinnie. Je me mêle peut-être de ce qui ne me regarde pas, et tu n'es pas obligé de me répondre... mais puisque Cinemate choisit tous les films, et décide donc de la programmation, que fais-tu, au juste ?

— Eh bien, je m'occupe de la comptabilité, bien sûr. Et d'un tas d'autres choses très importantes. Savais-tu que les ventes de confiserie peuvent à elles seules payer la location du film ? Il y a l'entretien de la salle et du matériel, et... — il avala audiblement sa salive — je suis responsable du personnel, des engagements et des licenciements. Ça fait du boulot, tu sais. Ça plaît beaucoup à Sharon, qui est une vraie fan de cinéma, ses idoles sont Paul Newman et Clint Eastwood. Et moi, ça me plaît aussi parce que je touche onze mille cinq cents dollars, au lieu de neuf mille comme avant. »

Il resta un moment à fixer stupidement Vinnie. C'était donc ça sa récompense. Brave chien-chien, voilà un nonosse. Finalement, il se décida à parler :

« Ne reste pas là-dedans, Vinnie. Tire-toi de là le plus vite possible.

— Quoi ? ! fit Vinnie, complètement interloqué.

— Enfin, Vinnie, c'est évident ! Ils t'ont nommé directeur, ça sonne bien, mais en fait tu n'es rien de plus qu'un garçon de bureau de luxe, le type qui va faire les commissions du grand patron, qui...

— De quoi parles-tu, Bart ? Je ne...

— C'est pourtant simple. Steve Ordner a parlé de toi aux autres membres du conseil d'administration, et il leur a dit : écoutez les gars, c'est un cas un peu délicat, ce Vincent Mason. Il nous a avertis que Bart Dawes perdait les pédales, pas assez tôt ni assez nettement pour qu'on puisse l'empêcher de tout faire foirer, mais tout de même, nous avons une dette envers ce Mason. Par ailleurs, nous ne pouvons bien sûr pas lui confier de vraies responsabilités. Et tu sais pourquoi, Vinnie ? »

Vinnie le regardait avec hargne. « Je ne suis pas obligé de t'écouter, Bart. Tu n'as plus aucune autorité sur moi.

— Je n'essaie pas de t'embobiner. Ce que tu fais ne me concerne plus, je le sais parfaitement. Mais pour l'amour du ciel, Vinnie, tu es jeune, tu as toute la vie devant toi ! Et ça me rend malade de voir que tu t'es fait baiser par ces gens. Le boulot qu'ils t'ont donné paraît chouette sur le moment, mais à la longue, ça ne mène nulle part. La plus importante décision que tu auras à prendre, ce sera de commander des gobelets en plastique, des esquimaux et des Milky Ways. Et Ordner veillera à ce que ça ne change pas tant que tu travailleras pour Amroco. »

Le regard de Vinnie, jusqu'alors pétillant (l'effervescence de Noël, sans doute ?), perdit tout éclat et il serra ses paquets à les faire craquer : portrait d'un jeune homme qui sort de chez lui en sifflotant pour se rendre à un rendez-vous prometteur et qui s'aperçoit qu'un mauvais plaisantin a crevé les quatre pneus de sa voiture neuve. *Rien à faire, il ne m'écoute pas. Si je lui passais des enregistrements, il ne me croirait toujours pas.*

« En fait, tu as agi de façon responsable, poursuivit-il. J'ignore ce que les gens disent de moi, maintenant...

— Ils disent que tu es fou, Bart, répondit Vinnie sur un ton presque venimeux.

— Le mot en vaut un autre. Tu as donc eu raison. Mais d'un autre côté, tu as eu tort. On ne confie pas des responsabilités à un type qui ne sait pas tenir sa langue, même s'il a eu raison de parler, même si la société aurait souffert de son silence. Ces types du quarantième étage, ils sont comme des médecins, Vinnie. Et les médecins n'aiment pas qu'un interne aille raconter qu'un chirurgien a raté une opération parce qu'il avait bu trop de cocktails au déjeuner.

— Tu tiens absolument à foutre ma vie en l'air, hein ? Mais je ne travaille plus pour toi, Bart. Trouve-toi une autre victime ! »

Le père Noël revenait, portant une hotte lourdement chargée sur le dos et suivi d'une ribambelle d'enfants aux habits multicolores.

« Allons, Vinnie, ne sois pas aveugle ! Bien sûr, tu te fais onze mille cinq cette année, et l'année prochaine, quand les autres salles seront ouvertes, ils t'en donneront sans doute deux ou trois mille de plus. Mais après ça, finie la promotion. Dans douze ans, tu en seras toujours au même point. Va faire mettre une nouvelle moquette, va commander des fauteuils supplémentaires, va chercher les bobines livrées par erreur à un autre cinéma... Ça t'amuse, de faire des merdes pareilles à quarante ans, avec pour seule perspective une montre en or pour dix ou vingt ans de bons et loyaux services ?

— C'est toujours mieux que ce que tu fais », rétorqua Vinnie. Il se détourna brutalement, et faillit bousculer le père Noël, lequel marmonna dans sa barbe quelque chose qui ressemblait fort à : *Fais gaffe où tu fous tes panards !*

Il suivit Vinnie, dont l'expression résolue lui donna quelque espoir : peut-être avait-il réussi à percer ses défenses, après tout. Mon Dieu, pensa-t-il, faites qu'il m'entende, faites qu'il comprenne...

« Fiche-moi la paix, Bart. Va te faire voir ailleurs.

— Tire-toi de ce guêpier, Vinnie, insista-t-il. L'été prochain, il sera peut-être trop tard. Si la crise de l'énergie s'aggrave, il n'y aura plus un seul boulot à cent milles à la ronde. C'est peut-être ta dernière chance. Ecoute... »

Vinnie fit volte-face. « Pour la dernière fois, Bart, je te préviens...

— Tu es en train de foutre ton avenir en l'air, Vinnie ! La vie est trop courte pour ça. Que diras-tu à ta fille, quand... »

Le poing de Vinnie l'atteignit en plein dans l'œil droit. La douleur fut fulgurante. Il recula en titubant, les bras écartés. Les enfants qui suivaient le père Noël s'éparpillèrent tandis que ses paquets — les poupées, le GI, le jeu d'échecs — volaient en tous sens. Il heurta une pyramide de téléphones pour gosses, qui s'écroula. Une petite fille se mit à crier comme un animal blessé, et il pensa : *Ne pleure pas, ma chérie, ce n'est que ce vieil imbécile de George qui s'est cassé la gueule. Ça lui arrive souvent, quand il est à la maison.* Quelqu'un — peut-être le brave et jovial père Noël — poussait des jurons et appelait à grands cris le détective du magasin. Il se retrouva allongé par terre au milieu des téléphones, qui étaient équipés de mini-cassettes ; l'un d'entre eux ne cessait de lui répéter à l'oreille : « Tu as envie d'aller au cirque ? Tu as envie d'aller au cirque ? Tu as envie... »

17 décembre 1973

La sonnerie du téléphone le réveilla. Au beau milieu de l'après-midi, il avait sombré dans un sommeil superficiel et agité. Dans son rêve, un savant avait découvert qu'en modifiant légèrement la formule chimique de la cacahuète l'on pouvait obtenir des quantités illimitées de carburant bon marché et peu polluant. L'atmosphère générale du rêve était euphorique : tous les problèmes, tant personnels que nationaux, semblaient résolus. La sonnerie stridente du téléphone était un contrepoint sinistre qui fit peu à peu éclater le rêve pour le ramener à une réalité qu'il refusait.

Il se leva péniblement du sofa et alla décrocher. Son œil ne lui faisait plus mal, mais il vit en passant devant le miroir de l'entrée qu'il était entouré de cernes violacés.

« Oui ?

— Salut, Bart. C'est Tom.

— J'ai reconnu ta voix. Comment vas-tu ?

— Bien. Ils vont raser le Ruban Bleu demain. J'ai pensé que tu voudrais être au courant. »

Cette nouvelle le réveilla complètement.

« Demain ? Mais c'est impossible... Enfin, c'est presque Noël !

— C'est bien pourquoi ils se dépêchent. C'est le seul bâtiment industriel encore debout sur le trajet. Ils veulent en finir avant les vacances.

— Tu es sûr ?

— Absolument. Ils en ont même parlé à la télé locale.

— Tu y seras ?

— Oh oui... J'y ai laissé une bonne partie de ma vie, tu sais, dans cette vieille baraque. Alors, je... je pourrais pas ne pas y aller, quoi.

— On se verra là-bas demain, alors.

— Sûrement. »

Il hésita un moment avant d'ajouter : « Ecoute, Tom, je voudrais te demander pardon. Je ne crois pas qu'ils vont rouvrir le Ruban Bleu, ni à Waterford ni ailleurs. Alors, si tu penses que je t'ai joué un tour de cochon...

— Te fais pas de bile pour moi. Je travaille pour Brite-Kleen, au service de l'entretien. Je fais moins d'heures, je suis mieux payé. J'ai eu du pot.

— Et comment c'est, chez Brite-Kleen ? »

Tom poussa un soupir nettement audible : « Pas fameux, à vrai dire. Mais j'ai cinquante ans passés, et à cet âge, changer de branche... Ça n'aurait probablement pas été mieux à Waterford, d'ailleurs.

— Dis-moi, Tom, à propos de ce que j'ai fait, je...

— Je ne veux pas parler de ça, Bart. Ça ne concerne que toi et Mary.

— Comme tu voudras.

— Et toi, Bart... Tu te débrouilles ?

— Ça va. J'ai un ou deux trucs en vue.

— Heureux de l'apprendre. »

Tom se tut un long moment. Le silence devenait si pesant qu'il était sur le point de le remercier d'avoir appelé et de raccrocher, lorsque Tom ajouta : « A propos, Steve Ordner m'a appelé à ton sujet. Même pas au bureau. Il a carrément téléphoné chez moi.

— Ah oui ? Quand ça ?

— La semaine dernière. Il est salement en rogne contre toi, tu sais. Il m'a demandé à plusieurs reprises si le personnel se doutait que tu étais en train de couler l'achat de Waterford. Et pas seulement ça. Il m'a posé un tas de questions.

— Par exemple ?

— Si tu emportais des trucs chez toi, des fournitures de bureau ou du matériel. Si tu établissais un bon chaque fois que tu touchais du liquide. Il m'a même demandé si tu faisais laver ton linge à l'œil ! Et aussi si les motels te versaient une ristourne.

— Le fils de pute... dit-il en hochant la tête avec incrédulité.

— Enfin, tu vois. Il essaie de trouver n'importe quoi contre toi. Je suis sûr que, s'il pouvait, il t'intenterait un procès.

— Pas une chance. Tout ça se passait en famille. Et il n'y a plus de famille, maintenant.

— Il y a longtemps qu'il n'y en a plus. Depuis la mort de Ray Tarkington. Les seuls qui t'en veulent, c'est bien Ordner et sa bande. Pour ces gars-là, il y a que le fric qui compte... La blanchisserie, ils s'en foutent éperdument. Ils n'y ont jamais rien compris, et ils n'ont jamais essayé de comprendre. »

Il ne sut que répondre à cela.

« Enfin... soupira Tom. J'ai pensé que tu aimerais être au courant. Dis, tu sais ce qui est arrivé au frère de Johnny Walker... ?

— Arnie ? Non, aucune idée.

— On ne te l'avait pas dit ? Il s'est suicidé.

— Comment ? »

Tom aspira bruyamment sa salive à travers ses

incisives. « Ouais. Il a fait passer un tuyau du pot d'échappement de sa bagnole à la fenêtre de la cuisine et s'est enfermé dedans. Le gosse qui venait porter le journal l'a découvert.

— Doux Jésus », murmura-t-il. Il revit Arnie Walker assis dans la salle d'attente de la clinique, et frissonna comme s'il avait vu la mort en face. « C'est affreux.

— Mmm... » De nouveau, ce bruit de succion. « Alors, à demain, Bart, d'accord ?

— A demain, Tom. Merci d'avoir appelé.

— Ça m'a fait plaisir de te causer. Au revoir. »

Il raccrocha lentement, pensant toujours à Arnie Walker et à ce curieux braiment de douleur qu'il avait poussé en voyant arriver le prêtre.

Mon Dieu, vous avez vu ? Il a amené son ciboire.

« C'est vraiment trop moche », dit-il à voix haute. Les mots résonnèrent sans écho dans la maison vide. Il alla se préparer un drink.

Suicide.

Le mot avait un son chuintant, aigu, comme le sifflement d'un serpent enfermé dans une étroite crevasse de rocher. Il glissait entre la langue et le palais comme un forçat qui tente de s'évader.

Suicide.

Sa main tremblait tandis qu'il versait du Southern Comfort sur le Seven-Up, et le verre tinta lorsque le goulot de la bouteille le heurta. Pourquoi diable a-t-il fait ça, Freddy ? Après tout, ce n'était que deux vieux célibataires qui habitaient ensemble. Seigneur Jésus, pourquoi *quiconque* ferait-il une chose pareille ?

Mais il croyait savoir pourquoi.

18-19 décembre 1973

Il arriva à la blanchisserie vers huit heures du matin. La démolition ne devait commencer qu'à neuf heures, mais toute une brochette de spectateurs attendait déjà dans le froid, les mains dans les poches, leur haleine se condensant devant eux comme des bulles de BD : Tom Granger, Ron Stone et Ethel Diment, la fille du repassage qui buvait généralement un coup de trop pendant l'heure du déjeuner, puis passait son après-midi à brûler des cols de chemise qui ne lui avaient rien fait, Gracie Floyd avec sa cousine Maureen, qui travaillaient également au repassage. Et une douzaine d'autres.

L'entreprise de travaux publics avait déjà installé des barrières en plastique jaune et de grands panneaux noir et orange disant :

DÉVIATION

En suivant les flèches, les automobiles contourneraient le bloc d'immeubles où se trouvait la blanchisserie. Le trottoir était également barré.

Tom Granger lui fit signe de la main mais ne vint pas vers lui. Les autres employés du Ruban Bleu lui lancèrent des regards curieux, puis se détournèrent.

Un vrai rêve de paranoïaque, Freddy. Qui viendra le premier me crier *J'accuse!* en pleine figure ?

Mais Fred ne causait toujours pas.

Vers neuf heures moins le quart, une Toyota Corolla flambant neuve — elle avait encore un numéro d'immatriculation provisoire — arriva et Vinnie Mason en descendit, resplendissant et un peu guindé dans un pardessus en poil de chameau et ganté de cuir. Vinnie lui lança un regard capable de perforer de l'acier, puis alla se joindre au petit groupe formé par Ron Stone, Dave et Pollack.

A neuf heures moins dix, une grue apparut au bout de la rue. Une grosse boule de fonte se balançait au bout de sa flèche. La grue avançait très lentement sur ses dix roues hautes comme des hommes ; le martèlement assourdissant de l'échappement résonnait dans l'air sec et glacé comme la masse d'un artiste inconnu ébauchant une sculpture dont nul ne pouvait encore deviner la forme.

Un homme en casque de protection jaune dirigeait les mouvements de la grue, qui avait franchi le trottoir et traversait maintenant le parking. Il pouvait voir le conducteur, perché dans sa cabine vitrée, changer les vitesses et débrayer avec des gestes d'automate. Au-dessus de la cabine, l'échappement vomissait spasmodiquement une fumée brunâtre.

Depuis qu'il avait garé sa station-wagon à trois rues de là (il avait fait le reste du trajet à pied), il était hanté par une impression inquiétante, dont le sens exact lui échappait. Alors qu'il regardait la grue s'arrêter devant le mur en brique de l'usine, tout devint clair. C'était comme dans le dernier chapitre d'un roman d'Ellery Queen, où tous les personnages sont réunis pour que le mécanisme du crime soit révélé et le coupable démasqué. Bientôt, quelqu'un — selon toute probabilité Steve Ordner — sortirait de la foule pour le désigner du doigt en criant : *C'est lui ! Bart Dawes ! L'assassin du Ruban Bleu !* Il sortirait alors son revolver pour réduire son accusateur au silence, mais serait abattu par la police avant d'avoir pu tirer.

Troublé par cette vision, il regarda derrière lui pour se rassurer et sentit son estomac se contracter en voyant la Delta 88 vert bouteille de Steve Ordner s'arrêter juste devant les barrières jaunes, ses deux tuyaux d'échappement émettant des panaches de vapeur blanche.

Steve Ordner le regardait imperturbablement à travers le pare-brise feuilleté.

A ce moment précis, la lourde boule de fonte décrivit un arc de cercle avec un sifflement rauque et — la petite foule retint son souffle — s'abattit sur le mur de la blanchisserie ; elle le perça avec une détonation qui se répercuta dans tout l'intérieur du bâtiment.

A quatre heures de l'après-midi, il ne restait du Ruban Bleu qu'un énorme tas de gravats, de brique et de verre broyé, dont émergeaient des poutres brisées, pareilles au squelette disloqué d'un monstre préhistorique.

Ce qu'il fit ensuite, il le fit sans penser consciemment à la raison ni aux conséquences — exactement comme il avait acheté le pistolet et le fusil chez Harvey's deux mois auparavant. A cela près qu'il était devenu inutile d'utiliser le coupe-circuit, car Freddy ne se manifestait plus.

Il s'arrêta d'abord dans une station-service et fit le plein de super. Au cours de la journée, le ciel s'était couvert et la radio annonçait de fortes précipitations : quinze à vingt-cinq centimètres de neige. Arrivé chez lui, il rentra la voiture au garage et descendit à la cave.

Sous l'escalier, il y avait deux grands cartons de bouteilles vides, couvertes d'une épaisse couche de poussière. Certaines étaient probablement là depuis cinq ans. Même Mary avait fini par oublier leur existence et avait depuis longtemps cessé de le harceler pour qu'il aille se faire rembourser. La plupart des magasins ne les acceptaient d'ailleurs plus. C'était le règne de l'emballage perdu.

Il empila les cartons l'un sur l'autre et les remonta péniblement au garage. Lorsqu'il alla à la cuisine pour chercher un couteau, un entonnoir et le seau en plastique dont Mary se servait pour passer la serpillière, les premiers flocons commençaient à tomber.

Revenu au garage, il alluma la lumière et décrocha le rouleau de tuyau d'arrosage du clou où il pendait depuis la troisième semaine de septembre. Il coupa la lance, qui tomba sur le sol en ciment avec un bruit insignifiant. Il en déroula environ un mètre et coupa de nouveau. Il rejeta le rouleau d'un coup de pied et resta un moment à contempler le bout de tuyau qu'il tenait à la main. Puis il ouvrit le bouchon du réservoir de la LTD et y glissa tendrement le tuyau, comme le plus attentif des amants.

Il avait déjà vu siphonner de l'essence et connaissait le principe, mais ne l'avait jamais fait lui-même. Il reprit son souffle, un peu inquiet à l'idée d'avaler de l'essence, prit l'extrémité du tuyau dans la bouche et commença à aspirer. Au début, il n'y eut qu'une résistance visqueuse, puis sa bouche s'emplit soudain d'un liquide si froid et étranger qu'il en suffoqua et dut faire un effort pour ne pas en avaler une gorgée. Il le recracha avec dégoût, mais la saveur inconnue et vénéneuse était tenace. Il se hâta d'incliner le tuyau vers le seau de Mary. Un filet d'essence rosâtre s'en écoula, de plus en plus mince. Il craignait déjà d'être contraint de recommencer le rituel lorsque le flux se renforça un peu, puis se stabilisa. L'essence s'écoulait dans le seau avec le même bruit que l'on fait en urinant dans des W.-C. publics.

Il cracha par terre, se rinça la bouche avec de la salive et cracha de nouveau. Ça allait un peu mieux. Il lui vint à l'esprit qu'il utilisait de l'essence quotidiennement depuis qu'il était adulte, mais n'avait jamais eu avec elle un contact aussi intime. Il ne s'en était mis sur les mains qu'une seule fois, lorsqu'il avait fait déborder le réservoir de sa petite tondeuse à gazon Briggs & Stratton. Une première initiation, en quelque sorte, qui avait eu le mérite de le préparer à ce qu'il faisait maintenant. Même la saveur résiduelle qui restait dans sa bouche ne le gênait plus vraiment.

Laissant le seau s'emplir lentement, il regagna la maison (il neigeait de plus en plus fort) et prit quelques chiffons sous l'évier, où Mary rangeait tout son nécessaire de nettoyage. Il retourna au garage et déchira les chiffons en rubans, qu'il posa sur le capot de la LTD.

Lorsque le seau en plastique fut à moitié plein, il mit le tuyau dans le seau en fer étamé dont il se servait pour répandre des cendres et du mâchefer sur l'allée lorsqu'il y avait du verglas. Tandis qu'il se remplissait, il disposa vingt bouteilles à bière et à soda en quatre rangées parallèles et les emplit toutes aux trois quarts, à l'aide de l'entonnoir. Cela fait, il retira le tuyau du réservoir de la voiture et versa le contenu du seau en fer dans le seau de Mary, qui se retrouva plein à ras bord.

Il introduisit une grosse mèche en chiffon dans chaque bouteille, prenant soin de bien obturer le goulot. Il ramena l'entonnoir à la cuisine — l'allée était déjà toute blanche ; ailleurs, la neige poussée par le vent formait des traînées éparses —, le mit dans l'évier et sortit du placard le couvercle s'adaptant sur le seau en plastique. Il retourna au garage et ferma hermétiquement le seau, puis mit celui-ci dans le coffre de la LTD. Il rangea les cocktails Molotov dans un des cartons, serrés l'un contre l'autre et bien droits, comme des petits soldats, puis posa le carton sur le siège avant, à portée de main. Ensuite, il revint à la maison, s'installa dans son fauteuil et alluma sa télé Zenith avec le module spatial. Comme tous les mardis, c'était l'heure du film de la semaine. Aujourd'hui, il y avait un western avec David Janssen. A son avis, Janssen faisait un minable cow-boy.

Le film terminé, il regarda un hypnotiseur traiter une adolescente à problèmes qui souffrait d'épilepsie. L'adolescente à problèmes ne cessait de s'évanouir dans des lieux publics. Welby la remit sur le droit chemin. Après, il y eut l'indicatif de la chaîne, puis deux pubs : l'une pour le Hachoir-Miracle, et l'autre pour un album contenant quarante et un des plus célèbres negro spirituals, et enfin, le journal. Le sujet du jour était la météo : il allait neiger toute la nuit et presque toute la journée du lendemain. Les routes étaient dangereuses et ne seraient pas déneigées avant deux heures du matin. Des vents très forts allaient de surcroît entraîner la formation de congères — bref, la situation resterait chaotique pendant au moins un jour ou deux.

Après le journal, il y eut une émission de variétés. Il la regarda pendant une petite demi-heure, puis ferma la télé. Alors comme ça, Ordner voulait le traîner devant les tribunaux ? Eh bien, si sa LTD restait coincée, il aurait satisfaction. Mais il avait de bonnes chances de s'en tirer. La LTD était une bonne voiture et il avait fait mettre des pneus cloutés à l'arrière.

Dans l'entrée, attenante à la cuisine, il mit lentement son pardessus, son chapeau et ses gants. Avant de sortir, il fit de nouveau le tour de la maison douillettement chauffée et regarda attentivement tout ce qu'il voyait : la table de la cuisine, la gazinière, le buffet de la salle à manger et les tasses à thé accrochées au mur juste au-dessus, la violette du Cap sur la cheminée du living... Il se sentit submergé d'amour pour cette maison, d'amour et d'un fort besoin de protection. Il imagina la boule de fonte perçant ces murs comme un boulet de canon, fracasser les fenêtres, tout réduire en miettes dans un bruit d'enfer. Non, il ne permettrait jamais cela. Charlie avait marché à quatre pattes sur ces parquets, avait fait ses premiers pas dans le living, avait une fois dégringolé les escaliers tandis que ses parents accouraient, affolés. La chambre de Charlie, au premier, avait depuis été transformée en bureau, mais c'était là que son fils avait pour la première fois eu ces maux de tête accompagnés de diplopie, et ces curieuses hallucinations olfactives, sentant d'étranges odeurs inexistantes — tantôt de rôti de porc, tantôt d'herbe brûlée, tantôt de crayon fraîchement taillé. Après la mort de Charlie, près de cent personnes étaient venues les voir ; Mary leur avait servi du café et des gâteaux dans le living.

Non, Charlie, pensa-t-il, *pas s'il est en mon pouvoir de l'empêcher.*

Il ouvrit la porte du garage et vit que l'allée était déjà couverte de dix centimètres de neige, une neige poudreuse, très légère. Il monta dans la LTD et mit le contact. Le réservoir était encore aux trois quarts plein. Il laissa le moteur chauffer, et, assis au volant dans la lueur mystique du tableau de bord, se mit à penser à Arnie Walker. Juste un bout de tuyau de caoutchouc... Pas mal. Et ensuite, c'est comme si on s'endormait. Il avait lu quelque part que l'intoxication par l'oxyde de carbone produisait cet effet. Cela faisait même affluer le sang aux joues, vous donnant un teint rouge et hâlé, comme si vous éclatiez de santé...

Il se mit à frissonner, comme si de nouveau il avait vu la mort en face, et mit le chauffage. Lorsqu'il eût cessé de trembler, il passa la marche arrière et sortit du garage. Le clapotis de l'essence dans le seau en plastique lui rappela quelque chose. Il mit le frein à main et remonta à la maison. Dans le tiroir du bureau, il y avait un carton de pochettes d'allumettes. Il en fourra une vingtaine dans les poches de son pardessus et regagna la voiture.

La chaussée était très glissante. Par endroits, la neige cachait des plaques de glace. Lorsqu'il s'arrêta au feu rouge de Garner Street, la LTD dérapa, se mettant presque en travers de la rue. Il parvint à la redresser, mais son cœur battait douloureusement contre ses côtes. Cette équipée était vraiment de la folie. Si quelqu'un lui rentrait dedans, avec toute l'essence qu'il transportait, il serait bon à ramasser à la cuiller ; pas besoin de cercueil, une boîte de pâtée pour chiens suffirait.

C'est toujours mieux que le suicide. Le suicide est un péché mortel.

Enfin ! c'est ce que disent les catholiques. Mais il ne pensait pas qu'il aurait un accident. Il n'y avait pour ainsi dire pas de circulation, et il n'avait pas aperçu une seule voiture de flics. Ils s'étaient sans doute tous garés dans une impasse pour piquer un roupillon.

Il s'engagea prudemment dans l'avenue Kennedy, qui était restée pour lui la rue Dumont, nom qu'elle portait jusqu'à ce que le conseil municipal, réuni en session extraordinaire en janvier 1964, eût décidé de la rebaptiser. L'avenue Dumont/Kennedy reliait la banlieue ouest au centre ville et était sur environ trois kilomètres parallèle au chantier de la 784. Il allait la suivre sur un kilomètre et demi, puis prendre Grand Street sur sa gauche. Au bout de sept ou huit cents mètres, Grand Street n'existait plus, de même que le Grand Theater lui-même — qu'il repose en paix. L'été prochain, Grand Street devait renaître de ses cendres, sous la forme d'un pont (l'un des trois dont il avait parlé à Magliore), mais ce ne serait plus la même rue. Au lieu de voir le vénérable cinéma sur votre droite, vous aurez droit au spectacle d'une nuée de voitures se hâtant vers le centre, roulant sur six files (ou bien avaient-ils prévu huit voies ? Il ne s'en souvenait plus bien). Il avait absorbé une masse de données concernant la nouvelle autoroute — par la radio, la télé, les journaux... —, sans faire un effort conscient dans ce sens, mais plutôt par une sorte d'osmose. Peut-être l'avait-il fait instinctivement, comme un écureuil stocke des noisettes pour l'hiver. Il savait que les sociétés de travaux publics chargées de construire l'autoroute allaient interrompre les travaux de nivellement et de revêtement jusqu'à la fin de l'hiver, mais il savait aussi qu'elles espéraient terminer toutes les démolitions (*démolitions,* voilà un mot qui devrait te dire quelque chose, Fred ; mais Fred ne releva pas le gant) dans les limites de la ville avant fin février — ce qui concernait notamment Crestallen Street West. Ce n'était pas sans ironie. Si Mary et lui avaient habité un kilomètre plus loin, leur maison n'aurait pas été détruite avant le début de l'été, en mai ou en juin 1974. Oui, et si les poules avaient des dents, les mendiants rouleraient en Cadillac. Il savait aussi, pour l'avoir observé de façon parfaitement consciente et personnelle, que la plupart des bulldozers et autres engins étaient garés juste au-delà de la dépouille de Grand Street.

Arrivé au croisement de Grand Street, il freina avec la plus grande douceur, ce qui n'empêcha pas l'arrière de la LTD de déraper ; profitant habilement du mouvement, il tourna en touchant à peine le volant, et la LTD continua à avancer en ronronnant, presque droit. Il roulait maintenant sur de la neige pratiquement vierge : les traces de la dernière voiture qui l'avait précédé étaient déjà indistinctes. La vue de cette étendue immaculée lui redonna courage ; c'était bon de se lancer dans l'aventure, c'était bon d'*agir.*

Tout en remontant paisiblement Grand Street à quarante à l'heure, il se prit à repenser à Mary et au concept du péché, mortel ou véniel. Elle venait d'une famille catholique et avait fréquenté une école confessionnelle. Bien qu'elle eût, du moins intellectuellement, renoncé à la plupart des concepts religieux à l'époque où ils s'étaient rencontrés, elle avait conservé certaines attitudes viscérales — comme Mary le disait elle-même, les bonnes sœurs lui avaient mis trois couches de cire plus six couches de vernis. Lorsqu'elle avait perdu son bébé, sa mère lui avait envoyé un prêtre pour qu'elle puisse se confesser ; en le voyant, Mary s'était mis à pleurer. Il était avec elle dans la chambre d'hôpital lorsque le curé était arrivé, portant son ciboire, et les sanglots de Mary lui avaient déchiré le cœur comme seul un unique autre événement l'avait fait depuis.

Un jour, sur sa demande, elle lui avait récité toute la liste des péchés véniels et mortels. Bien qu'elle l'eût apprise au catéchisme vingt-cinq ou même trente ans auparavant, elle semblait n'avoir oublié aucun détail, pour autant qu'il pût en juger. Il y avait cependant un aspect qu'il ne comprenait pas bien. Apparemment, un même acte pouvait constituer tantôt un péché véniel, tantôt un péché mortel. Cela semblait dépendre de l'état d'esprit de celui qui le commettait. *La volonté consciente de faire le mal.* Avait-elle réellement dit cela au cours de cette conversation lointaine, ou bien Freddy venait-il de le lui murmurer à l'oreille ? Quelque chose dans cette formule le tracassait. *La volonté consciente de faire le mal...*

Finalement, il avait cru pouvoir isoler les deux gros morceaux, les péchés capitaux par excellence : le suicide et le meurtre. Mais une conversation ultérieure — avec Ron Stone ? Oui, c'était bien avec Ron — avait entamé cette certitude elle-même. Parfois, selon Ron (ils prenaient un verre dans un bar, il y avait bien dix ans de cela), le meurtre lui-même n'était qu'un péché véniel. Voire pas un péché du tout. Si vous décidez de sang-froid de supprimer un homme qui vient de violer votre femme, cela ne constitue peut-être qu'un péché véniel. Et si vous tuez quelqu'un au cours d'une *guerre juste* — c'était les termes exacts dont Ron s'était servi ; il l'entendait encore les dire, comme s'il en avait conservé un enregistrement dans son esprit —, ce n'est plus un péché du tout. Selon Ron, les GI's américains qui avaient tué des nazis ou des Japs n'auraient rien à craindre lorsque sonnerait la trompette du Jugement dernier.

Restait le suicide, ce mot au sifflement de serpent.

Il arrivait en vue du chantier. La rue était barrée par des barrières blanc et noir, ponctuées par des feux clignotants, et des panneaux orange réfléchissants, qui étincelèrent brièvement lorsque ses phares les balayèrent.

RUE PROVISOIREMENT COUPÉE
DÉVIATION — SUIVEZ LES FLÈCHES

Un autre panneau, plus petit, disait :

ATTENTION TIRS DE MINES
ARRÊTEZ VOS ÉMETTEURS-RÉCEPTEURS RADIO !

Il s'arrêta, mit le frein à main, alluma ses feux de détresse et s'approcha des barrières blanc et noir. A la lumière orange des clignotants, les flocons qui tombaient prenaient une teinte surnaturelle.

La notion d'absolution lui posait elle aussi des problèmes. Au début, cela paraissait fort simple : si vous commettez un péché mortel, vous êtes damné. Vous aurez beau réciter des *Je vous salue Marie* jusqu'à ce que la langue vous en tombe, vous irez quand même en enfer. Mais Mary lui avait dit qu'il n'en était pas toujours ainsi. Il y avait la confession, le repentir, l'absolution et tout ça. Cela devenait de plus en plus confus. Le Christ avait dit qu'il n'y avait pas de vie éternelle pour un assassin, mais il avait également dit, quiconque croit en moi ne périra point. *Quiconque.* La doctrine biblique semblait aussi pleine de subterfuges qu'une promesse d'achat rédigée par un avocat malhonnête. Sauf, bien entendu, en ce qui concernait le suicide. Impossible pour un suicidé de se confesser ou de se repentir, parce que l'acte lui-même a coupé le cordon d'argent pour vous précipiter dans Dieu sait quelles ténèbres. Et...

Et pourquoi pensait-il à cela, d'ailleurs ? Il n'avait pas l'intention de tuer qui que ce soit, et certainement pas de mettre fin à ses jours. Il ne pensait même jamais au suicide. Jusqu'à ces tout derniers temps, du moins.

Il regarda les barrières noir et blanc, sentant le froid pénétrer ses os.

Les engins étaient bien là, gainés de neige, dominés par la grue servant aux démolitions, plus menaçante encore dans son immobilité. Son squelette d'acier s'élevant dans l'obscurité neigeuse le fit penser à une mante religieuse perdue dans une mystérieuse période de contemplation hivernale.

Il empoigna une des barrières et la déplaça pour dégager le passage. Elle se révéla d'une légèreté surprenante. Il fit demi-tour et remonta dans la LTD. En première, il gravit lentement le talus et descendit vers le chantier ; sous la neige, la boue à peine gelée, sculptée par les pneus des énormes engins, empêchait la voiture de patiner. Arrivé en bas, il coupa le contact et éteignit tous les feux. Il remonta la pente en haletant, remit la barrière en place et redescendit.

Il ouvrit le coffre de la LTD, sortit le seau en plastique, contourna la voiture et posa le seau à côté du carton de cocktails Molotov. Il ôta précautionneusement le couvercle en plastique translucide, et, tout en fredonnant, prit les bouteilles une à une et trempa les mèches dans l'essence. Ensuite, il porta le seau jusqu'à la grue et grimpa dans la cabine, en prenant garde à ne pas glisser. Son cœur battait très vite, et une joie amère lui serrait la gorge.

Il aspergea d'essence le siège du conducteur, les commandes et la boîte de vitesses, puis, s'engageant sur l'étroite passerelle qui contournait le moteur, alla vider le reste sur le capot. Un riche arôme d'hydrocarbures monta vers lui. Ses gants s'étaient imprégnés d'essence; lorsqu'il sentit le fluide glacial, il les retira et les fourra dans les poches de son pardessus. Il sauta au sol. La première pochette d'allumettes échappa à ses doigts devenus raides et insensibles comme du bois. Il prit une seconde pochette, mais le vent souffla les deux premières allumettes qu'il gratta. Se mettant dos au vent, il se pencha en avant, réussit à en allumer une, et en approcha la pochette entière, qui s'embrasa en crépitant. Sans perdre un instant, il la lança dans la cabine.

Il crut d'abord qu'elle s'était éteinte, car il ne se passait rien. Puis, il y eut une légère déflagration — *floump!* — et une gigantesque flamme surgit de la cabine, le forçant à reculer de quelques pas et à protéger ses yeux de l'éblouissante fleur orange qui s'épanouissait au-dessus de lui.

Une langue de feu sortit de la cabine, atteignit le capot du moteur, et, après avoir hésité un instant, se glissa prestement à l'intérieur. Cette fois, l'explosion fut violente. Projeté dans les airs, le capot tournoya sur lui-même. Il entendit quelque chose passer en sifflant tout près de lui.

Ça brûle, se disait-il, *ça y est, ça brûle.*

Il se mit à danser dans les ténèbres embrasées, faisant de grandes enjambées malhabiles, le visage tordu par une grimace d'extase si violente qu'il lui semblait qu'il allait éclater pour se répandre en un million de fragments souriants.

Il leva les bras et agita les poings, hurlant *Hourra!* et le vent lui répondit : *Hourra! Hip, hip, hip, hourra!*

Regagnant la voiture en courant, il glissa et tomba, ce qui lui sauva peut-être la vie, car juste à ce moment, le réservoir d'essence de la grue explosa, projetant des débris dans un rayon de quinze mètres. Un éclat de métal percuta la vitre arrière droite de la LTD, étoilant le verre de sécurité, qui se couvrit d'un réseau de craquelures semblables à la toile d'une araignée ivre.

Il se releva, tout blanc de neige, ouvrit précipitamment la portière et se laissa tomber sur le siège. Il remit ses gants à cause des empreintes, mais oublia ensuite toute prudence. Il mit le contact avec des doigts qui sentaient à peine la clef, puis accéléra à fond, avant d'ôter le frein à main, démarrant « sur les chapeaux de roues » comme ils disaient quand ils étaient gosses et que le monde était jeune et innocent. La voiture fit une embardée, puis se stabilisa sur sa trajectoire. La grue brûlait avec rage, mieux qu'il ne l'aurait jamais imaginé; la cabine n'était plus qu'un brasier, et le gigantesque pare-brise s'était envolé.

Oh la *vache!* s'exclama-t-il. Regarde-moi ça, Freddy, mais regarde-moi *ça!*

Patinant plutôt que roulant, la LTD passa devant la grue. La lumière de l'incendie peignait son visage de couleurs grotesques, passant du blanc cru au cramoisi. Il abattit son index sur le tableau de bord — au troisième essai, il réussit à enfoncer l'allume-cigares. Les engins se trouvaient un peu plus loin, sur sa gauche. Il descendit la vitre de la portière. Le seau dont Mary se servait pour laver le plancher tanguait dangereusement, et les bouteilles de bière et de soda s'entrechoquaient avec fracas tandis que la station-wagon rebondissait sur le sol gelé et rainuré.

L'allume-cigares ressortit et il écrasa le frein des deux pieds. La LTD fit un tour complet sur elle-même avant de s'immobiliser. Il prit l'allume-cigares, sortit une bouteille du carton et appliqua le filament incandescent sur la mèche. Lorsque celle-ci eut pris feu, il lança la bouteille, qui alla s'écraser contre la chenille couverte de boue d'un bulldozer en projetant de joyeuses gerbes de flammes. Il remit l'allume-cigares en place, avança d'une dizaine de mètres et lança trois autres bouteilles vers la forme indistincte d'un gros camion-benne. La première s'éteignit ; la deuxième rebondit sur le côté du camion et alla répandre l'essence en feu sur la neige ; la troisième atterrit pile dans la cabine du conducteur.

Cré nom d'un chien! hurla-t-il d'une voix rauque. *Ça, c'était beau!*

Un autre bulldozer. Un camion-benne plus petit. Puis il arriva à une grande caravane posée sur des vérins. Sur la porte, un écriteau disait :

LANE CONSTRUCTION CO.
Bureau de Chantier
PAS D'EMBAUCHE !
Prière d'essuyer vos pieds

Il s'arrêta à bonne distance, et lança quatre bouteilles enflammées contre la grande fenêtre proche de la porte. La première fracassa la vitre, tel un petit météore suivi d'une queue incandescente ; les suivantes atteignirent également leur but, couvrant l'ouverture béante d'un rideau de feu.

Une camionnette était garée derrière la caravane. Il descendit de la LTD. La portière de la camionnette n'était pas verrouillée. Il alluma la mèche d'une de ses bombes et la balança sur le siège, que les flammes se mirent aussitôt à lécher.

Il regagna sa voiture et vit qu'il ne lui restait que quatre cocktails Molotov. Il redémarra, tremblant de froid, la goutte au nez, puant l'essence, souriant comme un idiot.

Une excavatrice. Il lança dans sa direction les quatre bouteilles restantes, dont seule la dernière atteignit son but — l'explosion arracha l'une des chenilles.

Il fouilla dans le carton, se souvint qu'il était vide, puis regarda dans le rétroviseur.

Foutu nom d'un chien ! s'exclama-t-il. *Bordel de bordel de bordel, Freddy mon vieux brigand !*

Derrière lui, une ligne de feux de joie ponctuait l'obscurité grise comme les balises d'une piste d'atterrissage. Les fenêtres de la caravane-bureau vomissaient des flammes gigantesques, démentes. La camionnette n'était plus qu'une boule de feu. La cabine du camion-benne était une chaudière chauffée à blanc. Mais le chef-d'œuvre, c'était vraiment la grue : une gigantesque torche de lumière jaune, éblouissante, tumultueuse, s'élevant au milieu du chantier et se reflétant dans la neige.

Démobordel ! rugit-il. *Foutulition !*

Il retrouva un semblant de sang-froid. Il n'osait pas revenir par l'itinéraire qu'il avait suivi à l'aller. La police n'allait pas tarder à arriver, si elle n'était pas déjà là. Et les pompiers. Y avait-il une autre issue ? Ou bien était-il bloqué ici ?

Heron Place... oui, il pourrait peut-être sortir par Heron Place. La pente était rude, vingt-cinq pour cent, peut-être trente, mais il n'aurait pas de mal à franchir les barrières et il n'y avait plus de glissières de sécurité. Il avait peut-être une chance. Non, pas seulement une chance, c'était *sûr !* Cette nuit, il était capable de tout.

Il suivit la chaussée inachevée, se guidant à la lueur de ses veilleuses, patinant et dérapant sans cesse. Dès qu'il aperçut, au-dessus de lui, les lampadaires de Heron Place, il passa en seconde et accéléra progressivement, fonçant droit vers le talus, qu'il aborda à près de soixante à l'heure. A mi-chemin environ, les roues arrière se mirent à patiner et il perdit de la vitesse. Il rétrograda en première. Le moteur baissa de régime et la LTD se remit à grimper. Le capot était presque en haut lorsque les roues arrière se remirent à patiner, mitraillant le talus d'une pluie de cailloux et de terre gelée. Un instant, l'issue parut douteuse, puis, simplement mue par son inertie — et peut-être aidée par une bonne dose de volonté —, la LTD franchit le rebord du talus et se retrouva à l'horizontale.

Le pare-chocs avant rejeta sans peine la barrière de plastique, qui alla s'enfoncer dans une congère, comme un fruit confit dans une grosse meringue de rêve. Le trottoir franchi, il se rendit compte avec incrédulité qu'il se retrouvait réellement dans une rue, une rue normale, comme s'il ne s'était rien passé. Il se redressa, reprit le volant en mains et prit le chemin du retour, conduisant calmement, sans dépasser le quarante-cinq.

Au bout d'un moment, il se rendit compte qu'il laissait des traces que les chasse-neige ou la neige fraîche mettraient peut-être deux heures à effacer, sinon plus. Au lieu de rouler droit vers Crestallen Street, il s'engagea dans River Street pour gagner la nationale 7. Depuis qu'il avait commencé à neiger pour de bon, il n'y avait guère eu d'automobiles — mais suffisamment pour tasser ou labourer la neige. Il s'y engagea à la suite de quelques autres voitures qui roulaient vers l'est, et accéléra progressivement jusqu'au soixante.

Il suivit la 7 sur une quinzaine de kilomètres, puis fit demi-tour et rentra tranquillement chez lui.

A mi-chemin environ, il se rendit compte que, bien qu'il eût mis le chauffage au maximum, la voiture était glaciale. Il se retourna et vit le trou étoilé dans la vitre de la portière. Il y avait du verre brisé et de la neige sur le siège.

Comment diable cela a-t-il pu arriver ? se demanda-t-il avec stupéfaction. Il ne se souvenait réellement de rien.

Il arriva dans Crestallen Street par le nord, et trouva la maison comme il l'avait laissée : la lumière allumée dans la cuisine. C'était d'ailleurs la seule lumière visible dans toute la rue. Il n'y avait aucune voiture de police devant chez lui, mais la porte du garage était ouverte. Quel imbécile ! On ferme *toujours* la porte du garage quand il neige.

C'est bien pourquoi on a un garage, pour mettre la voiture et le reste à l'abri des éléments. Son père le lui avait répété assez souvent ! Son père était mort dans un garage, comme le frère de Johnny, mais Ralph Dawes ne s'était pas suicidé, lui. Il avait eu une attaque d'apoplexie. Un voisin l'avait découvert, tenant des cisailles à gazon dans sa main gauche déjà raidie, et une petite pierre à affûter dans la main droite. Une mort banlieusarde. Seigneur envoie son âme blanche dans un paradis où le chiendent n'existe pas et où les Nègres gardent leurs distances.

Il entra la station-wagon au garage, en referma la porte et gagna la maison. Il tremblait d'épuisement, après le froid et toutes ces émotions. La pendule indiquait trois heures un quart. Il accrocha son pardessus et son chapeau dans l'entrée ; au moment de refermer la porte, une terreur fulgurante le traversa, brûlante comme un verre de scotch avalé cul sec sur un estomac vide. Il fouilla frénétiquement dans les poches de son pardessus et poussa un énorme soupir de soulagement en y trouvant ses gants, réduits à deux boules informes, encore humides d'essence.

Il songea à se faire du café, puis décida de s'en abstenir. Une douleur sourde battait à ses tempes. Sans doute les vapeurs d'essence ; sa sinistre équipée dans la neige et l'obscurité n'avait pas dû arranger les choses. Arrivé dans sa chambre, il se déshabilla et jeta ses vêtements pêle-mêle sur un fauteuil. Il pensait sombrer dans un profond sommeil dès que sa tête toucherait l'oreiller, mais ce ne fut pas le cas. Maintenant qu'il était chez lui, et en principe en sécurité, son esprit affolé lui refusait le repos. Ils allaient le retrouver et le jeter en prison.

Sa photo serait dans tous les journaux. Ceux qui le connaissaient parleraient de lui en hochant la tête dans les bars et les selfs. Vinnie Mason dirait à sa femme qu'il s'était aperçu depuis longtemps que Dawes était maboul. La famille de Mary l'encouragerait probablement à aller à Reno pour obtenir le divorce. Elle y rencontrerait peut-être quelqu'un pour la baiser. Ça ne l'étonnerait pas.

Allongé dans le lit, les yeux grands ouverts, il se répétait qu'ils n'allaient pas l'attraper. Il avait toujours porté ses gants. Pas d'empreintes. Il avait ramené le seau de Mary et son couvercle en plastique translucide. Il avait brouillé sa piste, comme un fugitif poursuivi par une meute de chiens qui traverse une rivière. Aucune de ces pensées ne suffisait à le réconforter, et le sommeil continuait à le fuir. Ils allaient le retrouver. Un type avait peut-être vu sa voiture aux abords de Heron Place et trouvé suspect que quelqu'un sorte dans cette tempête de neige. Peut-être avait-il noté son numéro d'immatriculation et était-il en ce moment même félicité par la police. Peut-être avaient-ils retrouvé des bribes de peinture sur la barrière de Heron Place, et grâce à cet indice, un ordinateur allait retrouver sa trace. Peut-être...

Il s'agitait fiévreusement dans son lit, attendant que la lumière bleue d'un gyrophare balaie la fenêtre de la chambre, attendant le moment où une voix désincarnée, kafkaïenne, clamerait : *Inutile de résister, ouvrez !* Lorsqu'il s'endormit enfin, il ne s'en aperçut même pas, car ses pensées continuèrent sans transition, passant insensiblement de la rumination consciente aux visions obliques du sommeil, comme la mécanique bien huilée d'une voiture passant de troisième en seconde. Dans ses rêves, il se croyait éveillé, et dans ces mêmes rêves, il se suicidait de toutes les façons possibles : il se brûlait vif ; s'assommait en se laissant tomber sur la tête une lourde enclume retenue au plafond par une corde qu'il lâchait soudain ; se pendait ; s'enfermait dans la cuisine et ouvrait les quatre feux et le four de la cuisinière à gaz ; se jetait sous un car Greyhound roulant à toute allure ; prenait des somnifères ; avalait un flacon entier de désinfectant pour W.-C. ; se fourrait dans la bouche une bombe d'aérosol déodorant au pin, appuyait sur le bouton et inhalait jusqu'à ce que sa tête flotte dans le ciel comme un ballon rouge ; se faisait hara-kiri alors qu'il était agenouillé dans un confessionnal de St. Dominique, confessait son suicide à un jeune prêtre abasourdi tandis que ses tripes se répandaient en accordéon sur la banquette comme une platée de ragoût de bœuf, et faisant acte de contrition d'une voix de plus en plus faible où perçait une pointe d'étonnement, allongé dans son propre sang et dans les saucisses fumantes de ses intestins. Mais la scène la plus frappante, qui se répéta à maintes reprises, était celle où il se voyait, assis au volant de la LTD dans le garage fermé, appuyant de temps à autre sur l'accélérateur pour augmenter le régime du moteur, respirant profondément tout en feuilletant un numéro du *National Geographic Magazine,* regardant des photos de la vie quotidienne à Tahiti et à Oakland, ou bien du Mardi gras à La Nouvelle-Orléans, tournant les pages de plus en plus lentement, entendant le bruit du moteur s'éloigner jusqu'à n'être plus qu'un doux ronronnement, et s'enfonçant peu à peu dans les eaux chaudes et scintillantes du Pacifique Sud.

19 décembre 1973

Il était midi et demi lorsqu'il se réveilla et s'extirpa du lit. Il avait une affreuse gueule de bois, comme au lendemain d'une bringue mémorable. Sa tête lui faisait terriblement mal. Sa vessie était pleine à lui donner des crampes. Il avait un affreux goût métallique — non, plutôt un goût de serpent mort — dans la bouche. Dès qu'il faisait un pas, son cœur résonnait dans sa poitrine comme une caisse claire. Il ne pouvait même pas se permettre le luxe de penser, ne serait-ce qu'un instant, que les événements de la veille n'étaient qu'un mauvais rêve, car l'odeur bien réelle de l'essence imprégnait encore sa peau et s'élevait en volutes écœurantes de ses vêtements entassés sur le fauteuil. La neige avait cessé de tomber. Le ciel était dégagé, et la lumière aveuglante du soleil lui enfonçait des poignards dans les yeux.

Il alla aux toilettes et s'assit sur le siège ; aussitôt, il expulsa une masse de selles liquides et explosives. Les matières tombèrent dans l'eau avec une succession saccadée de gargouillements et de flocs qui lui donnèrent le mal de mer et aggravèrent sa migraine. Il urina sans se lever, la tête entre les mains, entouré de l'odeur pestilentielle du produit de sa digestion.

Il tira la chasse d'eau et descendit sur des jambes flageolantes, en emportant des vêtements propres. Il attendrait que la puanteur immonde se fût dissipée pour prendre une douche interminable.

Dans la cuisine, il prit trois comprimés d'Excedrin dans le flacon vert rangé sur le buffet, et les avala avec deux bonnes gorgées de Pepto-Bismol. Il mit de l'eau à chauffer pour le café, et cassa sa tasse préférée en la décrochant. Il ramassa les débris, en prit une autre et y versa une bonne dose de café soluble Maxwell, puis gagna la salle à manger.

Il ouvrit la radio et chercha un poste donnant des informations — qui, comme les flics, ne sont jamais là quand on a besoin d'elles. Musique pop. Cours des céréales. Comment investir en Bourse. La parole est aux auditeurs. Musique pop. Conseils aux bricoleurs. Pub pour des assurances vie. Encore de la musique pop. Toujours pas d'informations.

L'eau du café commençait à bouillir. Il laissa la musique pop, ramena le café et le but noir et sans sucre. Les deux premières gorgées lui donnèrent envie de vomir, mais ensuite, il se sentit mieux.

Enfin les informations, d'abord nationales, puis locales.

> La nuit dernière, un incendie a éclaté sur le chantier de l'autoroute urbaine 784, près de Grand Street. Selon le lieutenant de police Henry King, des vandales ont apparemment allumé plusieurs foyers à l'aide de bombes à essence ; le feu a endommagé une grue, deux camions-bennes, deux bulldozers, une camionnette et le bureau de chantier de la Lane Construction Company, qui a été entièrement ravagé.

En entendant les mots *entièrement ravagé,* il fut pris à la gorge par une exaltation aussi amère que le café qu'il venait d'avaler.

> Selon Francis Lane, dont la société est adjudicataire d'une importante tranche des travaux de la nouvelle autoroute, les camions et les bulldozers n'ont subi que des dégâts mineurs ; la grue servant aux démolitions, d'une valeur de 60 000 dollars, restera toutefois hors service pendant au moins deux semaines.

Deux semaines ? C'était *tout ?*

> Selon Lane, la destruction du bureau de chantier est plus préoccupante. Le bureau abritait en effet les bordereaux de présence, les fiches de paie ainsi que la quasi-totalité des factures et de la comptabilité des trois derniers mois. « Pour les reconstituer, cela va être un véritable casse-tête, a déclaré Lane. Il est possible que cela nous retarde d'un mois ou davantage. »

C'était déjà un peu mieux. Pour gagner un mois, cela valait peut-être la peine d'avoir fait tout ça.

> Selon le lieutenant King, les vandales se sont enfuis à bord d'une station-wagon, peut-être une Chevrolet de modèle récent. Il demande instamment aux personnes qui auraient vu la voiture quitter le chantier aux

abords de Heron Place de se présenter à la police. Francis Lane a estimé que la totalité des dommages était de l'ordre de 100 000 dollars. Pour passer à un autre sujet, le député Muriel Reston a de nouveau exigé...

Il éteignit la radio.

Maintenant qu'il avait tout entendu, en plein jour, cela allait un peu mieux. Il devenait possible d'examiner la situation de façon rationnelle. La police ne disait certes pas tout ce qu'elle savait, mais si elle cherchait vraiment une Chevrolet et non une Ford et en était réduite à supplier d'éventuels témoins de se présenter, il n'avait peut-être réellement rien à craindre, du moins pour le moment. Et s'il y avait vraiment eu un témoin, il n'y changerait rien en se faisant de la bile.

Il fallait jeter le seau de Mary et ouvrir le garage pour que l'odeur d'essence se dissipe. Sans oublier d'inventer une histoire pour expliquer la vitre brisée, si jamais quelqu'un lui posait des questions à ce sujet. Plus important encore, il devait se préparer mentalement à une éventuelle visite de la police. Comme il était le dernier habitant de Crestallen Street West, il serait somme toute logique qu'elle se renseigne à son sujet. Et elle ne mettrait pas longtemps à s'apercevoir qu'il n'avait pas agi de façon très rationnelle ces derniers temps. Il avait coulé l'usine où il travaillait. Sa femme l'avait quitté. Un de ses anciens collègues de travail lui avait flanqué un coup de poing dans un grand magasin. Et, bien sûr, il possédait une station-wagon, Chevrolet ou pas. Pas fameux, certes, mais rien de tout cela ne constituait une preuve.

Et si jamais ils trouvaient de vraies preuves, ils

l'enverraient sans doute en prison. Mais il y avait pire que la prison. La prison, ce n'était pas la fin du monde. Il serait nourri et logé, on lui donnerait du travail. Il n'aurait plus à se soucier de ce qu'il ferait lorsque l'argent de l'assurance serait épuisé. Oh oui, bien des choses étaient pires que la prison. Le suicide, par exemple. Il monta à l'étage et prit sa douche.

En fin d'après-midi, il appela Mary. Sa mère décrocha et lui dit avec un reniflement de mépris qu'elle allait la chercher. Lorsque Mary arriva à l'appareil, elle paraissait de fort bonne humeur.

« Hello, Bart. Joyeux Noël, avec un peu d'avance ! »

C'était leur coutume à eux, de se souhaiter un joyeux Noël « avec un peu d'avance » tous les jours pendant au moins une semaine avant les fêtes.

« Bon Noël, également avec un peu d'avance, répondit-il.

— Alors, Bart, que voulais-tu me dire ?

— Eh bien, j'ai acheté quelques cadeaux... oh, pas grand-chose... pour toi et les nièces et neveux. Si on pouvait se voir quelque part pour que je te les donne. Il faudrait aussi emballer un peu mieux les cadeaux des gosses...

— Je le ferai avec plaisir, Bart. Mais tu n'aurais pas dû. Tu es au chômage, après tout.

— Mais je ne chôme pas pour trouver du boulot.

— Bart, as-tu... fait quelque chose au sujet de ce dont nous parlions ?

— Le psychiatre ?

— Oui.

— J'en ai appelé deux. L'un est plein jusqu'au mois de juin. L'autre part aux Bahamas jusqu'à fin mars, et accepte de me prendre dès son retour.

— Comment s'appellent-ils ?
— Tu veux savoir leurs *noms* ? Oh la la, ma chérie, il faudrait que je regarde de nouveau dans l'annuaire. Je crois bien que le premier s'appelait Adams. Nicholas Adams ou quelque chose comme ça...
— Bart, dit-elle avec tristesse.
— Ou bien Aarons, je ne sais plus, rétorqua-t-il vivement.
— Bart... répéta-t-elle.
— Bon, bon. Crois ce que tu veux !
— Bart, si tu voulais seulement te donner...
— Et les cadeaux ? l'interrompit-il. Je t'ai appelée au sujet des cadeaux, pas pour parler d'un foutu psychiatre. »
Elle poussa un soupir. « Apporte-les-moi vendredi, si tu veux. Je pourrais...
— Hein ? Pour que tes parents engagent un avocat qui me recevra à ta place ? Je préférerais un endroit un peu plus neutre, si ça ne te fait rien.
— Ils ne seront pas là. Ils vont passer les fêtes chez Joanna. »
Joanna, c'était Joanna St. Claire, une cousine de Jean Calloway, qui habitait le Minnesota. Elles avaient été très proches du temps de leur jeunesse (sans doute lui arrivait-il de penser, pendant ce plaisant intermède séparant la Guerre de 1812 de la naissance de la Confédération des Etats sécessionnistes), et Joanna avait eu une attaque au mois de juillet. Elle avait bon espoir de se remettre, mais Jean avait confié à Mary que les médecins les avaient prévenus qu'elle était à la merci d'une rechute fatale. Très agréable, pensa-t-il, d'avoir une bombe à retardement au milieu de la tête. Eh, la bombe, c'est pour aujourd'hui ? Non, pas aujour-

d'hui, s'il te plaît ! Je n'ai pas terminé le dernier roman de Victoria Holt.

« Bart ? Tu es là ?

— Excuse-moi, je rêvassais.

— Une heure de l'après-midi, ça te va ?

— Parfait.

— C'est tout ce que tu voulais me dire ?

— Euh... oui.

— Eh bien...

— Eh bien, au revoir, Mary. Et porte-toi bien.

— Merci. Au revoir, Bart. »

Après avoir raccroché, il tourna un moment en rond, puis alla se verser un drink. La femme qu'il venait d'avoir au téléphone n'était pas celle qui s'était effondrée en larmes sur le sofa du living à peine un mois auparavant, essayant pathétiquement de trouver une explication au raz de marée qui venait de saccager sa petite vie bien ordonnée, détruisant le travail de vingt années en ne laissant subsister que quelques débris dans une mer de boue. Il hocha la tête avec incrédulité, comme s'il avait appris que Jésus en personne était descendu des cieux pour emmener Richard Nixon au paradis sur un chariot de feu. Elle s'était retrouvée elle-même. Mieux : elle était redevenue une personne qu'il connaissait à peine, une fille-femme dont il avait presque perdu le souvenir. Pareille à une archéologue, elle avait exhumé cette personne, dont les articulations étaient un peu raides à force de ne pas avoir servi, mais qui se révélait néanmoins parfaitement utilisable. Les articulations allaient s'assouplir, et cette personne à la fois si vieille et si jeune deviendrait une femme complète, peut-être un peu marquée par ce bouleversement, mais pas sérieusement blessée. Il la connaissait peut-être mieux qu'elle ne se l'imaginait ; au seul son de sa voix, il pouvait prédire qu'elle se rapprochait de plus en plus de l'idée d'un divorce, d'une cassure avec le passé... une cassure bien nette qui guérirait sans laisser de traces. Elle avait trente-huit ans. La moitié de sa vie était encore devant elle. Aucun enfant ne serait la victime innocente de cet accident de parcours. Il ne lui suggérerait pas le divorce, mais si elle le faisait, il accepterait. Il enviait la nouvelle personne qu'elle devenait, et enviait sa nouvelle beauté. Et si, dans dix ans, elle considérait la période de son mariage comme un long tunnel obscur menant à la claire lumière du soleil, il déplorerait sans doute qu'elle vît les choses de cette façon, mais ne la blâmerait pas. Non, il ne pourrait pas la blâmer.

21 décembre 1973

Il lui avait remis les cadeaux dans le living tarabiscoté de Jean Calloway ; ensuite; la conversation avait eu du mal à démarrer. Il ne s'était jamais trouvé seul avec Mary dans cette pièce, et avait l'impression qu'ils devraient se bécoter. Simple automatisme, réaction de collégien attardé qui collait mal avec son image actuelle.

« Tu t'es éclairci les cheveux ?

— Juste un rien, répondit-elle avec un petit haussement d'épaules.

— C'est joli. Ça te rajeunit.

— Tes tempes commencent à grisonner, Bart. Cela te donne un air distingué.

— Tu veux dire que j'ai l'air d'une vieille ruine, oui ! »

Elle eut un rire un peu trop aigu, et regarda les cadeaux étalés sur la petite table ovale. La broche en forme de chouette était dans une jolie boîte, mais le reste n'était pas emballé. Les poupées fixaient le plafond d'un œil morne, attendant que des mains de fillettes leur insufflent un peu de vie.

Il se tourna vers elle ; leurs regards se rencontrèrent et ne se quittèrent pas un long moment. Il crut que Mary était sur le point de dire des mots irrévocables, et prit peur. A ce moment précis, le coucou surgit de sa boîte pour annoncer la demie de une heure ; ils sursautèrent, puis éclatèrent de rire. Le moment dangereux était passé. Il se leva, pour éviter une nouvelle alerte. Sauvé par un coucou, comme c'est approprié ! se dit-il.

« Il faut que j'y aille.

— Tu as un rendez-vous ?

— Une entrevue pour un boulot.

— Vraiment ? » Elle paraissait sincèrement heureuse. « Où ? Qui ? Combien ? »

Il secoua la tête en riant : « Il y a une douzaine d'autres candidats qui ont d'aussi bonnes chances que moi. Je t'en parlerai quand ce sera fait.

— Tu es bien sûr de toi !

— Evidemment.

— Bart ? Que fais-tu pour Noël ? » Son ton solennel cachait mal son inquiétude ; il comprit soudain qu'elle mijotait non pas une convocation devant le tribunal des divorces, mais une invitation pour le réveillon ! Il dut se retenir pour ne pas pouffer de rire.

« Rien. Je reste à la maison.

— Tu peux venir ici, dit-elle. Il n'y aura que nous deux.

— Non, dit-il songeusement, avant de reprendre d'un ton plus ferme : Non. Il est trop difficile de contrôler ses sentiments un jour comme celui-là. Une autre fois. »

Elle approuva de la tête, pensive elle aussi.

« Tu dîneras seule ? lui demanda-t-il.

— Je peux aller chez Bob et Janet, si je veux. Tu... tu es vraiment sûr ?

— Oui.

— Comme tu voudras », dit-elle, avec, lui sembla-t-il, davantage de soulagement que de résignation.

Arrivés à la porte, ils échangèrent un baiser triste et froid.

« Je te téléphonerai, dit-il.

— J'espère bien.

— Et salue bien fort Bobby de ma part.

— Je n'y manquerai pas. »

Il était à mi-chemin de sa voiture lorsqu'elle le rappela : « Bart ! Un moment ! »

Il se retourna avec une pointe d'appréhension.

« J'avais presque oublié. Wally Hamner a appelé pour nous inviter à passer le réveillon du Nouvel An chez lui. J'ai accepté pour nous deux. Mais si tu n'y tiens pas...

— Wally ? » Il fronça les sourcils. Walter Hamner était un de leurs rares amis n'habitant pas le quartier de Crestallen Street. « Il ne sait donc pas que nous sommes... enfin, séparés ?

— Il le sait, mais tu connais Walt. Ce genre de chose ne l'impressionne pas beaucoup. »

Effectivement. Il ne pouvait penser à Walter sans sourire. Walter, qui ne cessait de proclamer qu'il allait abandonner la pub pour le design industriel de pointe. Auteur de limericks obscènes et de parodies encore plus obscènes de chansons à la mode. Divorcé deux fois, et condamné à verser des pensions plutôt salées. Et pour finir, devenu impuissant, à en croire la rumeur ; mais dans le cas de Walt, il tendait à croire que la rumeur était fondée. Depuis combien de temps ne l'avait-il pas vu ? Quatre mois ? Six ? Depuis trop longtemps, en tout cas.

« Ça pourrait être chouette. »

A peine eut-il dit cela qu'une pensée lui traversa

l'esprit. Elle la lut sur son visage (on ne vit pas impunément ensemble pendant vingt ans) et le rassura : « Aucun employé de la blanchisserie n'est invité.

— Il connaît Steve Ordner.

— Oh, celui-là ! » Elle haussa légèrement les épaules pour indiquer combien il lui paraissait peu probable que *celui-là* fût invité, et, poursuivant machinalement son geste, croisa les bras en frissonnant. Il devait faire au moins dix degrés au-dessous de zéro.

« Rentre vite, gros bêta, lui dit-il. Tu vas prendre froid.

— Tu veux y aller, oui ou non ?

— Je ne sais pas encore, mais cela mérite réflexion. »

Il l'embrassa de nouveau, avec un peu plus de cœur, cette fois, et elle lui rendit son baiser. En de tels moments, il lui arrivait de tout regretter — mais c'était un regret froid et impersonnel.

« Joyeux Noël, Bart, dit-elle encore une fois, et il vit qu'elle avait versé quelques larmes.

— L'année prochaine, ça ira mieux, dit-il, phrase réconfortante mais sans fondement réel. Allez, rentre, tu vas attraper une pneumonie. »

Elle regagna la maison de ses parents, et il partit dans sa voiture, pensant toujours au réveillon du Nouvel An chez Wally Hamner. Oui, ce serait une bonne idée. Il irait probablement.

24 décembre 1973

Il avait déniché à Norton un petit garage qui pouvait lui remplacer la vitre de la portière arrière pour quatre-vingt-dix dollars. Lorsqu'il avait demandé au garagiste s'il était ouvert la veille de Noël, l'homme avait répondu : « Comment voulez-vous qu'on s'en tire si on ne travaille pas tous les jours ? »

En allant à Norton, il s'arrêta dans une laverie libre-service et mit ses vêtements dans deux machines. D'un geste instinctif, il fit tourner les tambours pour vérifier s'ils étaient bien équilibrés, et ne chargea pas trop les machines pour que l'essorage soit efficace. Il ne put réprimer un petit sourire de satisfaction. Eh oui, Fred, la blanchisserie peut vous foutre dehors, mais on n'en a pas moins la blanchisserie dans la peau. Pas vrai, Fred ? Freddy ? Oh, va te faire voir !

« Un sacré trou, dites donc, dit le garagiste en examinant la vitre craquelée.

— Un gosse qui lançait une boule de neige, expliqua-t-il. Il avait dû mettre une pierre dedans.

— Pour sûr qu'il avait mis une pierre, dit l'homme. Pour sûr. »

La vitre remplacée, il retourna à la laverie, sortit ses vêtements des machines, les mit dans le séchoir, qu'il régla sur moyennement chaud, et introduisit trente *cents* dans la fente. Il s'assit sur une des chaises en plastique disposées contre le mur et prit un journal qui traînait. En dehors de lui, il y avait un seul client : une femme encore jeune, mais paraissant très fatiguée, avec des lunettes cerclées d'acier et quelques mèches blondes dans ses cheveux d'un brun-roux. Elle était accompagnée d'une petite fille, qui tapait des pieds en hurlant :

« Je veux mon *biberon !*

— Allons, Rachel...

— MON BIBERON !

— Papa va te donner la fessée quand on rentrera à la maison. Et tu n'auras pas de bonbon avant d'aller au lit !

— BIBEROOOON... »

Pourquoi une brave jeune femme comme celle-ci se décolore-t-elle quelques mèches de cheveux ? se demanda-t-il tout en jetant un coup d'œil sur les titres :

BETHLÉEM N'ATTIRE PAS LA FOULE
LES PÈLERINS CRAIGNENT LA SAINTE TERREUR

Tout en bas de la une, un court encadré attira son regard :

WINTERBURGER DÉCLARE QUE LES ACTES
DE VANDALISME NE SERONT PAS TOLÉRÉS

(De notre correspondant local) Victor Winterburger, candidat au siège de feu Donal P.

Naish, tué le mois dernier dans un accident de la circulation, a déclaré hier que des actes de vandalisme, tels que celui qui a causé près de 100 000 dollars de dégâts sur le chantier de l'autoroute 784 mercredi dernier, ne peuvent être tolérés « dans une ville américaine civilisée ». Winterburger s'adressait aux invités d'un dîner de l'American Legion ; l'assistance se leva pour applaudir.

« Nous avons vu ce qui est arrivé dans tant d'autres villes, poursuivit Winterburger. A New York, les autobus, le métro et les immeubles souillés et couverts de graffitis ; les vitres brisées, les écoles ravagées à Detroit et San Francisco ; les dégradations de toute sorte dans les musées et bâtiments publics... Nous ne permettrons pas que le plus grand pays du monde devienne la proie des Barbares et des Huns. »

La police avait été appelée sur le chantier de Grand Street lorsque les flammes et les bruits d'explosion attirèrent l'attention *(suite page 5, col. 2)*.

Il plia le journal et le reposa sur la pile de magazines crasseux. Le ronronnement régulier des machines devenait soporifique. Des Huns. Des Barbares. Les Barbares, c'était eux. Ceux qui détruisaient, arrachaient, nivelaient tout, qui jetaient les gens à la rue, qui détruisaient des vies comme un sale gamin donnant un coup de pied dans une fourmilière...

Traînant derrière elle sa petite fille qui continuait à trépigner et à hurler, la jeune femme sortit, et il se retrouva seul dans la laverie. Il ferma les yeux et s'assoupit à demi, attendant que le séchoir eût fini de tourner. Il fut tiré de son somme par un bruit de cloches. Le tocsin, les pompiers ? ce n'était qu'un père Noël de l'armée du Salut qui s'était posté juste devant la laverie. Lorsqu'il sortit avec son sac de linge, il mit toute sa monnaie dans sa sébile.

« Que Dieu vous bénisse », lui dit le père Noël.

25 décembre 1973

Le téléphone le réveilla vers dix heures du matin. Il décrocha à tâtons — l'appareil était posé sur la table de chevet — et entendit la voix pointue d'une opératrice lui demander : « Acceptez-vous un appel en PCV de Olivia Brenner ?

— Pardon ? marmonna-t-il, encore dans les brumes du sommeil. Qui ? Quoi ? »

Une voix lointaine, vaguement familière, intervint : « Seigneur, c'est pas possible ! » et il comprit.

« Oui, j'accepte l'appel. » Silence. Avait-elle raccroché ? « Olivia... ?

— Parlez, demandeur, dit l'opératrice, fidèle à sa routine.

— Olivia ? Vous m'entendez ?

— Oui, c'est moi. » Sa voix était vraiment lointaine et semblait avoir des ratés.

« Je suis content que vous appeliez.

— Je croyais que vous alliez refuser l'appel.

— Je viens de me réveiller. Vous êtes toujours là-bas ? A Las Vegas ?

— Oui, dit-elle d'une voix mal assurée.

— Alors, c'est bien ? Comment vous débrouillez-vous ? »

Elle eut un soupir si amer qu'on aurait pu le prendre pour un sanglot. « Pas fameux.

— Vraiment ?

— Le second... non, le troisième soir après mon arrivée, j'ai rencontré un mec. On est allés à une partie. Complètement dingue. J'étais dans un état...

— La drogue ? » demanda-t-il en baissant prudemment la voix — c'était l'inter, après tout, et la police avait des oreilles partout.

« La came ? dit-elle avec exaspération. Il y avait que ça ! Du shit de merde, plein de dex ou de je ne sais quoi... Je crois que je me suis fait violer. »

Elle avait dit ce dernier mot avec une telle vibration dans la voix qu'il demanda aussitôt, pour ne pas laisser de place au silence : « Quoi ?

— *Violer !* hurla-t-elle si fort que le récepteur déforma le mot. Quand un stupide hippie attardé en virée du samedi soir te fourre son truc dedans pendant que ton cerveau est en train de dégouliner des murs ! Le viol, vous savez ce que c'est, le *viol ?*

— Je sais, dit-il.

— Vous vous foutez de ma gueule ?

— Vous avez besoin d'argent ?

— Pourquoi me demandez-vous ça ? Je peux pas vous baiser au téléphone, non ? Même pas vous branler !

— Il me reste de l'argent, dit-il. Je pourrais vous en envoyer, c'est tout. Ce n'est pas compliqué, non ? »

D'instinct, il lui parlait non pas doucement, mais d'une voix très basse, lentement, pour l'obliger à l'écouter.

« Ouais...

— Vous avez une adresse ?

— Poste restante.

— Vous n'avez donc pas de logement ?

— Si, je partage un appart avec une nana complètement paumée, mais les boîtes aux lettres sont cassées. Peu importe, d'ailleurs, gardez votre fric. J'ai un boulot. Merde, je crois que je vais tout laisser tomber et rentrer. Un joyeux Noël, on peut dire !

— Quel genre de travail ?

— Serveuse dans un fast food. Y a des machines à sous dans la salle, et les gens y jouent toute la nuit en bouffant des hamburgers. Vous imaginez ça ? Le dernier truc qu'on doit faire avant de quitter le boulot, c'est d'essuyer les poignées des machines. C'est plein de moutarde, de ketchup et de gras. Et si vous voyiez la gueule des gens... Tous obèses. Noircis par le soleil, ou bien brûlés avec des taches roses. Et s'ils ont pas envie de vous baiser, vous faites partie du mobilier. J'ai eu des propositions. Des deux sexes. Heureusement, l'abrutie avec qui je loge ne s'intéresse pas plus au sexe que... Je... je me demande pourquoi je vous raconte tout ça. Je ne sais même pas pourquoi je vous ai appelé. Je me tire à la fin de la semaine, dès que j'aurai été payée.

— Allons, tenez au moins le coup un mois !

— *Quoi ?*

— Ne vous dégonflez pas ! Si vous partez maintenant, vous passerez le reste de votre vie à vous demander pourquoi vous êtes allée là-bas.

— Je parie que vous étiez passionné de foot, au lycée.

— Oh non, je ne faisais même pas partie de l'équipe.

— Vous ne connaissez rien à rien, alors ?

— Je pense à me suicider.

— Vous ne faisiez... qu'est-ce que vous avez dit ?

— Que je songeais à me suicider. » Il n'avait plus peur de la police et de tous ces gens qui espionnaient le téléphone, Ma Bell, la Maison-Blanche, la CIA, le Effe Bie Aïe. « Je ne cesse d'essayer un tas de trucs, et ça rate toujours. Je dois être un peu trop vieux pour que ça marche, voilà tout. Il y a quelques années il s'est passé un événement tragique, mais je ne me rendais pas compte à quel point c'était tragique pour moi. Je m'imaginais que c'était un malheur comme il y en a tant, et que j'allais le surmonter. Mais peu à peu, tout se casse la gueule en moi. Et j'en ai marre. Alors, je fais des choses, un tas de choses...

— Vous avez le cancer ? murmura-t-elle.

— Je le crains.

— Vous devriez aller à l'hôpital pour vous faire...

— C'est un cancer de l'âme.

— Arrêtez ce trip, mon vieux, vous êtes en plein nombrilisme !

— Possible, dit-il. Mais sans importance. Tout est en place, et les événements suivront leur cours, dans un sens ou dans l'autre. Un seul truc me tracasse : j'ai parfois l'impression que je suis un personnage dans un mauvais roman, et que l'auteur a déjà décidé comment cela allait se terminer et pourquoi. Mais cela vaut quand même mieux que de rendre Dieu responsable de tout — qu'a-t-il jamais fait pour moi, Dieu, que ce soit en bien ou en mal ? Non, tout est de la faute de ce minable écrivaillon. Il a sacrifié mon fils en lui inventant une tumeur au cerveau — ça, c'était le chapitre un. Suicide ou pas suicide, ça viendra juste avant l'épilogue. Une histoire complètement stupide.

— Ecoutez, dit-elle, de plus en plus inquiète. S'il existe un SOS-Amitié dans votre patelin, vous devriez peut-être...

— Ils ne pourraient rien pour moi. C'est d'ailleurs sans importance. C'est *vous* que je veux aider. Regardez un peu ce qui vous entoure avant de tout laisser tomber, bon Dieu ! Vous aviez dit que vous vouliez renoncer à la drogue — faites-le ! Si vous continuez comme ça, vous aurez quarante ans quand vous vous réveillerez, et toutes vos options se seront envolées.

— Non, Las Vegas, c'est vraiment trop pour moi. Je ne peux pas. Ailleurs, peut-être...

— Tous les endroits sont pareils si votre esprit reste le même. Il n'existe pas de lieu magique qui résoudra d'un coup tous vos problèmes. Si vous vous sentez comme de la merde, tout ce que vous regarderez aura l'air d'être de la merde. Je le *sais* par expérience personnelle. Les titres des journaux et même les affiches publicitaires, tous disent la même chose : c'est comme ça, et pas autrement. » Débranche la prise, Georgie, ça dépasse les bornes.

« Ecoutez-moi...

— Non, écoutez-*moi*. Et débouchez-vous les oreilles. Vieillir, c'est comme rouler dans de la neige de plus en plus profonde. Quand elle arrive aux moyeux des roues, vous vous mettez à tourner, à tourner en rond encore et toujours. C'est ça, la *vie*. Aucun tracteur ne viendra vous dégager, aucun chasse-neige ne déblaiera la route. Pas de bateau de sauvetage, rien, pour personne. Vous ne gagnerez jamais le gros lot. Aucune caméra ne vous suit, personne ne vous regarde vous débattre. C'est comme *ça*. Et il n'y a rien d'autre. *Rien*.

— Vous n'imaginez pas ce que c'est, ici ! s'écria-t-elle.

— Non, mais je sais parfaitement comment c'est *ici*.

— Vous n'êtes pas responsable de ma vie.

— Je vais vous envoyer cinq cents dollars. Olivia Brenner, poste restante, Las Vegas.

— Je ne serai plus là. Ils les renverront.

— Impossible. Je ne mettrai pas de nom d'expéditeur.

— Ils les ficheront au panier, alors.

— Servez-vous-en pour trouver un travail plus intéressant.

— Non.

— Eh bien, torchez-vous avec, dit-il sèchement, juste avant de raccrocher, avec des mains qui tremblaient.

Cinq minutes après, le téléphone sonna : « Acceptez-vous...

— Non », dit-il, et il raccrocha.

Le téléphone sonna encore à deux reprises, mais ce n'était jamais Olivia.

Vers deux heures de l'après-midi, Mary l'appela de chez Bob et Janet Preston. Comment allait-il ? Bien. (C'était faux.) Avait-il des projets pour ce soir ? Il allait manger la dinde à l'Old Customhouse. (Faux.) Préférait-il venir dîner avec eux ? Janet avait plein de restes du réveillon et serait ravie qu'on l'aide à les finir. Non ; il n'avait d'ailleurs pas faim. (Vrai.) Obéissant à une inspiration soudaine (il était déjà un peu éméché), il lui annonça qu'il irait chez Walter pour le Nouvel An. Cela parut faire plaisir à Mary. Savait-il que chacun devait apporter sa bouteille ? Chez Wally, cela allait de soi, répondit-il, ce qui la fit rire. Ils raccrochèrent et il retourna à son verre, à son fauteuil et à la télé.

Vers sept heures et demie, le téléphone sonna de nouveau. Il n'était plus du tout éméché, ou gris.

Non, rien de poli dans ce genre. Il était soûl comme une bourrique.

« 'lô ?

— Dawes ?

— E moi, Dozze. Kiéla ?

— Magliore. Sal Magliore. »

Il fixa son verre en clignant des yeux. Puis jeta un coup d'œil sur l'écran de la télé couleur Zenith ; il regardait un film qui s'appelait *Home for the Holidays.* Les membres d'une famille se retrouvaient pour le réveillon de Noël dans la maison du patriarche, qui était à l'article de la mort, et quelqu'un les tuait les uns après les autres. Joyeux Noël et tout ça...

« M. Ma-gliore, dit-il en prenant bien garde à sa prononciation. Joyeux Noël, et meilleurs vœux pour la nouvelle année !

— Si seulement vous savez ce que j'appréhende cette année 1974, répondit Magliore d'une voix funèbre. Les barons du pétrole vont faire la loi dans le pays, Dawes. Vous verrez si je me trompe. Si vous ne me croyez pas, jetez donc un coup d'œil sur mes ventes de décembre. L'autre jour, j'ai vendu une Chevrolet Impala 71 mille dollars. Comme neuve. *Mille dollars !* Une chute de quarante-cinq pour cent en un an, vous imaginez ? Mais des Vega 71, je peux en vendre autant que j'en trouve, à quinze ou même seize cents dollars. Et c'est quoi, une Vega, je vous le demande ?

— Une petite voiture ? hasarda-t-il.

— Une petite voiture ! explosa Magliore. C'est une boîte de sardines sur roues, et si vous faites pas gaffe pendant cinq minutes, le moteur est déréglé ou le pot d'échappement fout le camp, quand ce n'est pas la direction qui lâche. Les Pinto, les Vega, les

Gremlin et le reste, c'est du pareil au même, des vrais trucs à se suicider. Et je les vends plus vite que je ne peux les faire entrer, mais impossible de placer une belle et solide Impala, sauf à perte. Et vous me souhaitez une bonne année ! Jésus-Marie-Joseph...

— C'est peut-être la saison qui veut ça ?

— Peu importe, répondit Magliore. Ce n'est pas pour cela que je vous appelais. Je tenais à vous féliciter, M. Dawes.

— Félici... Pourquoi donc ?

— Allons, vous savez bien. Crac-crac boum-boum !

— Ah, vous voulez dire...

— Chut... Pas au téléphone, Dawes.

— D'accord, crac-crac boum-boum ! Pas mal, ça ! s'esclaffa-t-il.

— Parce que c'était vous, hein ?

— M. Magliore, à un homme comme vous, je ne dirais même pas ma date de naissance. »

Magliore eut un rire tonitruant. « Bravo, Dawes, très bien. Vous êtes peut-être cinglé, mais vous êtes malin. Et ça me plaît.

— Merci, dit-il en vidant — *ça,* c'était malin — le reste de son verre.

— Je voulais aussi vous dire que tout continue comme prévu, là-bas. Branle-bas de combat !

— *Quoi ?* »

Il laissa échapper son verre, qui roula sur le tapis sans se briser.

« Ils ont tout le matériel en double, Dawes. Ou en triple. Ils versent des avances en liquide en attendant de reconstituer leur comptabilité, mais pour le reste, rien de changé.

— Vous êtes fou, ou quoi !

— Oh non. J'avais pensé que vous aimeriez être

au courant. Je vous l'avais dit, Dawes. Il existe des choses contre lesquelles on ne peut rien.

— Vous êtes un vrai salaud ! Vous mentez. Ça vous amuse, d'appeler un type le jour de Noël pour lui raconter des bobards ?

— Ce ne sont pas des bobards, Dawes. C'est de nouveau à vous de jouer. Dans ce jeu, ce sera *toujours* à vous de jouer.

— Je ne vous crois pas.

— Pauvre petit con », dit Magliore. Le pire c'est qu'il paraissait sincèrement désolé. « Pour vous non plus, 74 ne sera pas une bonne année. » Il raccrocha.

Et voilà le Noël de Barton George Dawes.

26 décembre 1973

Comme pour confirmer ce qu'avait dit Magliore, il y avait une lettre d'*eux* dans la boîte (il ne les désignait plus qu'ainsi, tous ces bureaucrates anonymes, le pronom personnel imprimé en italiques rouges et dégoulinantes, comme sur l'affiche d'un film d'épouvante).

Il fixa l'enveloppe oblongue et très blanche, emplie de presque toutes les émotions négatives qu'un être humain peut ressentir : la haine, la peur, le désespoir, la frustration. Son premier mouvement fut de la déchirer, et d'éparpiller les morceaux dans la neige, mais il se ravisa. Il l'ouvrit brutalement, et se rendit compte que, par-dessus tout, il se sentait trahi. Il s'était fait avoir comme un minable. Il avait détruit leurs machines et leur comptabilité, mais pour eux, ce n'était pas une catastrophe. Ils avaient fait venir d'autres machines, et le tour était joué. Autant s'attaquer tout seul à l'armée chinoise.

C'est à vous de jouer, Dawes. Dans ce jeu, ce sera toujours à vous de jouer.

Les lettres précédentes étaient de simples polycopiés, envoyés par les ponts et chaussées. *Cher ami, une grue va arriver sous peu pour démolir votre maison. Ne manquez pas cet événement passionnant destiné à* AMÉLIORER LA QUALITÉ DE LA VIE DANS VOTRE VILLE !

Celle-ci venait de la municipalité, et elle était personnelle :

le 20 décembre 1973

M. Barton G. Dawes
1241 Crestallen Street West
M....., W.....

Cher Monsieur Dawes,

Il ressort de nos dossiers que vous êtes le dernier habitant de Crestallen Street West qui n'ait pas été relogé. Nous espérons sincèrement que vous ne rencontrez pas de difficultés particulières à cet égard. Nous avons bien reçu votre 19642-A (accusé de réception de la lettre d'information concernant le programme d'amélioration du réseau routier 6983-426-73-74 HC), mais non votre formulaire de relogement (imprimé bleu 6983-426-73-74-HC-9004). Comme vous n'êtes pas sans l'ignorer, le versement de la compensation qui vous est due ne peut être effectué tant que nous ne serons pas en possession dudit formulaire. Sur la base de la valeur locative pour 1973, la propriété sise au 1241 Crestallen Street West a été estimée à 63 500 $. Nous sommes certains que vous êtes tout autant que nous conscient de l'urgence de la situation. Aux termes de la loi, vous devez être relogé au plus tard le 20 janvier 1974, date prévue pour le début des travaux de démolition dans le secteur de Crestallen Street West.

Nous vous rappelons également qu'aux termes de la loi sur l'expropriation pour cause d'utilité publique (SL 19452-36), vous devez quitter votre domicile actuel au plus tard le 19 janvier 1974 à minuit, et attirons de nouveau votre attention sur le fait qu'au-delà de cette date, tout maintien dans les lieux constituerait une infraction à la loi.

Si vous avez des problèmes de relogement, n'hésitez pas à m'appeler aux heures de bureau, ou, mieux, de venir me voir pour discuter de la situation. Je suis certain que nous trouverons une solution qui vous satisfera ; croyez que nous n'épargnerons aucun effort dans ce sens.

Permettez-moi, cher Monsieur, de vous souhaiter un bon Noël et une excellente année 1974.

Cordiales salutations

John T. Gordon

pour le conseil municipal

JTG/tk

« Non, murmura-t-il, je ne vous le permets pas. Absolument pas. » Il déchira la lettre en tout petits morceaux, qu'il jeta dans la corbeille à papiers.

Ce soir-là, assis devant sa télé couleur Zenith, il se surprit à repenser au jour où Mary et lui avaient appris — il y avait quarante... oui, près de quarante-deux mois de cela — que Dieu avait décidé d'effectuer quelques travaux de démolition dans le cerveau de leur fils.

Le docteur s'appelait Younger. Sur les diplômes

accrochés aux murs de son luxueux bureau, son nom était suivi d'une longue série de lettres. Tout ce qu'il en avait retenu, c'est que Younger était neurologue : un type capable de vous diagnostiquer une bonne maladie du cerveau.

Mary et lui étaient allés voir Younger à la demande de celui-ci, dix-neuf jours après l'admission de Charlie à l'hôpital. C'était un homme solidement bâti, sans doute dans les quarante-cinq ans, en splendide forme physique à force de jouer au golf sans cart électrique. Il avait aussi un magnifique bronzage acajou. Ses mains, surtout, l'avaient fasciné. De grandes mains carrées, aux doigts épais, mais qui ne cessaient de courir sur le bureau — jouant avec un stylo, feuilletant un bloc-notes, palpant la surface d'un presse-papiers damasquiné — avec une grâce et une légèreté qui étaient presque répugnantes.

« Votre fils a une tumeur au cerveau, avait-il dit sur un ton parfaitement égal tandis que ses yeux les observaient avec vigilance, comme s'il venait d'armer une bombe contenant un explosif particulièrement instable.

— Une tumeur, avait répété Mary d'une voix sans expression.

— C'est grave ? » avait-il demandé à Younger.

Les premiers symptômes étaient apparus huit mois auparavant. D'abord les maux de tête, sporadiques, puis de plus en plus fréquents. Ensuite, la diplopie — il voyait double, surtout après un effort musculaire. Il arrivait aussi à Charlie — psychologiquement, c'est ce dont il souffrait le plus — de mouiller son lit. Un symptôme bien plus alarmant, une cécité temporaire de l'œil gauche, qui était devenu tout rouge et enflé, les avait finalement conduits à consulter leur médecin de famille. Le docteur l'avait fait hospitaliser pour effectuer des examens. Au cours de cette période, les autres symptômes avaient fait leur apparition : perception d'odeurs fantômes d'oranges et de crayon fraîchement taillé ; perte de sensibilité de la main gauche ; courtes périodes d'incohérence et d'obscénité puérile.

« Très grave, avait répondu Younger. Attendez-vous au pire. C'est inopérable. »

Inopérable.

En dépit des années, l'écho de ce mot n'avait rien perdu de sa force. Il n'avait jamais pensé que les mots pouvaient avoir une saveur. Celui-ci en avait une. Une saveur à la fois corrompue et juteuse, comme un hamburger pourri grillé en surface, mais cru à l'intérieur.

Inopérable.

Quelque part dans le cerveau de Charlie, avait expliqué Younger, des mauvaises cellules avaient proliféré, formant une tumeur de la taille approximative d'une noix. Si ces mauvaises cellules étaient étalées devant vous sur la table, un bon coup de poing suffirait à les écraser. Mais elles n'étaient pas sur la table. Elles étaient profondément enfouies dans la chair de l'esprit de Charlie, poursuivant imperturbablement leur croissance, l'emplissant d'étranges sensations éphémères.

Un jour, peu après l'admission de son fils à l'hôpital, il était allé le voir à l'heure du déjeuner. Ils parlaient de base-ball, se demandant s'ils pourraient assister aux matches de l'American League, si l'équipe municipale remportait les éliminatoires. Et Charlie avait dit :

« A mon avis, si leurs lanceurs mmmm mmmm

mmmm lanceurs font du bon boulot mmmmm nn mmmm lanceurs mmmmm... »

Il s'était penché vers lui : « Que dis-tu, Fred ? Je n'arrive pas à te suivre. »

A ce moment, les yeux de Charlie s'étaient brusquement révulsés.

« Fred ? avait murmuré George. Freddy... ?

— *Foutue merde de pute de bordel de nnnn trou de merde !* avait alors hurlé son fils du fond de son lit d'hôpital tout blanc. *Saloperie de pute de lécheuse de cons de branleuse de bites d'enculée mal torchée... !* »

Là-dessus, Charlie avait perdu conscience, tandis qu'il criait à tue-tête : « INFIRMIÈRE ! INFIRMIÈRE, VITE ! »

C'était les mauvaises cellules, voyez-vous, qui le faisaient parler de la sorte. Un petit amas de cellules, pas plus gros que, disons, une noix ordinaire. Une fois, lui avait dit l'infirmière de nuit, il n'avait cessé de hurler le mot *Bricolage* pendant cinq minutes d'affilée. Rien que quelques mauvaises cellules, vous comprenez. De la taille d'une belle noix des jardins. Qui faisaient délirer son fils comme un docker obscène et fou, le faisaient pisser au lit, lui donnaient des maux de tête, et qui pour finir avaient totalement paralysé sa main gauche.

« Tenez, regardez », leur avait dit le Dr Younger par cette belle journée de juin, idéale pour jouer au golf, en déroulant devant eux un long papier portant un enregistrement des ondes cérébrales de leur fils. Il avait posé à côté un électro-encéphalogramme normal, mais c'était inutile. En voyant ce qui se passait dans la tête de Charlie, il sentit de nouveau cette saveur à la fois pourrie et juteuse emplir sa bouche. La bande de papier portait une succession irrégulière de pics abrupts et de précipices, pareille à une série de poignards maladroitement dessinés.

Inopérable.

Vous comprenez, si cette petite masse de cellules anormales, pas plus grosse qu'une noix, avait choisi de croître à la surface du cerveau de Charlie, une intervention mineure aurait suffi pour l'extirper et le tour était joué. Mais elle était très profonde et grossissait de jour en jour. S'ils essayaient de s'y attaquer au bistouri, au laser ou même en utilisant la cryochirurgie, ils se retrouveraient avec un gros tas de viande bien sain et parfaitement vivant. Et s'ils ne tentaient rien, l'issue fatale ne saurait tarder.

Le Dr Younger leur avait expliqué tout cela de façon très générale, couvrant leur absence d'option d'un apaisant brouillard de détails techniques qui ne tarderait pas à se dissiper. Mary ne cessait de hocher la tête avec une douce stupéfaction, mais il avait tout compris, de façon précise et complète. Sa première pensée, très claire et nette, à jamais impardonnable, avait été : *Dieu merci, ce n'est pas à moi que cela arrive.* Il avait de nouveau perçu ce drôle de goût, puis avait commencé à pleurer son fils.

Aujourd'hui une noix, demain le monde. L'inconnu, effrayant et sournois. Ce fils mourant d'une mort incroyable, imprévisible. Qu'y avait-il à comprendre ?

Charlie mourut en octobre. Sans dernières paroles pathétiques. Cela faisait trois semaines qu'il était dans le coma.

Avec un soupir, il alla à la cuisine pour se préparer un drink. Derrière toutes les fenêtres, la nuit était du même noir impénétrable, pesant. La maison était si vide depuis le départ de Mary. Il ne cessait de tomber sur des bribes de son existence : photos, vieux survêtement au fond d'un placard, paire de pantoufles égarée sous le bureau. C'était mauvais, ça, très mauvais, de trébucher tout le temps sur son passé.

Après la mort de Charlie, il n'avait plus jamais versé une larme sur lui, même pas à son enterrement. Mary, elle, avait beaucoup pleuré. Des semaines durant, elle semblait souffrir de conjonctivite chronique. Mais en fin de compte, ce fut elle qui guérit le mieux.

Charlie lui avait laissé des cicatrices, c'était indéniable. En apparence, c'était elle la plus marquée. Il y avait Mary-avant et Mary-après. Avant, elle ne buvait jamais si elle n'estimait pas que c'était indispensable à son avenir social. Avant, quand ils allaient chez des amis, elle acceptait un jus de fruits avec quelques gouttes d'alcool dedans, et le faisait durer toute la soirée. Un grog avant de se coucher quand elle avait un gros rhume. Et c'était tout. Après, elle prenait un cocktail avec lui quand il rentrait du travail, et buvait toujours un verre avant de se coucher. Ce n'était rien, sans doute, pas de quoi se rendre malade, mais plus qu'avant. Un brouillard protecteur. Sans doute exactement ce qu'un médecin lui aurait prescrit. Avant, elle pleurait rarement pour des vétilles. Après, cela lui arrivait fréquemment, et souvent en cachette. Lorsqu'elle avait laissé brûler le dîner. Lorsqu'elle crevait un pneu. Le jour où le sous-sol avait été inondé, où la pompe du puisard avait gelé et où la chaudière était tombée en panne. Avant, elle était une vraie fan de la musique folk — le folk and blues blanc,

Van Ronk, Gary Davis, Tom Rush, Tom Paxton, Spider John Koerner. Après, elle ne tarda pas à perdre tout intérêt pour cette musique. Elle chantait ses propres blues sur un discret circuit intérieur. Elle ne parlait plus d'aller passer des vacances en Angleterre dès qu'il serait augmenté. Elle cessa aussi d'aller chez le coiffeur, et il prit l'habitude de la voir regarder la télé en bigoudis. C'était à elle que leurs amis réservaient leur compassion — à juste titre, supposait-il. Il s'apitoyait sur lui-même, mais sans le montrer. Elle avait besoin de la pitié d'autrui, et savait tirer profit de la compassion qu'on lui offrait. En fin de compte, cela l'avait sauvée. Cela l'avait protégée de la terrible méditation qui le maintenait si souvent éveillé tandis qu'elle sombrait doucement dans un sommeil favorisé par un dernier verre d'alcool. Tandis qu'elle dormait, il méditait sur le fait qu'en ce bas monde un amas de cellules de la taille d'une noix pouvait arracher à jamais un fils à l'affection des siens.

Il ne l'avait jamais haïe pour cela. Il ne lui en avait jamais voulu de guérir, et n'avait jamais été jaloux de la déférence que les autres femmes lui témoignaient comme si c'était son droit. Elles la considéraient comme un jeune prospecteur pétrolier considère un vétéran couvert de roses et fragiles cicatrices de brûlures : avec le respect qu'ont les gens qui n'ont jamais été blessés pour ceux qui ont survécu à l'épreuve du feu. A cause de Charlie, elle avait traversé l'enfer, et ces femmes le savaient. Mais elle en était sortie. Il y avait eu un Avant, et puis l'Enfer, et puis un Après, et même un Après-Après, lorsqu'elle avait recommencé à assister aux réunions de deux des quatre clubs féminins dont elle faisait partie, s'était mise au macramé (l'année dernière, elle lui avait fait une magnifique ceinture en cordelette tressée, avec une lourde boucle en argent portant le monogramme BGD), avait pris l'habitude de regarder tous les après-midi les feuilletons télévisés et Merv Griffin recevant des célébrités.

Et maintenant, quoi ? se demanda-t-il en regagnant le living. Un Après-Après-Après ? Apparemment. Une nouvelle femme, une femme intacte, s'était levée des cendres qu'il avait si cruellement remuées. Le vieux prospecteur pétrolier avec des greffes de peau sur ses brûlures, riche à la fois de son expérience et de son nouveau look. Une beauté uniquement superficielle ? Non. La beauté est dans l'œil de celui qui regarde. Elle n'est pas seulement à fleur de peau.

Ses cicatrices à lui ne se voyaient pas. Au cours des longues nuits qui avaient suivi la mort de Charlie, il avait examiné ses blessures une à une, les cataloguant avec la fascination morbide d'un homme qui observe ses selles en y cherchant des traces de sang. Il aurait voulu voir Charlie jouer dans l'équipe des juniors. Il aurait voulu pousser des exclamations enthousiastes en consultant son bulletin scolaire. Il aurait voulu lui répéter encore et toujours de ranger sa chambre. Se faire de la bile au sujet des filles avec lesquelles Charlie sortait, des copains qu'il choisissait, de ses enthousiasmes et de ses dépressions. Il aurait voulu voir ce que son fils allait devenir, et s'ils allaient continuer à s'aimer, jusqu'au jour ou un petit tas de cellules de la grosseur d'une noix s'était interposé entre eux, comme une femme ténébreuse et rapace.

Mary lui avait dit : « *C'est ton fils.* »

C'était la vérité. Ils semblaient tellement faits l'un pour l'autre, tellement proches, que les noms étaient absurdes, et les pronoms eux-mêmes presque obscènes. Ils étaient devenus George-et-Fred, combinaison un peu comique, unis tels Don Quichotte et Sancho Pança contre le monde entier.

Et si un simple amas de cellules malignes pouvait détruire toutes ces choses si personnelles qu'elles en devenaient inexprimables, que l'on n'osait pratiquement pas se les avouer à soi-même, que restait-il ? Comment, après cela, avoir de nouveau confiance en la vie ? Comment la considérer autrement qu'un fatal et absurde accident du samedi soir ?

Il portait tout cela en lui, mais ne s'était réellement pas rendu compte que ces pensées le changeaient de façon aussi profonde et irrévocable. Et maintenant, tout cela était révélé au grand jour, comme une masse obscène vomie sur la table d'un café, débris mal digérés nageant dans des sucs malodorants, et si le monde n'était vraiment qu'une voiture folle fonçant vers un accident fatal, n'était-il pas justifié d'en descendre en route ? Mais ensuite, quoi ? Le monde n'était apparemment guère plus qu'une préparation à l'enfer.

Il s'aperçut qu'il était arrivé au living un verre vide à la main. Il avait tout bu dans la cuisine.

31 décembre 1973

Il n'était plus qu'à quelques centaines de mètres de la maison de Wally Hamner lorsqu'il fouilla dans la poche de son pardessus pour voir s'il lui restait des pastilles de menthe. Il n'y en avait pas ; il trouva par contre un petit carré de papier d'aluminium soigneusement plié, qui brillait doucement à la lueur du tableau de bord de la LTD. Il y jeta un coup d'œil indifférent et vaguement surpris, et faillit le jeter dans le cendrier avant de se souvenir de ce que c'était.

Il se remémora la voix d'Olivia lui disant : *Mescaline synthétique Formule Quatre. Un truc superpuissant.*

Il rangea le petit paquet dans son veston et s'engagea dans la rue de Walter. Des voitures étaient garées à perte de vue. Cela ressemblait bien à Walter. A quoi bon donner une simple soirée pour quelques amis, quand on peut en faire un rassemblement de masse ? Wally appelait cela le Principe de la Poussée du Plaisir. Un jour, proclamait-il, il allait faire breveter l'idée et publier un manuel exposant le mode d'emploi. En soi, le principe était fort simple : il suffit de réunir un nombre suffisant de gens pour être contraint de s'amuser — pour y être poussé. En écoutant un jour Wally exposer sa théorie dans un bar, il avait mentionné les lynchages collectifs effectués par une foule hystérique. « Et voilà ! avait dit Wally avec un sourire mielleux. L'exemple cité par Bart vient à l'appui de ma thèse. »

Il se demanda ce qu'Olivia pouvait bien faire en ce moment. Elle n'avait pas essayé de le rappeler — si elle l'avait fait, il se serait probablement laissé amadouer, et aurait accepté son appel. Peut-être était-elle restée à Las Vegas juste le temps de se faire payer, puis avait pris un bus pour... pour le Maine ? Imagine-t-on quelqu'un quitter Las Vegas pour le Maine au beau milieu de l'hiver ? Sûrement pas.

Ils appellent ça Formule Quatre. Un truc superpuissant.

Il réussit à trouver une place pas trop loin, derrière une GTX rouge à bande latérale noire, et descendit. Pour ce dernier soir de l'année, le ciel était clair. Un mince croissant de lune, d'un blanc de glace, était entouré d'une pléiade d'étoiles ; il en avait rarement vu autant. Le froid était si vif qu'il sentait des cristaux de glace se former dans ses narines quand il respirait.

De loin, il entendait déjà les graves de la stéréo. Les soirées de Wally, c'était quand même quelque chose, poussée du plaisir ou pas. Même ceux qui avaient la ferme intention de ne rester qu'un moment ne pouvaient plus décoller, et finissaient par boire jusqu'à avoir la tête pleine de carillons argentins qui allaient, le lendemain, se transformer en lourdes cloches de plomb. Les ennemis les plus irréductibles du rock en arrivaient, à l'heure où tout le monde était complètement soûl, à considérer que la fin des années cinquante et le début des années soixante avaient été l'apogée de leur existence. Ils buvaient et dansaient le boogie, dansaient le boogie et buvaient jusqu'à ne plus savoir qui ils étaient. Il y avait plus qu'ailleurs et plus que jamais des baisers échangés dans la cuisine, davantage de pelotages par centimètre carré de peau nue ou habillée et de gens habituellement sobres et sérieux qui allaient inaugurer la nouvelle année avec d'horribles gueules de bois et le souvenir plus horrible encore de s'être exhibés coiffés d'un abat-jour ou d'avoir finalement sorti à leur patron quelques vérités pas piquées des vers. Wally semblait inspirer ces choses, non par un effort conscient, mais simplement en étant Wally — et, bien sûr, aucune de ses soirées ne battait le réveillon du Nouvel An.

Il se surprit à parcourir du regard la double file de voitures garées de part et d'autre de la maison de Wally. Non, la Delta 88 vert bouteille de Steve Ordner n'était apparemment pas là.

Autour de la basse insistante et inimitable, le reste du groupe rock prit corps, et il entendit Mick Jagger hurler :

Ooooh, children —
It's just a kiss away,
Kiss away, kiss away...

Toutes les lumières étaient allumées — au diable la crise de l'énergie — sauf, bien sûr, dans le living, pour ne pas gêner les rapprochements intimes. En dépit des décibels de la musique amplifiée, il pouvait entendre le son de cent voix menant cinquante conversations simultanées, comme si Babel venait juste de s'écrouler.

Toute réflexion faite, se dit-il, si ç'avait été l'été, ou même l'automne, il aurait été plus drôle de rester dehors, à écouter ce cirque et à suivre sa montée vers le paroxysme, puis son affaiblissement progressif. Il se vit soudain — image surprenante et effroyable — sur la pelouse de Wally Hamner, tenant entre ses mains un électro-encéphalogramme couvert de dents de scie irrégulières indiquant des fonctions mentales perturbées : l'enregistrement authentique d'un dantesque et multiple cerveau cancéreux. Il sentit un frisson le parcourir et mit ses mains dans ses poches pour les réchauffer.

Sa main droite tomba de nouveau sur le petit paquet en feuille d'aluminium. Il le sortit, et, malgré le froid qui enfonçait ses petites dents anesthésiantes dans ses doigts, le déplia, curieux de voir ce qu'il contenait. C'était une pilule rouge, qui aurait tenu à l'aise sur l'ongle de son auriculaire. Nettement plus petite que, disons, une noix. Un objet aussi petit pouvait-il réellement le rendre cliniquement fou, lui faire voir des choses qui n'existaient pas, le faire penser comme il n'avait jamais pensé ? Pouvait-il, en deux mots, simuler tous les symptômes de la maladie mortelle de son fils ?

D'un geste naturel, sans trop penser à ce qu'il faisait, il porta la pilule à sa bouche. Elle n'avait aucun goût. Il l'avala.

« BART ! hurlait la femme. " BART DAWES ! " » Elle portait une robe noire très décolletée et tenait un verre de Martini à la main. Ses cheveux, également noirs, étaient retenus par un étincelant bandeau de strass.

Il était entré par la cuisine, qui était tellement

pleine de monde qu'on pouvait à peine passer. Il n'était que huit heures et demie : l'Effet de Marée avait à peine commencé. L'Effet de Marée était un autre aspect de la théorie de Walter : au fur et à mesure que la soirée s'avançait, affirmait-il, les invités migraient peu à peu vers les quatre coins de la maison. « Le centre ne tient pas », disait Wally en hochant sentencieusement la tête. « Comme l'a écrit T. S. Eliot. » Une fois, il aurait même vu un type errer dans le grenier dix-huit heures après la fin d'une de ses soirées.

La femme en robe noire l'embrassa sensuellement sur la bouche, plaquant son abondante poitrine sur son torse. Non sans renverser un peu de son Martini par terre.

« Salut ! dit-il. Qui vous êtes ?

— Tina. Tina *Howard,* Bart. Tu ne te souviens pas du voyage scolaire ? » Elle agita dangereusement près de son nez un long index pointu, à l'ongle vernis de rose. « OOOH LE VILAIN GARÇON !

— *Tina !* Mais oui ! » s'exclama-t-il avec un large sourire de surprise. C'était une autre particularité des soirées de Walter : un tas de gens surgissaient de votre passé, comme une collection de vieilles photos. Votre meilleur copain du quartier quand vous aviez dix ans ; la fille que vous aviez failli draguer au lycée ; un gars qui avait travaillé avec vous pendant un mois, quand vous faisiez des boulots d'étudiants vingt ans auparavant.

« A cela près que je m'appelle maintenant Tina Howard Wallace, continua la femme en noir. Mon mari doit être quelque part... par là... » Elle jeta un regard vague autour d'elle, renversa de nouveau une partie de son Martini, et se hâta d'avaler le reste. « Mais c'est TERRIBLE ! Comment ai-je fait pour le perdre... »

Elle posa sur lui un regard calculateur ; Bart avait du mal à croire que cette femme lui avait offert son premier contact avec la chair de l'autre sexe. Oui, le voyage des élèves de seconde année, à la *high school* de Cleveland ! Il y avait, oh, certainement cent neuf ans. Il avait caressé ses seins sous le coton blanc de son corsage à col marin et aussi...

« Le ruisseau de Cotter », dit-il.

Elle pouffa de rire. « Je vois que tu n'as pas oublié, hein... »

Par un réflexe involontaire mais parfaitement adapté aux circonstances, il abaissa son regard sur le décolleté de Tina, qui hurla de rire. Il eut de nouveau ce sourire incrédule. « Et oui, le temps passe plus vite que nous ne...

— Bart ! s'écria Wally Hamner, couvrant le bourdonnement insistant des conversations. Salut, mon vieux, content que tu aies pu venir ! »

Il traversa la pièce avec aisance, grâce au fameux (et brevetable) Zigzag Wally Hamner. Grand et mince, ayant perdu la plupart de ses cheveux, il portait une impeccable chemise à fines rayures d'époque 1962 et des lunettes à monture de corne. Il secoua la main que Walter lui tendait — sa poignée de main était aussi solide que toujours.

« Je vois que tu as fait la connaissance de Tina Wallace.

— Oh, il y a belle lurette que c'est fait, dit-il avec un sourire narquois à l'adresse de Tina.

— Ne va surtout pas raconter ça à mon mari, vilain garçon, pouffa Tina. Vous m'excusez ? A tout à l'heure, Bart ?

— Bien sûr », dit-il.

Elle disparut après avoir contourné un groupe de gens agglutinés autour d'une table couverte de chips et de biscuits-apéritif. Il la suivit du regard, tout en disant à Walt : « Comment fais-tu ? C'est la première fille que j'ai peloté de ma vie, tu te rends compte ? »

Walter haussa les épaules avec modestie : « C'est compris dans le Principe de la Poussée du Plaisir, mon vieux Barton. » Il désigna le sachet en papier qu'il tenait sous le bras : « Qu'est-ce que c'est ?

— Une bouteille de Southern Comfort. Tu as de la ginger ale, j'espère ?

— Bien sûr, dit Walter avec un sourire qui se transforma aussitôt en grimace. Tu vas vraiment boire ça ? C'est réservé aux vieux sentimentaux du Sud. Je croyais que tu étais au scotch ?

— En privé, je ne bois rien d'autre. Mais c'est la première fois que je montre mon vice au grand jour. »

Walter sourit. « Mary ne doit pas être loin. Elle guettait ton arrivée. Va te servir et on ira à sa recherche.

— D'accord. »

Il se fraya un chemin à travers la vaste cuisine, saluant des gens qu'il connaissait vaguement et qui ne semblaient pas se souvenir de lui, et répondant au salut de gens qu'il ne se souvenait pas avoir rencontrés auparavant. D'épaisses volutes de fumée de cigarette s'élevaient lentement vers le plafond. Les conversations avaient de surprenantes variations d'intensité, comme un émetteur ondes courtes lointain que l'on écoute tard la nuit ; elles étaient dans l'ensemble gaies, animées, et dénuées de toute signification.

... Comme Freddy et Jim n'avaient pas leurs feuilles de présence, j'ai...

... dit que sa mère était décédée depuis peu et que s'il buvait trop, il allait se mettre à chialer...

... après avoir gratté la peinture, il a vu que c'était une vraiment belle pièce, peut-être prérévolutionnaire...

... quand ce petit youpin a sonné à la porte; il vendait des encyclopédies...

... moche, vraiment moche; il refuse le divorce à cause des mômes et boit comme un...

... robe absolument ravissante...

... tellement bu qu'au moment de payer l'addition, il a dégobillé sur la serveuse...

Une longue table en Formica posée devant la cuisinière était pleine de bouteilles ouvertes et de verres petits et grands, propres et sales, vides et pleins. Les cendriers débordaient déjà de bouts filtre. Trois seaux emplis de glaçons étaient posés dans l'évier. Au-dessus de la cuisinière, un grand poster montrait Richard Nixon portant un casque stéréo, dont le fil aboutissait à l'anus d'un âne occupant un des bords de l'image. La légende disait :

NOUS VOUS ÉCOUTONS MIEUX !

Sur sa gauche, un homme portant un pantalon à pattes d'éléphant et tenant un verre dans chaque main (un verre à limonade empli d'un liquide ambré ressemblant fort à du whisky, et une grande chope de bière) racontait une histoire drôle à un petit groupe : « Un type va dans un bar, et voilà qu'un singe s'assied sur le tabouret à côté de lui. Le type commande un demi et quand le barman le sert, il lui demande : “ A qui est ce singe ? Il a l'air malin comme tout. ” Le barman lui dit : “ Ça ? C'est le singe du pianiste. ” Alors le type se retourne... »

Il se prépara un drink, puis chercha Walter des yeux, mais celui-ci était allé accueillir un jeune couple qui venait d'arriver. L'homme portait une casquette à carreaux, des lunettes protectrices à verres ronds et une vieille capote d'automobiliste. D'énormes éclats de rire lui parvinrent, couverts par la voix tonitruante de Walter. Ça devait en être une bien bonne, et qui remontait loin.

« ... alors le type s'approche du pianiste et lui dit : “ Savez-vous que votre singe vient de pisser dans ma bière ? ” Et le pianiste répond : “ Non, mais fredonnez-moi-z-en quelques mesures, et je vais en faire autant ”. » Rires polis. L'homme au pantalon à pattes d'éléphant avala une gorgée de son whisky et le fit descendre avec une bonne rasade de bière.

Son verre à la main, il s'aventura dans le living à peine éclairé, contournant prestement Tina Howard Wallace avant qu'elle ne l'agrippe pour lui raconter — et lui faire raconter — toute sa vie. Il la soupçonnait fort d'être le genre de personne qui connaît par le menu les vies des anciens camarades de classe qui ont mal fini — elle devait se délecter des divorces, maladies mentales et délits criminels, mais faire fi de ceux qui ont réussi leur vie.

Quelqu'un avait mis l'inévitable album de rock des années cinquante, et une quinzaine de couples dansaient le jitterbug — mal, mais en s'amusant comme des fous. Il aperçut Mary, dansant avec un homme grand et mince qu'il connaissait sans pour autant se souvenir de son nom. Jack ? John ? Jason ? Il hocha la tête : ça ne venait pas. Mary portait une robe qu'il ne lui avait jamais vue, boutonnée sur le côté, avec suffisamment de boutons laissés ouverts en bas pour révéler jusqu'au-dessus du genou une jambe gainée de nylon. Il s'attendait à ressentir une émotion forte : jalousie, frustration, voire seulement le simple et familier désir. En vain.

Elle tourna la tête et le vit. Il lui fit un petit signe de la main : *Vas-y, finis ta danse* — mais elle s'arrêta aussitôt et vint vers lui, entraînant son partenaire derrière elle.

« Je suis tellement heureuse que tu sois là, Bart ! dit-elle en haussant le ton pour couvrir le vacarme des conversations, des rires et de la musique. Tu te souviens de Dick Jackson ? »

Bart avança la main, et l'homme grand et mince la secoua. « Votre femme et vous habitiez la même rue que nous il y a cinq... non, sept ans. Je me trompe ? »

Jackson secoua la tête. « Nous avons une maison à Willowood, maintenant. »

Un lotissement, pensa-t-il. Il était très sensibilisé à la géographie de la ville.

« C'est pas mal. Vous travaillez toujours chez Piels ?

— Non, j'ai monté ma propre affaire. Deux semi-remorques. A propos, si jamais votre blanchisserie a besoin d'un transporteur. Pour des produits chimiques, par exemple...

— Je ne travaille plus à la blanchisserie. » Mary eut un petit sursaut involontaire, comme si quelqu'un avait touché une cicatrice mal refermée.

« Ah bon ? Et que faites-vous ?

— Je suis à mon propre compte, dit-il avec un sourire. Vous avez participé à la grève des camionneurs indépendants ? »

Le visage de Jackson, déjà empourpré par l'alcool,

devint violacé. « Et comment ! J'ai même remis sur le droit chemin un mec qui ne comprenait pas qu'il faut tous être unis. Vous savez combien ces salauds nous font payer le gas-oil dans l'Ohio ? Trente-deux cents ! Ça ramène ma marge de douze à neuf pour cent, et là-dessus, il faut que je paie l'entretien des camions ! Sans même parler de cette connerie de limitation de vitesse... »

Tandis qu'il s'étendait sur les misères du camionnage indépendant dans un pays soudain en proie aux affres d'une crise pétrolière, Bart l'écoutait d'une oreille distraite, approuvant du chef quand cela s'imposait et sirotant son drink. Mary s'excusa et alla se chercher un verre de punch à la cuisine. L'homme en capote d'automobiliste dansait un charleston comique sur un vieux morceau des Everly Brothers ; les gens riaient et applaudissaient.

La femme de Jackson, une solide fille musclée à la poitrine abondante et aux cheveux roux, vint les rejoindre. Elle tenait à peine debout. Ses yeux clignotaient comme les tilts d'un billard électrique. Après lui avoir serré la main avec un sourire absent, elle dit à Dick : « Chéri, ça ne va pas... Où sont les toilettes ? » Jackson la prit par le bras et fendit la foule.

Il alla s'asseoir sur une des chaises bordant la piste de danse. En quelques gorgées, il vida son verre. Mary mettait longtemps à revenir. Sans doute n'arrivait-elle pas à se dépêtrer d'une quelconque conversation.

Il sortit un paquet de cigarettes de la poche intérieure de son veston, et en alluma une. Il ne fumait plus qu'en des occasions comme celle-ci. Une victoire dont il n'était pas peu fier : quelques années auparavant, il faisait partie de la brigade des futurs cancéreux à trois paquets par jour.

Il avait à moitié fumé sa cigarette, tout en guettant l'apparition de Mary à la porte de la cuisine, lorsqu'il regarda par hasard ses doigts ; ce qu'il vit le fascina. C'était passionnant, la façon dont l'index et le majeur de sa main droite tenaient la cigarette, comme s'ils n'avaient fait que cela toute leur vie durant. Comme s'ils avaient toujours fumé.

Cette idée lui parut si drôle qu'il ne put s'empêcher de sourire.

Il examinait ses doigts depuis très longtemps, lui semblait-il, lorsqu'il remarqua qu'il avait un goût différent dans la bouche. Pas mauvais, simplement différent. Sa salive semblait s'être épaissie. Et ses jambes... elles étaient toutes frétillantes, comme si elles voulaient marquer le rythme de la musique, et comme si ce mouvement allait les soulager, leur rendre leur calme, les faire redevenir de vraies jambes simples et solides.

Il trouva un peu inquiétante la façon dont cette pensée, si banale au début, avait pris une nouvelle direction, avançant en tire-bouchon, comme un homme perdu dans une grande maison et montant un escalier de *crrrristal.*

Ça y est, ça recommençait ! Sans doute l'effet de cette pilule. La pilule d'Olivia. C'était bien, cette façon de dire le mot cristal. *Crrristal,* ça lui donnait un son crissant, croustillant, comme le costume d'une stripteaseuse.

Il eut un sourire rusé et regarda sa cigarette, qui lui parut d'une *blancheur* étonnante, d'une stupéfiante *rondeur,* extraordinairement symbolique du rembourrage et de la richesse de l'Amérique. Il n'y avait qu'en Amérique que les cigarettes étaient si savoureuses. Il en aspira une bouffée. Hmmm, merveilleux ! Il pensa à toutes les cigarettes américaines sortant des chaînes de production de Winston-Salem, une pléthore de cigarettes, une marée, une moisson sans fin de cigarettes immaculées. C'était la mescaline, pas de doute. Il commençait à triper. Si les gens savaient ce qu'il venait de penser au sujet du mot *cristal (crrristal)*, ils hocheraient la tête d'un air entendu et diraient : *Complètement marteau, ce type. Complètement maboul.* Encore un chouette mot, ça. Ah ! ça serait bien que Sally le Borgne soit là. Ils discuteraient du travail de l'Organisation. Ils parleraient de vieilles putes et de règlements de comptes. Il se vit mangeant des linguini avec Sally Magliore dans un petit *ristorante* italien aux murs de couleur sombre et aux tables balafrées, pendant que la stéréo diffusait en sourdine la musique du *Parrain*. Tout ça en Technicolor plus vrai que nature, dans lequel on pouvait se plonger comme dans un bain moussant.

« *Crrristal* », murmura-t-il dans sa barbe, avec un large sourire. Il avait l'impression d'être assis à ruminer toutes ces choses depuis très, très longtemps, mais sa cigarette en était toujours à la moitié, sans même de la cendre au bout. Stupéfiant. Il en tira une nouvelle bouffée.

« Bart ? »

Il leva la tête. C'était Mary. Il lui sourit. « Assieds-toi. C'est pour moi, ça ?

— Oui. » Elle lui tendit un petit sandwich triangulaire contenant une matière rosâtre. Il lui vint à l'esprit que Mary serait absolument horrifiée si elle savait qu'il avait pris de la drogue. Elle appellerait peut-être le Samu ou la police ou Dieu sait qui. Il fallait à tout prix qu'il ait un comportement normal. Mais à la seule idée de se comporter normalement, il se sentait plus bizarre que jamais.

« Je le mangerai plus tard, dit-il en fourrant le sandwich dans sa poche.

— Tu es soûl, Bart ?

— Juste un peu », dit-il. En regardant le visage de Mary, il voyait tous les pores de sa peau. Il ne les avait jamais vus aussi nettement. Tous ces petits trous, comme si Dieu était un cuistot, et elle, la croûte d'un pâté. Il gloussa, et l'expression de plus en plus réprobatrice de Mary l'incita à dire : « Ecoute, mais ne le dis à personne.

— Dire quoi ? demanda-t-elle, la réprobation se muant en stupeur.

— Formule Quatre.

— Bart, mais au nom du ciel, qu'est-ce que tu...

— Il faut que j'aille aux toilettes. Je reviens. » Il partit sans la regarder, mais sentit sa stupeur et sa réprobation lui irradier le dos comme la chaleur d'un four à micro-ondes. S'il ne se retournait pas pour la regarder, elle ne se douterait peut-être de rien. Dans ce monde, le meilleur de tous les mondes possibles, tout pouvait arriver. Même des escaliers de crrristal. Il eut un sourire ému. Le mot était devenu une vieille connaissance.

Le trajet jusqu'aux toilettes devint une odyssée, un safari. Le bruit qui l'entourait semblait avoir pris un rythme cyclique. IL SEMBLAIT monter et faiblir, S'ÉLOIGNER ET revenir en séquences DE TROIS syllabes et même la STÉRÉO était tantôt FAIBLE tantôt FORTE. Il marmonna quelques mots aux gens qu'il pensait connaître mais se refusa à engager une quelconque conversation : il se contentait de montrer sa braguette du doigt, souriant, et continuait son chemin, suivi par des regards stupéfaits et incrédules. Même pas moyen de trouver une soirée où il n'y a que des inconnus, ronchonnait-il dans sa barbe.

Les toilettes étaient occupées. Il attendit devant la porte pendant un temps qui lui parut durer des heures, et quand la place fut enfin libre, il s'aperçut qu'il était incapable d'uriner bien qu'il en ressentît l'envie. Il regarda le mur au-dessus de la chasse d'eau et le mur sembla se tordre, se gonfler et se rétracter sur un rythme à trois temps. Il tira la chasse bien qu'il n'eût rien fait — dehors, quelqu'un écoutait peut-être — et regarda l'eau tourbillonner dans la cuvette des W.-C. Elle avait une sinistre couleur rose, comme si le dernier utilisateur avait pissé du sang. Troublant.

Il sortit des toilettes et reçut les bruits et les images en pleine figure. Des visages apparaissaient et disparaissaient, comme des ballons poussés par le vent. Mais la musique était bien. C'était Elvis. Brave Elvis. Vas-y, mon vieux rocker, montre-leur !

Le visage de Mary apparut, puis plana à sa hauteur. Elle paraissait inquiète : « Qu'est-ce que tu as, Bart ?

— Je n'ai rien ! Tout va bien. »

Sa stupéfaction était sans bornes. Les mots lui étaient apparus comme une succession visuelle de notes de musique. « J'ai des hallucinations. » Il ne se le disait qu'à lui-même, mais avait parlé à voix haute.

Carrément effrayée maintenant, Mary demanda : « Qu'est-ce que tu as pris, Bart ?

— De la mescaline.

— Ô mon Dieu, Bart ! De la *drogue* ? Mais *pourquoi* ?

— Pourquoi pas ? » rétorqua-t-il, pas pour faire le malin, mais parce que c'était la seule réponse qui lui fût venue. Les mots défilèrent de nouveau comme des notes de musique, mais cette fois, certaines avaient des drapeaux.

« Veux-tu que je t'emmène chez un médecin ? »

Il la regarda avec surprise et examina laborieusement la suggestion de Mary pour déterminer si elle avait des connotations cachées : des échos freudiens sentant l'asile de fous. Il pouffa de nouveau de rire, et son rire s'égrena musicalement de sa bouche, apparaissant à ses yeux comme des notes de cristal sur une portée, séparées par des barres et des silences.

« Pourquoi irais-je voir un docteur ? » dit-il, choisissant chaque mot avec soin. Le point d'interrogation était un ut pointé. « C'est exactement comme elle a dit : pas tellement bon, ni tellement mauvais. Mais intéressant.

— Qui ? demanda-t-elle aussitôt. Qui t'a donné cela ? Où as-tu eu ça ? » Son visage changeait, devenait encapuchonné et reptilien. Mary en détective de polar bon marché, dirigeant la lumière de la lampe sur les yeux du suspect — *alors, McGonigal, qu'est-ce que tu préfères, la méthode douce ou la méthode dure ?* — et, pire encore, elle lui rappela avec un frémissement les histoires de H. P. Lovecraft qu'il avait lues enfant, celles du mythe de Cthullu, où des êtres humains parfaitement normaux se transformaient sur ordre des Anciens en des créatures rampantes et aquatiques. Le visage de Mary prit un aspect écailleux, rappelant vaguement une anguille.

« Peu importe, dit-il, prenant peur. Arrête de m'emmerder. Je te fiche la paix, moi... »

Le visage sembla se replier sur soi-même, et redevint Mary, soucieuse, triste, choquée, et il regretta ce qu'il venait de dire. Dans le tourbillon d'images et de sons, elle répliqua : « Comme tu voudras, Bart. Démolis-toi tant que tu veux si ça te fait plaisir. Mais s'il te plaît, ne me fais pas honte. Je peux te demander ça, quand même ?

— Bien sûr, tu peux... »

Elle était partie en direction de la cuisine, sans même se retourner. Il ressentit à la fois du regret et du soulagement. Et si quelqu'un d'autre essayait de lui parler ? N'importe qui s'en apercevrait. Il était incapable de parler normalement. Pas dans cet état. Il n'arriverait même pas à faire croire qu'il était simplement bourré.

« Rrrrrouit », dit-il, faisant légèrement rouler les *r* contre son palais. Cette fois, les notes sortirent en ligne droite, de petites notes pressées, chacune avec un drapeau. Il pouvait continuer à faire des notes toute la nuit, il n'en demandait pas plus. Mais pas ici, où n'importe qui pouvait l'accoster. Il lui fallait un endroit calme et désert, où il s'entendrait penser. Ici, il avait l'impression de se trouver à côté d'une énorme cascade. Difficile de penser avec ce vacarme. Un bras de rivière bien calme, une petite mare même, ce serait mieux. Avec la radio, peut-être. Il supposait qu'écouter de la musique l'aiderait à penser. Et il avait besoin de penser. A un tas de choses, à plein, plein, plein de choses.

Il avait également la très nette impression que les gens commençaient à regarder dans sa direction. Mary l'avait sûrement dit à deux ou trois amis. *Je suis inquiète, Bart a pris de la mescaline.* Bientôt, tout le monde serait au courant. Ils allaient continuer à faire semblant de danser, de boire, de bavarder, mais en fait ils seraient surtout occupés à l'observer à la dérobée, chuchotant des remarques à son sujet. Il s'en rendait bien compte. C'était clair comme le crrrristal.

Un homme passa devant lui ; il tenait un verre démesuré, et tanguait légèrement. Il saisit l'homme par le revers de son veston de tweed et lui murmura d'une voix rauque : « Que racontent-ils à mon sujet ? »

L'homme lui adressa un sourire mécanique et lui souffla une chaude bouffée de scotch en plein visage : « Excellente remarque. Je vais la noter sur mon carnet », dit-il, puis continua son chemin.

Plus tard (il n'aurait su dire combien de minutes ou d'heures s'étaient écoulées), il trouva le chemin du cabinet de travail de Walter Hamner et referma la porte derrière lui, ce qui atténua sensiblement le bruit, à son grand soulagement. Il commençait à avoir peur. Loin de diminuer, l'effet de la Formule Quatre devenait de plus en plus fort. Il lui semblait avoir traversé le living d'un bout à l'autre en l'espace d'un clin d'œil ; en un autre clin d'œil, il était passé par la chambre à coucher, transformée en vestiaire pour l'occasion et de nouveau en l'espace d'un clin d'œil, il avait suivi le couloir. La chaîne de l'existence normale s'était rompue, répandant au hasard des perles de réalité. La continuité était brisée. Sa conscience du temps était détruite, cassée, kaput. Et s'il ne « redescendait » jamais ? S'il restait ainsi pour toujours ? Peut-être qu'en se roulant en boule et en dormant jusqu'à ce que cela passe... mais il n'était pas certain d'en être capable. Et s'il s'endormait, Dieu seul savait quels rêves viendraient le visiter. Il était consterné par l'insouciance avec laquelle il avait pris cette drogue. Ce n'était pas du tout comme l'ivresse de l'alcool : il ne subsistait pas ce rassurant noyau de sobriété qui permettait de ne pas perdre pied. Cette folie-là le pénétrait de part en part.

C'était tout de même mieux ici. Seul, il serait peut-être capable de se contrôler. Et s'il perdait complètement les pédales, au moins il ne...

« Bonsoir ! »

Il sursauta, pris par surprise, et regarda dans la direction de la voix. Dans un coin de la pièce, un homme était assis sur une chaise à haut dossier, près de la bibliothèque. De fait, un livre était ouvert sur ses genoux. Etait-ce vraiment un homme, d'ailleurs ? Une seule lumière éclairait la pièce, une petite lampe posée sur un guéridon, à gauche de celui qui avait parlé. La lumière projetait sur son visage des ombres si allongées que ses yeux étaient des cavernes noires, et que des lignes sardoniques, maléfiques entamaient ses joues. Un moment, il crut être tombé sur Satan, tranquillement installé dans le cabinet de travail de Wally. Mais le personnage se leva, et il vit que c'était bien un homme, rien qu'un homme. Grand, dans les soixante ans, avec des yeux bleus et un nez fort malmené par des combats inégaux avec la bouteille. Il n'avait pourtant pas de verre à la main, et il n'y en avait pas davantage sur la table.

« Un autre voyageur égaré, je vois, dit l'homme en lui tendant la main. Permettez que je me présente : Phil Drake.

— Barton Dawes », répondit-il automatiquement, encore mal remis de sa frayeur. Ils échangèrent une poignée de main. Celle de Drake était déformée, couverte des cicatrices d'une blessure ancienne, une brûlure, peut-être. Mais cela ne faisait rien, il la serra de bon cœur. *Drake.* Ce nom lui disait quelque chose, mais où l'avait-il entendu ?

« Ça va ? lui demanda Drake. Vous paraissez un peu...

— Je suis complètement stone. J'ai pris de la mescaline et oh la la ! » Il regarda en direction de la bibliothèque et vit les livres entrer et sortir du mur. Cela ne lui plut pas du tout. On aurait dit les battements d'un cœur gigantesque. Il en avait assez de voir des trucs comme ça.

« Je vois, dit Drake. Asseyez-vous donc, et racontez-moi ça. »

Il regarda Drake, vaguement surpris, puis sentit un soulagement sans bornes l'envahir. Il s'assit. « Vous connaissez la mescaline ? demanda-t-il.

— Oh, un peu. Rien qu'un peu. Je tiens un café, dans un quartier ouvrier. On voit arriver des mômes dans des états bizarres...

— Mmmm.

— C'est un bon trip ? s'enquit Drake poliment.

— Bon et mauvais. C'est surtout fort. Je commençais à avoir un peu peur. » Il regarda par la fenêtre et vit une gigantesque autoroute traverser la sombre voûte des cieux. Il détourna les yeux aussi naturellement que possible, mais ne put s'empêcher de se mordre la lèvre inférieure. « Dites-moi... combien de temps cela dure-t-il, en général ?

— Quand l'avez-vous droppé ?

— Droppé ? » Le mot sortit de sa bouche lettre par lettre, tomba sur le tapis et fut dissous.

« Quand avez-vous pris la dope ?

— Ah ! Vers huit heures et demie.

— Et il est... » Il consulta sa montre. « Dix heures moins le quart.

— *Dix* heures moins le quart ! C'est *tout* ? »

Drake sourit. « La conscience du temps devient élastique, hein ? Je suppose que ça ira nettement mieux vers une heure, une heure et demie du matin.

— Vraiment ?

— Oh oui. Vous avez probablement atteint le sommet. C'est très visuel ?

— Un peu *trop* visuel.

— Davantage de choses à voir que l'œil de l'homme ne peut en contempler, fit observer Drake avec un curieux sourire tordu.

— C'est ça, oui. Exactement. » En compagnie de cet homme il se sentait sauvé, hors de danger. « Et que faites-vous, quand vous ne parlez pas à des types qui sont tombés dans le terrier du lapin ?

— Bravo ! fit Drake en souriant. Très bien ! En général, les gens qui ont pris de la mesc ou de l'acide deviennent incohérents, ou complètement incapables de parler. Je passe la plupart de mes soirées à répondre aux appels à SOS-Amitié. L'après-midi, je suis au café dont je vous ai parlé. Il s'appelle le Drop Down Mamma. La clientèle est surtout composée de jeunes drop-outs et de clochards alcolos. Le matin, je fais simplement un tour dans les rues et je parle à mes paroissiens, s'ils sont levés. Je rends aussi quelques services à la prison du comté.

— Vous êtes prêtre ?

— Un prêtre des rues, comme on dit. Très romantique, n'est-ce pas ? Il fut un temps où j'étais un vrai prêtre.

— Mais vous ne l'êtes plus ?

— J'ai quitté la mère Eglise. » Drake avait dit cela sur un ton léger, mais l'on sentait que c'était terriblement irrévocable. Il eut l'impression d'entendre un portail de prison se fermer à jamais.

« Pourquoi ?

— C'est sans importance, répondit Drake avec un haussement d'épaules. Parlons plutôt de vous. D'où avez-vous eu la mescaline ?

— Un cadeau d'une fille en route pour Las Vegas. Une brave fille, je crois. Elle m'a téléphoné le jour de Noël.

— Un appel à l'aide ?

— Je crois.

— L'avez-vous aidée ?

— Je ne sais pas. » Il eut un sourire rusé : « Père, parlez-moi de mon âme immortelle. »

Drake sursauta. « Je ne suis pas votre père.

— Mettons que je n'ai rien dit.

— Et que voudriez-vous savoir au sujet de votre " âme " ? »

Il baissa la tête et regarda ses doigts. Il pouvait à volonté en faire surgir des éclairs de lumière. Cela lui donnait un enivrant sentiment de toute-puissance. « Je voudrais savoir ce qu'il adviendra d'elle si je me suicide. »

Drake se rembrunit. « Il ne faut pas penser à ce genre de chose quand on fait un trip. C'est la drogue qui parle, pas vous.

— *Je* vous parle. Répondez-moi.

— Je ne peux pas. J'ignore ce que deviendra votre " âme " si vous vous suicidez. Je sais par contre ce qui arrivera à votre corps. Il pourrira. »

Alarmé par cette idée, il regarda de nouveau ses doigts. Docilement, ils commencèrent à s'effriter sous son regard, ce qui le fit penser à *L'Etrange Cas de M. Valdemar,* de Poe. Quelle nuit ! Poe et Lovecraft. A. Gordon Pym est dans l'assistance ? Et Abdul Allhazred, l'Arabe Fou ? Il releva les yeux, un peu troublé, mais pas vraiment intimidé.

« Que fait votre corps ? lui demanda Drake.

— Hein ? » Il plissa le front, essayant de deviner le véritable sens de la question.

« Il existe deux trips, expliqua Drake. Un dans la tête, et un autre dans le corps. Vous avez la nausée ? Des douleurs un peu partout ? Ou autre chose ? »

Il consulta son corps. « Non, rien de tout cela. Je me sens seulement... occupé, très occupé. » Le mot le fit rire et Drake sourit. C'était le meilleur terme pour décrire ce qu'il ressentait. Même au repos, son corps lui semblait très actif. Léger, mais pas éthéré. Au contraire, il ne s'était jamais senti aussi *charnel,* aussi conscient de la façon dont ses processus mentaux et son corps physique étaient reliés, comme la chaîne et la trame d'un tapis. Impossible de les séparer. C'est comme ça, mon gars, faut s'y faire. Intégration. Entropie. L'idée lui apparut avec la soudaineté d'un lever de soleil sous les tropiques. Il resta un moment à la ruminer dans le contexte de sa situation actuelle, essayant d'en dégager le sens, s'il en existait un. Mais...

« Mais il y a l'âme, dit-il à voix haute.

— Et alors ? demanda Drake avec affabilité.

— Si on tue le cerveau, on tue le corps, dit-il lentement. Et vice versa. Mais que devient l'âme, dans tout cela ? Voilà l'inconnue, pè... M. Drake.

— Dans le sommeil de la mort, quels rêves ferons-nous ? *Hamlet,* M. Dawes.

— Pensez-vous que l'âme est immortelle ? Y a-t-il une survie ? »

Le regard de Drake s'assombrit. « Oui, je crois qu'il existe une survie... une certaine forme de survie.

— Et croyez-vous que le suicide soit un péché mortel qui condamne l'âme à l'enfer ? »

Drake resta un long moment silencieux avant de répondre : « Le suicide est mal. Cela, je le crois de tout mon cœur.

— Cela ne répond pas à ma question. »

Drake se leva. « Je n'ai aucunement l'intention d'y répondre. La métaphysique, ce n'est plus ma partie. Je suis un simple civil. Vous voulez aller rejoindre les autres ? »

Il pensa au bruit et à la confusion, et secoua la tête.

« Rentrer chez vous, alors ?

— Je ne peux pas prendre ma voiture. J'aurais trop peur.

— Je peux vous conduire.

— Réellement ? Mais comment ferez-vous pour repartir ?

— J'appellerai un taxi de chez vous. Nous sommes le dernier jour de l'an : une excellente nuit, pour les taxis.

— Ça serait formidable ! dit-il avec reconnaissance. Cela me ferait du bien d'être seul, je crois. Je regarderais volontiers la télé.

— Serez-vous en sécurité, seul ? demanda gravement Drake.

— Personne n'est en sécurité », répondit-il tout aussi gravement. Ils éclatèrent tous deux de rire.

« D'accord, on y va. Vous voulez dire au revoir à quelqu'un ?

— Non. On peut sortir par-derrière ?

— Je pense qu'il y a moyen. »

Il ne parla guère, pendant le trajet. Regarder défiler les feux, c'était déjà bien assez excitant pour lui. Lorsqu'ils passèrent près du chantier, il demanda à Drake ce qu'il en pensait.

« Ils construisent des autoroutes pour des monstres qui dévorent de l'essence pendant que des gosses crèvent de faim, répondit sèchement Drake. Ce que j'en pense ? Je pense que c'est un crime. »

Il était sur le point de parler à Drake des cocktails Molotov, de la grue et du bureau en proie aux flammes, puis se ravisa. Drake pourrait croire que c'était une hallucination. Pire, il pourrait croire que ce n'en était pas une.

Le reste de la soirée fut plutôt confus. Il indiqua à Drake comment se rendre chez lui. Drake fit observer que tous les habitants de la rue étaient des couche-tôt, à moins qu'ils ne soient allés passer le réveillon ailleurs. Il ne fit aucun commentaire. Drake téléphona pour demander un taxi. Ils restèrent un moment à regarder la télé sans parler. Guy Lombardo au Waldorf-Astoria : la musique la plus suave que l'on puisse entendre ici-bas. Ce soir-là, il trouvait que Guy Lombardo ressemblait à une grenouille.

Le taxi arriva à minuit moins le quart. Drake lui demanda de nouveau s'il était sûr que tout irait bien.

« Oui, oui. Je crois que l'effet diminue. » C'était le cas. Les hallucinations ne tenaient plus toute la place ; elles étaient progressivement repoussées vers le fond de son esprit.

Drake ouvrit la porte et remonta le col de son pardessus. « Et cessez de penser au suicide. C'est bon pour les filles. »

Il hocha la tête en souriant, sans pour autant accepter, ni d'ailleurs refuser, la suggestion de Drake. Comme tout ce qu'on lui disait ces temps-ci, c'était une simple information, méritant examen. « Bonne année, lui dit-il.

— A vous également, M. Dawes. »

Le taxi klaxonna impatiemment.

Drake descendit l'allée. Le taxi s'éloigna, avec sa lampe jaune sur le toit.

Il regagna le living et se rassit devant la télévision. Guy Lombardo et le Waldorf-Astoria avaient cédé la place à Times Square, où la boule lumineuse s'apprêtait, du haut du building Allis-Chalmers, à entamer sa descente vers 1974. Il était infiniment las, vidé de toute énergie, et sentait une fatigue bienvenue l'envahir. Dans quelques minutes, il allait commencer l'année nouvelle dans un état second. Quelque part en Amérique, un bébé à la tête aplatie, couvert de placenta, sortait du ventre de sa mère pour faire son entrée dans le meilleur des mondes. Chez Walter Hamner, les invités allaient lever leurs verres en comptant les dernières secondes. Bientôt, les résolutions pour l'année à venir seraient mises à l'épreuve; la plupart se révéleraient aussi fragiles qu'une serviette en papier. Obéissant à une inspiration soudaine, il prit lui aussi une résolution, et se leva en dépit de sa lassitude. Tous ses muscles lui faisaient mal, et sa colonne vertébrale semblait fragile comme du verre. Il alla dans la cuisine et prit son marteau dans le tiroir à outils. Lorsqu'il revint au living, la boule lumineuse s'abaissait déjà. L'écran se divisa en deux : à droite, la boule continuait sa descente ; à gauche, la joyeuse foule du Waldorf psalmodiait : « huit... sept... six... cinq... » Une grassouillette dame de la haute société s'aperçut dans le moniteur, eut une expression de surprise, puis agita la main pour saluer le pays qui la regardait.

La roue du temps, pensa-t-il. Par une réaction absurde, cette image lui donna la chair de poule.

La boule atteignit le sol ; simultanément, un énorme panneau s'alluma au sommet du gratte-ciel :

1974

Au même instant, il abattit le marteau. L'écran de la télévision explosa, vomissant des débris de verre sur le tapis. Il y eut un grésillement électrique, mais pas de flammes. Pour être bien sûr que la télé ne se vengerait pas en le faisant griller vif au cours de la nuit, il arracha la prise d'un coup de pied.

« Bonne et heureuse année », dit-il d'une voix suave, en laissant tomber le marteau sur le sol.

Il s'allongea sur le sofa et s'assoupit immédiatement. Il dormit avec toutes les lumières allumées, et ne fit aucun rêve.

3

Janvier

If I don't get some shelter,
Oh, I'm gonna fade away...

Rolling Stones

5 janvier 1974

Ce qui lui arriva ce jour-là au supermarché Shop'n'Save semblait être le seul et unique événement de sa vie qui fût le fruit d'une volonté consciente et non du hasard. Comme si un doigt invisible avait écrit sur un de ses semblables un texte qu'il était destiné à lire.

Il aimait aller dans les magasins. C'était très apaisant, très normal. Après son trip à la mescaline, il aimait plus que jamais faire des choses normales. Le jour de l'an, il ne s'était réveillé qu'au milieu de l'après-midi et avait passé le reste de la journée à errer sans but dans la maison, se sentant tout bizarre et déconnecté. Un peu partout, il prenait des objets dans la main et les regardait avec curiosité, pareil à Iago examinant le crâne de Yorick. Cette impression avait persisté le lendemain, puis s'était peu à peu atténuée. Dans un autre sens, l'effet avait été bénéfique. Son esprit semblait tout propre et dépoussiéré, comme s'il avait été démonté puis lavé et frotté par une ménagère maniaque. Il ne se soûla pas, et ne pleura donc pas. Lorsque Mary l'avait appelé, très prudemment, le 1er janvier vers sept heures du soir, il lui avait parlé de façon parfaitement calme et sensée, et avait acquis la conviction que leurs positions respectives n'avaient guère évolué. Ils jouaient à une sorte de jeu social, chacun attendant que l'autre fasse le premier pas. Elle avait toutefois dévoilé ses cartes, en mentionnant la possibilité d'un divorce. Oh, pas grand-chose, un imperceptible mouvement du doigt, une éventualité lointaine à peine esquissée, mais tout de même une indication. Toutefois... Non, la seule chose qui le tracassait réellement en ces lendemains de mescaline, c'était le tube brisé de sa télé couleur Zenith. Il ne pouvait s'expliquer pourquoi il avait fait cela. Il désirait une télé couleur depuis des années, bien que ses programmes préférés fussent de vieux films en noir et blanc. L'acte lui-même le désolait d'ailleurs moins que ses traces trop visibles : le verre brisé, le câblage mis à nu. La télé semblait lui dire avec reproche : *Pourquoi as-tu agi ainsi ? Je t'ai servi fidèlement et tu m'as cassée. Je ne t'ai jamais fait de mal et tu m'as fracassée, moi qui était sans défense.* Sans oublier que cela constituait un rappel terrifiant de ce qu'*ils* avaient l'intention de faire à sa maison. Il finit par couvrir le poste d'un vieux plaid. C'était à la fois mieux et pis. Mieux, parce qu'il ne le voyait plus ; pis, parce qu'il avait l'impression d'avoir chez lui un cadavre enveloppé d'un linceul. Il jeta le marteau comme on jette l'arme du crime.

Mais aller dans les magasins, c'était bien, comme de prendre un café au Benny's Grill, de passer la LTD au lavage automatique, ou d'acheter le dernier numéro de *Time* chez Henny's. Le Shop'n'Save était un immense supermarché, éclairé par des tubes fluorescents encastrés dans le plafond, et plein de dames poussant des caddies, rappelant des enfants à l'ordre, ou examinant avec méfiance des tomates emballées dans du plastique transparent qui permettait de les voir mais non de les palper. De discrets haut-parleurs diffusaient sans trêve de la musiquette qui vous chatouillait doucement les oreilles.

Ce jour-là, un samedi, le S & S était plein de la clientèle du week-end, dont une proportion inhabituelle d'hommes, venus accompagner leur épouse et l'importunant par leurs naïves suggestions. Il regardait les maris, les femmes, et les fruits de leurs diverses unions, d'un œil tolérant. C'était une belle journée; le soleil entrait à flots par les grandes portes vitrées, projetant d'éblouissants carrés de lumière sur les caisses, et nimbant parfois la chevelure d'une femme d'un halo de lumière. Dans ce contexte, sa situation paraissait bien moins grave que la nuit.

Son caddie contenait le choix habituel des hommes brutalement contraints à une vie solitaire : spaghettis, sauce tomate à la viande, quatorze repas-télé surgelés, une douzaine d'œufs, une plaquette de beurre, et un sachet d'oranges Navel parce que cela protège du scorbut.

Il suivait une des allées centrales en direction des caisses lorsque Dieu, peut-être, lui fit signe. Juste devant lui, se trouvait une femme, en pantalon de toile gris-bleu et en pull marine en grosse laine. Des cheveux très blonds. Jolie, épanouie, alerte. Elle émit soudain un curieux gloussement venant du fond de la gorge et vacilla, laissant échapper le gros tube de moutarde qu'elle tenait à la main. Sur le sol plastifié, le tube roula un moment sur lui-même, montrant alternativement un étendard rouge et le mot FRENCH.

« Madame... ? hasarda-t-il. Madame ? Ça ne va pas ? »

La femme tomba à la renverse. Sa main droite, qu'elle avait levée pour se retenir, balaya un rayonnage, faisant tomber une vingtaine de boîtes de café soluble. Sur chaque boîte, l'on pouvait lire :

MAXWELL HOUSE
délicieux jusqu'à la dernière goutte

Cela s'était passé si vite qu'il n'avait pas vraiment eu peur — pas pour lui-même, en tout état de cause — mais il remarqua un détail qui se grava dans sa mémoire et qui allait hanter ses rêves. Les yeux de la femme s'étaient complètement révulsés, exactement comme ceux de Charlie quand il avait ses crises.

Allongée par terre, la femme croassait faiblement. Ses pieds, chaussés de bottines de cuir noir marquées d'une auréole blanchâtre due au sel, battaient spasmodiquement le sol. Une femme qui se trouvait derrière lui poussa un cri étouffé. Un employé qui étiquetait des bocaux de cornichons à l'autre bout de la travée arriva en courant, laissant tomber sa machine. Deux caissières s'approchèrent pour regarder, la main sur la bouche.

Il s'entendit dire : « Elle doit avoir une crise d'épilepsie. »

Ce n'était pas une crise d'épilepsie, mais selon toute probabilité une hémorragie cérébrale. Un docteur, venu faire les courses avec sa femme, la déclara morte. Le tout jeune médecin paraissait effrayé, comme s'il venait juste de se rendre compte que sa profession le poursuivrait jusqu'à sa mort, pareille à un monstre assoiffé de vengeance. Tandis qu'il procédait à son examen, une petite foule s'était assemblée autour de la femme allongée au milieu des boîtes de café soluble qui constituaient l'ultime partie de l'univers sur laquelle elle eût exercé sa prérogative humaine de changer les choses de place. Son caddie était empli de provisions suffisantes pour une semaine. La vue de ces boîtes, de ces sachets et de ces viandes sous film de plastique l'emplit d'une inexprimable terreur.

En regardant les articles qui emplissaient le caddie abandonné, il se demanda ce qu'ils allaient en faire. Les remettre en rayon ? Les garder dans un carton près du bureau du directeur, jusqu'à ce qu'une somme adéquate les libère, preuve que la morte avait laissé des proches ?

Quelqu'un était allé chercher un agent de police, qui fendait maintenant la foule tout en disant d'un air important : « Ecartez-vous, voyons ! Donnez-lui de l'air ! » Comme si l'air pouvait encore lui être d'une quelconque utilité.

A coups d'épaules, il se fraya un chemin vers la sortie. Le calme de ces cinq derniers jours s'était fracassé, sans doute pour de bon. Y avait-il jamais eu présage plus manifeste ? Certes pas. Mais que signifiait-il ?

Revenu chez lui, il fourra les repas-télé dans le freezer et se prépara un drink corsé. Les battements de son cœur affolé résonnaient dans sa poitrine. Pendant tout le trajet du retour, il avait essayé de se souvenir de ce qu'ils avaient fait des vêtements de Charlie.

Mary et lui avaient donné ses jouets à une association de bienfaisance, et transféré les mille dollars qu'il avait sur son compte en banque (en dépit des véhémentes protestations de Charlie, ils y versaient la moitié de tout ce que lui donnaient les membres de la famille pour Noël et pour ses anniversaires) sur leur compte commun. Sur le conseil de Mamma Jean, ils avaient brûlé ses draps et son matelas — il n'en voyait vraiment pas l'utilité, mais n'avait pas eu le courage de protester : tout s'écroulait autour d'eux, et il aurait fait des histoires au sujet d'un vulgaire matelas à ressorts ? Mais les vêtements c'était autre chose. Qu'avaient-ils bien pu en faire ?

La question le poursuivit tout l'après-midi, le rendant irritable ; il avait même failli téléphoner à Mary pour le lui demander. Mais c'eût été la goutte d'eau qui fait déborder le vase. Elle aurait été définitivement fixée sur sa santé mentale.

Juste avant le coucher du soleil, il monta dans l'étroit grenier, auquel l'on accédait par une trappe aménagée dans le plafond de la chambre à coucher. Il monta sur une chaise et s'y hissa à la force des bras. Il y avait longtemps qu'il n'y avait plus mis les pieds, mais, bien que couverte de poussière et de toiles d'araignées, l'unique ampoule de cent watts fonctionnait toujours.

Il ouvrit au hasard un carton poussiéreux et découvrit, soigneusement rangés, tous ses agendas de la *high school* et du *college.* Ces derniers étaient plus épais, plus luxueusement reliés.

Il commença par feuilleter les agendas de la *high school.* Des signatures, des dédicaces, des poèmes (Dans les rues, sur les places / Je suis la fille qui a ruiné ton agenda / En y écrivant la tête en bas. Signé : *Connie.*) Des photos de professeurs, assis à leur bureau ou immobilisés au milieu d'un geste, devant le tableau noir, arborant de vagues sourires ; des portraits de camarades de classe dont il se souvenait à peine, accompagnés de leur classement, des institutions dont ils faisaient partie (Conseil de classe, FHA, Société Poe), de leur surnom et d'une petite devise. Il connaissait le sort de certains (l'armée, mort dans un accident de voiture, sous-directeur de banque), mais la plupart avaient disparu dans les brumes d'un avenir impénétrable.

Dans l'agenda de terminale, il tomba sur un jeune George Barton Dawes au regard rêveur (photographié par le Studio Cressey). Il fut stupéfait de la totale ignorance de l'avenir dont témoignait cet adolescent, et aussi de sa ressemblance frappante avec le fils dont l'homme qu'il était devenu venait ici chercher les traces. Le garçon de la photo n'avait pas encore fabriqué le sperme qui allait devenir la moitié de son fils. Sous le portrait, un texte :

BARTON G. DAWES
« le crack »
(Club des Randonneurs,
Société Poe)

Bay High School
Bart, le Clown de la Classe, allège notre fardeau !

Il remit les annuaires pêle-mêle dans le carton et continua à chercher. Des rideaux que Mary avait enlevés cinq ans auparavant. Un vieux fauteuil auquel il manquait un bras. Un radio-réveil cassé. Un album de photos de mariage qu'il eut peur de regarder. Tout un tas de vieux magazines — *il faudrait ôter ça de là,* se dit-il automatiquement ; *si jamais il y avait le feu...* Un moteur de machine à laver qu'il avait ramené de la blanchisserie pour essayer de le réparer. Et les vêtements de Charlie.

Il y en avait trois grands cartons pleins, sentant fortement l'antimite. Les chemises et les pantalons de Charlie, ses pulls et ses sweaters, et même ses caleçons, de la marque Hanes. Il les déplia, les regarda attentivement, essayant de s'imaginer Charlie portant ces vêtements, bougeant et se déplaçant à l'intérieur de ces vêtements, modifiant des aspects mineurs du monde dans ces vêtements. L'odeur pénétrante de l'antimite finit par le chasser du grenier, souriant béatement, et le gosier plus sec que jamais. Une odeur d'objets inertes et inutiles, qui ne peuvent plus que faire mal. Il rumina cette idée pendant presque toute la soirée, jusqu'à ce que l'alcool lui ôte la capacité de penser.

7 janvier 1974

A dix heures un quart du matin, on sonna à la porte. Il alla ouvrir et vit un homme portant un costume avec cravate sous son pardessus, l'air aimable et un peu mou. Rasé de près et les cheveux soigneusement coupés, il tenait une mince serviette sous le bras. Il crut d'abord que c'était un représentant amenant des échantillons ou des bulletins de souscription — encyclopédies, magazines... produits ménagers au nom accrocheur — et se prépara à le faire entrer, à écouter attentivement son boniment, et peut-être même à lui acheter quelque chose. Mis à part Olivia, c'était la première personne qui venait chez lui depuis que Mary l'avait quitté, près de cinq semaines auparavant.

L'homme n'était pas un représentant, mais un avocat, comme il l'annonça avec un sourire timide et une cordiale poignée de main. Son nom était Philip T. Fenner, et son client était la municipalité.

« Entrez », lui dit-il en soupirant. D'une certaine façon, c'*était* un représentant. Et en produits ménagers, dans un sens.

Fenner se mit aussitôt à parler, très vite, sans reprendre son souffle entre les phrases :

« Vous avez une bien belle maison. Et soignée, ça

se voit au premier coup d'œil. Vraiment bien entretenue, mes félicitations. Je ne vais pas vous prendre longtemps, M. Dawes, je sais que vous êtes un homme très occupé, mais Jack Gordon a pensé, puisque c'était sur mon chemin, que je pourrais vous déposer ce formulaire de relogement. Vous en avez certainement demandé un, mais en cette période de fêtes, il arrive que le courrier ait du retard, ou même qu'il se perde. Je me ferais bien entendu un plaisir de répondre à vos questions éventuelles.

— J'ai une question », dit-il sans l'ombre d'un sourire.

L'expression joviale disparut un bref instant et il eut un aperçu du vrai Fenner, aussi froid et mécanique qu'une montre à quartz. « Je vous écoute, M. Dawes.

— Prendrez-vous une tasse de café ? »

Fenner redevint aussitôt l'affable et souriant messager de la municipalité. « Avec grand plaisir, si cela ne vous cause pas trop de dérangement. Il fait un peu frisquet, aujourd'hui. Moins vingt-sept, vous vous rendez compte ? Les hivers deviennent de plus en plus froids, vous ne trouvez pas ?

— Absolument. » Comme il venait de prendre son petit déjeuner, l'eau était encore chaude. « Je n'ai que du café soluble, cela ira, j'espère ? Ma femme est en visite chez des parents, et je me débrouille comme je peux. »

Fenner eut un rire bon enfant, et il comprit qu'il était parfaitement au courant de l'état actuel de ses relations avec Mary, et probablement avec toute autre personne ou institution donnée : Steve Ordner, Vinnie Mason, Amroco, Dieu.

« Ce sera parfait. Je bois toujours de l'instantané.

J'avoue que je ne vois pas la différence. Je peux poser quelques papiers sur la table ?

— Je vous en prie. Du lait ?

— Non, merci. Juste un café noir. » Fenner déboutonna son pardessus mais ne le retira pas. En s'asseyant, il le lissa soigneusement, du même geste qu'ont les femmes pour ne pas froisser leur jupe. Chez un homme, ce geste de coquetterie faisait presque grincer les dents. Fenner ouvrit sa serviette et en sortit un imprimé ressemblant à un formulaire de déclaration de revenus.

Il mit une cuillerée de café soluble dans une tasse, y versa de l'eau, et la tendit à Fenner.

« Oh, merci. Merci beaucoup. Vous n'en prenez pas ?

— Je vais plutôt boire un verre, je pense.

— Vous avez bien raison », dit Fenner avec un charmant sourire. Il goûta son café. « Mmm, excellent. Exactement comme je l'aime. »

Il se prépara un drink bien tassé et dit : « Si vous voulez bien m'excuser une minute, M. Fenner. Il faut que je donne un coup de fil.

— Mais je vous en prie. » Il but une nouvelle gorgée de café et fit claquer ses lèvres.

Il laissa la porte ouverte, décrocha le téléphone de l'entrée, et composa le numéro des Calloway. Jean répondit.

« C'est Bart. Mary est là ?

— Elle dort encore, répondit Jean sur un ton glacial.

— Pourriez-vous la réveiller, s'il vous plaît ? C'est très important.

— Mais oui, je n'en doute pas ! L'autre soir, j'ai dit à Lester : écoute, Lester, il faudrait faire changer notre numéro de téléphone. Et il m'a donné entièrement raison. Nous pensons tous les deux que vous avez perdu la boule, Barton Dawes, si vous voulez savoir la vérité.

— Je suis désolé que vous pensiez cela. Mais écoutez, il faut absolument que... »

Il y eut un déclic, et il entendit la voix de Mary : « Bart ?

— Oui. Dis-moi, Mary, est-ce qu'un avocat du nom de Fenner est venu te voir ? Un petit malin avec une voix onctueuse, genre représentant de commerce ?

— Non. » *(Mince alors, pas de pot.)* Elle ajouta aussitôt : « Mais il m'a téléphoné. » *(En plein dans le mille !)*

Fenner s'était levé et avait fait un pas vers la porte, sa tasse de café à la main, en buvant de temps à autre une petite gorgée. Plus trace de son expression à la fois timide et enjouée. Il paraissait vaguement attristé.

« Maman, tu peux raccrocher ? » Il y eut un reniflement méprisant, puis un déclic.

« Il t'a posé des questions à mon sujet ?

— Oui.

— Il t'a appelée après la soirée chez Wally ?

— Oui, mais, je ne lui ai pas parlé de... ça.

— Tu lui en as peut-être dit plus que tu ne l'imagines. Il a l'air inoffensif comme ça, mais c'est l'exécuteur des hautes œuvres de la municipalité. » Ce disant, il regarda gaiement Fenner, qui grimaça un pâle sourire. « Tu as rendez-vous avec lui ?

— En fait, oui... Mais c'est uniquement pour parler de la maison, Bart...

— Non. C'est ce qu'il t'a dit, mais il veut avant tout parler de *moi*. J'ai la très nette impression qu'ils voudraient me faire déclarer irresponsable.

— Qu'est-ce que tu dis ! » Elle paraissait totalement éberluée.

« Je n'ai toujours pas accepté leur argent ; donc, je dois être fou. Tu te souviens de ce dont nous parlions chez Andy's ?

— Ce M. Fenner est chez toi en ce moment ?

— Oui.

— Le psychiatre, dit-elle d'une voix étouffée. Oh, Bart, je suis désolée... J'ai effectivement mentionné que tu avais l'intention d'aller voir un...

— Ne t'inquiète pas, Mary. Tout ça va s'arranger. Pour le reste, je ne sais pas, mais ce problème-là sera réglé d'ici peu, je te le promets. »

Il raccrocha et se tourna vers Fenner. « Voulez-vous que j'appelle Stephan Ordner ? Ou Vinnie Mason ? Ron Stone et Tom Granger, ce n'est pas la peine, ils comprendraient tout de suite à qui ils ont affaire. Mais Vinnie n'y verrait que du feu, et Ordner se jetterait dans vos bras. Il y a un bout de temps qu'il cherche à avoir ma peau.

— Ce n'est réellement pas nécessaire, M. Dawes. Vous m'avez mal compris. Et vous avez mal interprété les intentions de mes clients. Nous n'avons rien de personnel contre vous. Personne ne cherche à vous nuire. Nous nous *sommes* toutefois rendu compte que vous ne portez pas la nouvelle autoroute dans votre cœur. En août dernier, vous avez adressé une lettre au journal...

— En août dernier, répéta-t-il avec un hochement de tête admiratif. Vous avez même un service de coupures de presse !

— Bien entendu.

— Ciel ! s'exclama-t-il en roulant les yeux, une main sur le front et l'autre sur la hanche. Avocats, coupures de presse ! L'ennemi est partout ! Vite,

Mavis, mes pilules ! » Il se redressa. « Y a-t-il un paranoïaque dans la salle ? Dire que je me croyais mal parti !

— Nous avons également un service de relations publiques, poursuivit Fenner avec raideur. Nous ne faisons pas d'économies de bouts de chandelles, M. Dawes. Il s'agit d'un programme de dix millions de dollars. »

Il secoua la tête avec dégoût. « Ce ne sont pas mes capacités mentales qu'il faudrait mettre en doute, mais celles des urbanistes et autres spécialistes du réseau routier. Si vous croyez que vous agissez de façon responsable...

— M. Dawes, l'interrompit Fenner, je vais jouer cartes sur table.

— Vous savez, M. Fenner, dans mon expérience, quand quelqu'un vous dit *ça,* cela signifie simplement qu'il va laisser tomber les demi-vérités pour vous sortir un énorme bobard. »

Perdant enfin son sang-froid, Fenner rougit. *Touché.* « Ecoutez-moi, M. Dawes. Vous avez écrit au journal. Ensuite, vous avez tardé à trouver un nouveau local pour le Ruban Bleu, qui a fini par vous congédier...

— Faux. J'ai donné ma démission au moins une demi-heure avant qu'ils ne puissent frapper.

— ... et vous avez ignoré toutes nos communications concernant cette maison. De l'avis général, vous vous apprêtez probablement à faire un coup de publicité le 20 janvier. En convoquant ici même la presse et la télévision. L'héroïque propriétaire qui se défend toutes griffes dehors contre les agents de la Gestapo venus l'expulser.

— Et cela vous tracasse, n'est-ce pas ?

— Certes, cela nous tracasse. L'opinion publique

est inconstante, elle change d'opinion comme de chemise...

— Et vos clients sont des fonctionnaires élus, je sais. »

Fenner lui lança un regard dénué d'expression.

« Alors, M. Fenner, quelles sont vos intentions ? Allez-vous me faire une offre que je ne saurais refuser ? »

Fenner soupira. « J'avoue que je ne vois pas bien où se situe le problème, M. Dawes. La ville vous offre soixante mille dollars pour...

— Soixante-trois mille cinq cents.

— Absolument, M. Dawes, soixante-trois mille cinq cents. La ville vous offre donc cette somme pour la maison et le terrain. D'autres ont touché nettement moins. L'argent vous sera versé immédiatement, sans problèmes, sans démarches fastidieuses — et pratiquement net d'impôts, car vous les avez déjà payés lors de l'achat de cette maison. Vous ne devrez que la taxe sur la plus-value. A moins que vous ne pensiez que l'estimation n'était pas juste ?

— En termes purement financiers, elle me paraît fort honnête, dit-il, pensant à Charlie. Je n'en aurais sans doute pas tiré autant si j'avais voulu la vendre, compte tenu du taux actuel du crédit.

— Dans ce cas, *où* est le problème, M. Dawes ? Subsiste-t-il un désaccord ?

— Non », dit-il en portant le verre à ses lèvres. Ce représentant savait vendre sa marchandise, pas de doute. « Possédez-vous une maison, M. Fenner ?

— Oui, une fort belle maison, sans me vanter. A Greenwood. Et vous allez sans doute me demander ce que je ressentirais et ce que je ferais si nos situations étaient inversées. Je vais être très franc :

j'extorquerais à la ville tout ce que je peux en tirer, et j'irais porter l'argent à ma banque en rigolant tout le long du chemin.

— Je n'en doute pas un instant », dit-il en riant ; Don et Ray Tarkington auraient sûrement fait pareil. Oh oui, ils auraient tout fait pour les emmerder au maximum, pour les enc... tous autant qu'ils étaient. « Mais dites-moi, sérieusement. Vous croyez vraiment que je suis timbré ? »

Fenner répondit sans se troubler : « Nous nous le sommes demandé. Votre façon de " résoudre " le problème de la blanchisserie n'était, il faut le dire, pas très normale.

— Laissez-moi vous dire ceci. Il me reste suffisamment de bon sens pour savoir que je pourrais trouver un avocat qui n'aime pas la législation actuelle sur les expulsions pour cause d'intérêt public et qui croit encore dans le vieil adage voulant que la maison d'un homme est sa forteresse. Il pourrait obtenir un arrêté qui vous paralyserait pendant un mois, peut-être deux. Avec un peu de chance et en utilisant toutes les ressources de la loi, nous pourrions sans doute faire traîner l'affaire jusqu'en septembre. »

Comme il s'y attendait, Fenner ne parut nullement alarmé, mais au contraire plutôt satisfait ; il faisait enfin fonctionner sa cervelle. Et voilà l'hameçon, Freddy, ça te plaît ? Oui, George, je dois reconnaître que c'est plutôt réjouissant.

« Alors, demanda Fenner, que voulez-vous ?

— Jusqu'où pouvez-vous aller ?

— Nous sommes prêts à augmenter l'évaluation de cinq mille dollars. Mais pas un cent de plus. Et nous ne dirons pas un mot de la fille. Personne n'en saura jamais rien. »

Le monde s'arrêta de tourner. Net.

« Comment ? murmura-t-il.

— La *fille,* M. Dawes. Celle avec qui vous avez couché. Elle était chez vous les 6 et 7 décembre. »

En l'espace de quelques secondes, une dizaine d'idées traversèrent son esprit ; quelques-unes étaient fort sensées, mais la plupart portaient la patine jaune de la peur et de celles-là il fallait se méfier. Et par-dessus tout, couvrant la peur comme la raison, il y avait une rage aveugle, une colère pourpre qui lui donnait envie de sauter par-dessus la table et de secouer cet homme au mécanisme d'horloge jusqu'à ce que les ressorts et les rouages lui jaillissent des oreilles. Et cela, il ne fallait pas le faire — tout, mais pas cela.

« Donnez-moi un numéro, dit-il.

— Un numéro ?

— Numéro de téléphone. Je vous appellerai cet après-midi pour vous faire part de ma décision.

— Ne serait-il pas infiniment préférable de régler tout cela maintenant ? »

Ça te plairait, hein ? Arbitre, si on prolongeait ce round de trente secondes, je l'ai acculé contre les cordes !

« Non, je ne pense pas. Sortez de ma maison, s'il vous plaît. »

Fenner haussa imperceptiblement les épaules. « Soit. Voici ma carte. Je serai probablement au bureau entre quatorze heures trente et seize heures.

— Je vous appellerai. »

Fenner sortit. Par la fenêtre proche de la porte, il le regarda descendre l'allée, monter dans sa Buick bleu foncé, et démarrer. Lorsqu'il eut disparu, il abattit son poing sur le mur, très fort.

Il se versa un autre drink et s'assit à la table de la cuisine pour faire le point de la situation. Ils savaient donc qu'Olivia était venue, et étaient prêts à s'en servir contre lui. Mais ce n'était pas un très bon moyen de chantage. Cela pourrait, certes, mettre fin à son mariage — mais celui-ci était d'ores et déjà fort compromis. Et pour le savoir, ils l'avaient espionné, cela ne faisait pas de doute.

La question était : comment ?

S'ils l'avaient fait suivre par des détectives privés, ils auraient certainement été informés du mondialement célèbre crac-crac boum-boum. Et dans ce cas, ils ne se seraient certainement pas privés d'utiliser ce savoir contre lui. A quoi bon en effet s'occuper d'une banale coucherie extra-maritale si le récalcitrant peut être jeté en prison pour incendie volontaire ? Ils l'avaient donc espionné par d'autres moyens, sans doute en cachant des micros dans la maison. Son front se couvrit de sueur lorsqu'il se souvint de ce qu'il avait été à deux doigts de dire à Magliore au téléphone, un jour d'ivresse. Dieu merci, Magliore l'avait fait taire. Crac-crac boum-boum, c'était bien assez grave.

Il vivait donc dans une maison où des micros épiaient tout ce qu'il disait... Restait la grande question : que faire au sujet de la proposition de Fenner et des méthodes des clients de ce dernier ?

Il alluma le four et y glissa un repas-télé, puis se prépara son troisième drink de la matinée. Ils l'avaient espionné, puis essayé de l'acheter. Plus il y pensait, plus sa colère montait.

Il sortit le petit plateau en feuille d'alu du four et mangea son contenu. Le déjeuner terminé, il fit lentement le tour de la maison, allant de pièce en pièce, regardant les meubles, les objets. Peu à peu, une idée prit forme dans son esprit.

A trois heures, il téléphona à Fenner pour lui dire d'envoyer le formulaire. Il signerait celui-ci si Fenner respectait les engagements qu'il avait pris. Fenner parut satisfait, et même soulagé. Il se ferait un plaisir de veiller à ce que lesdits engagements soient respectés, et lui ferait parvenir le formulaire dès le lendemain. Fenner ajouta qu'il se réjouissait de constater qu'il avait écouté la voix de la raison.

« Il y a toutefois une ou deux conditions.

— Des conditions... répéta Fenner, instantanément méfiant.

— Allons, pas de panique. Il vous sera facile de les remplir.

— Je vous écoute, dit Fenner. Mais je vous préviens, Dawes, nous avons déjà fait un maximum de concessions.

— Vous me faites donc parvenir ce formulaire dès demain. Je vous le rapporterai mercredi, à votre bureau. Vous devrez avoir préparé un chèque de soixante-huit mille cinq cents dollars. Un chèque *bancaire* à mon nom. Je vous remettrai le formulaire en échange du chèque.

— Voyons, M. Dawes, on ne traite pas les affaires de cette façon...

— Ce n'est peut-être pas votre façon habituelle de procéder, mais c'est *possible.* Après tout, vous n'êtes sans doute pas censé espionner mon téléphone et Dieu sait quoi encore. Pas de chèque, pas de formulaire. Et j'irai de ce pas voir mon avocat. »

Fenner garda le silence — pour un peu, on l'aurait entendu penser.

« Soit. Et ensuite ?

— A partir de mercredi, je ne veux plus être importuné. Le 20, la maison sera à vous. D'ici là, elle est à moi.

— Pas de problème », répondit Fenner instantanément, car ce n'était bien entendu pas une vraie condition. Selon la loi, la maison était à lui jusqu'au 19 à minuit, pour devenir la propriété de la ville une minute plus tard. S'il signait l'acte de cession et acceptait l'argent versé par la ville, il pourrait toujours pleurnicher ; personne, ni le public ni les journalistes, ne prendrait son parti.

« Ce sera tout.

— Parfait, dit Fenner (à son ton, on aurait cru qu'il se frottait les mains). Je suis ravi que nous soyons enfin parvenus à un accord raisonnable, cher...

— Allez vous faire foutre », dit-il avant de raccrocher.

8 janvier 1974

Il n'était pas chez lui lorsque la volumineuse enveloppe en papier kraft contenant l'imprimé 6983-426-73-74 (formulaire bleu) tomba dans sa boîte aux lettres. Il s'était rendu dans la noire et lointaine Norton pour parler à Sal Magliore. Ce dernier n'avait pas été particulièrement heureux de le voir arriver, mais, au fur et à mesure qu'ils discutaient, il devint de plus en plus songeur.

Un jeune homme d'allure italienne vint apporter le déjeuner. Des spaghettis, du veau et une bouteille de Gallo rouge. Un repas somptueux. Lorsque, dans le cours de son récit, il en arriva au « cadeau » de cinq mille dollars et au fait que Fenner était informé de la visite d'Olivia, Magliore leva la main pour l'interrompre, puis lança un bref coup de téléphone, donnant à son interlocuteur l'adresse de Crestallen Street et lui disant « prends la camionnette ». Après avoir raccroché, il enroula une énorme quantité de spaghettis autour de sa fourchette et lui fit signe de continuer.

Lorsqu'il eut fini son histoire, Magliore fit observer : « Vous avez eu du pot. S'ils vous avaient fait filer, vous seriez en tôle en ce moment même. »

Il était plein à craquer, incapable d'avaler une

bouchée de plus. Il n'avait pas fait un repas pareil depuis cinq ans. Il complimenta Magliore, qui eut un sourire bon enfant.

« Certains de mes amis, ils ne veulent plus manger de pasta. Cela pourrait nuire à leur image, vous savez. Ils mangent des grillades, ou bien vont dans des restaurants français, ou même suédois. Résultat, ils ont des ulcères. Et pourquoi ? Parce qu'on ne change pas ce que l'on est. » Il versa sur son assiette la sauce qui restait dans le plat en carton graisseux et commença à l'éponger avec une croûte de pain frottée d'ail, puis le fixa soudain avec ses étranges yeux démesurément grossis : « Vous me demandez de commettre un péché mortel. »

Il le regarda avec stupéfaction, incapable de cacher sa surprise.

Magliore eut un rire grinçant. « Je sais ce que vous pensez. Un homme qui fait mon boulot ne devrait pas parler de péché. Je vous ai déjà dit que j'avais fait descendre un type. Il y en a eu d'autres. Mais je n'ai jamais tué un homme qui ne méritait pas de se faire descendre. Et puis, on peut considérer ça de cette façon : un type qui meurt avant la date fixée par Dieu, c'est comme s'il avait un billet d'entrée gratuit pour le match de foot. Les péchés qu'il a commis, ils ne comptent pas. Dieu ne peut pas le repousser, car il n'a pas disposé du temps prévu par Lui pour s'en repentir. Tuer un gars, c'est en définitive lui épargner les tortures de l'enfer. Dans un sens, j'en ai fait plus pour ces types que le pape en personne ne le pourrait. Et je crois que Dieu le sait. Mais ce n'est pas à moi de dire ça. En tout cas, vous me plaisez, Dawes. Vous avez des couilles. Il en fallait, pour faire ce que vous avez fait avec ces bombes à essence. Mais ça... ça, c'est autre chose.

— Je ne vous demande pas de faire quoi que ce soit. C'est une décision purement personnelle. »

Magliore leva les yeux au plafond. « Jésus ! Marie ! Joseph le charpentier ! Pourquoi diable ne me laissez-vous pas en paix ?

— Parce que vous avez ce dont j'ai besoin.

— Hélas, mon Dieu, hélas !

— Acceptez-vous de m'aider ?

— Je ne sais pas.

— J'ai l'argent, maintenant. Ou du moins je l'aurai dans un ou deux jours.

— Ce n'est pas une question d'argent. C'est une question de principes. Je n'ai jamais eu affaire à un type aussi barjo que vous. Il faut que j'y réfléchisse. Je vous téléphonerai. »

Estimant qu'il était préférable de ne pas insister pour le moment, il prit congé.

Il était en train de remplir le formulaire de relogement lorsque les hommes de Magliore arrivèrent, dans une petite camionnette blanche où l'on pouvait lire RAY TÉLÉVISION SERVICE APRÈS-VENTE, au-dessous d'un dessin représentant une télé dansant sur de petites jambes grêles et arborant un large sourire. Ils étaient deux, en combinaison de travail verte, et portaient de lourdes caisses à outils. Celles-ci contenaient effectivement des pièces détachées et de l'outillage pour télévision, mais aussi du matériel électronique plus sophistiqué. Ils passèrent la maison au peigne fin, ce qui leur prit une heure et demie. Ils trouvèrent quatre micro-émetteurs : un dans chaque combiné téléphonique, un dans la chambre à coucher et un dans la salle à manger. Mais rien dans le garage, à son grand soulagement.

« Les salauds ! » s'exclama-t-il en regardant les

petits objets métalliques qu'il tenait dans la main. Il les laissa tomber par terre et les écrasa rageusement avec son talon.

Au moment de partir, l'un des hommes lui dit, avec une nuance d'admiration : « Vous lui avez bien réglé son compte, à cette télé. C'est pourtant solide, ces machins. Combien de fois avez-vous tapé dessus ?

— Une seule », répondit-il.

Lorsque leur camionnette eut disparu dans le froid soleil de cette fin d'après-midi, il balaya les restes méconnaissables des petits micros et les jeta dans la poubelle de la cuisine. Cela fait, il se prépara un drink.

9 janvier 1974

Lorsqu'il arriva à la banque à deux heures et demie de l'après-midi, il n'y avait que peu de clients. Il prit une fiche de dépôt sur l'une des tables disposées au centre du hall et y porta la somme de 34 250 dollars. Il alla ensuite au guichet le plus proche et présenta la fiche de dépôt et le chèque émanant de la municipalité.

L'employée, une jeune fille aux cheveux noirs comme le péché, vêtue d'une robe rouge très courte dont émergeaient des jambes gainées de nylon jaune vif devant lesquelles le pape lui-même se serait mis au garde-à-vous, examina la fiche, puis le chèque, puis de nouveau la fiche, et encore une fois le chèque.

« Il y a un problème ? » demanda-t-il sur un ton enjoué. A son corps défendant, il dut reconnaître que la situation commençait à l'amuser.

« Nnnon, mais... Vous voulez déposer 34 250 dollars sur votre compte et retirer 34 250 dollars en *liquide,* c'est bien cela ?

— Absolument.

— Un moment, s'il vous plaît. »

Il sourit et cligna des yeux, observant avec intérêt ses jambes gainées de jaune tandis qu'elle allait voir le directeur, assis à une simple table que nulle cabine de verre ne protégeait, comme pour signifier que cet homme était aussi humain que vous et moi... ou presque. Le directeur devait approcher de la cinquantaine, mais était habillé comme un jeune homme. Son visage était aussi étroit que la porte du paradis, et en levant les yeux sur l'employée à la robe rouge, il haussa les sourcils.

Ils parlèrent du chèque, de la fiche de dépôt, de leurs implications pour la banque, voire pour le système bancaire tout entier. L'employée se pencha au-dessus du bureau, ce qui eut pour effet de relever l'arrière de sa jupe et de révéler un slip mauve bordé de dentelle. *Amour, amour, ô insouciant amour,* pensa-t-il. Viens chez moi, mignonne, et je te ferai sauter sur mes genoux jusqu'à la fin des temps, ou jusqu'à ce qu'ils abattent ma maison, au choix. Cette idée le fit sourire, et il se rendit compte qu'il avait une érection... enfin, presque. Il détourna son regard et examina ce qui l'entourait. Un garde, probablement un flic en retraite, se tenait impassiblement entre la porte d'entrée et le couloir menant aux coffres. Une dame âgée signait laborieusement le reçu — également un formulaire bleu — de son chèque mensuel de la Sécurité sociale. Sur le mur de gauche, une grande affiche montrait une photo de la terre vue de l'espace, joyau bleu-vert sur fond noir.

Au-dessus de la planète, il y avait marqué :

PARTEZ

et au-dessous, en capitales un peu plus petites :

AVEC UN PRÊT-VACANCES DE LA FIRST BANK

La jolie employée regagna le guichet. « Je ne pourrai vous les donner qu'en billets de cinq cents et de cent, dit-elle.

— Très bien. »

Elle prépara un reçu pour la somme qu'il déposait, puis se dirigea vers la salle des coffres. Elle en ressortit peu après, portant une petite sacoche. Elle échangea quelques mots avec le garde, qui l'accompagna au guichet. Le garde le considéra avec méfiance.

Elle fit trois liasses de vingt billets de cinq cents dollars, les recompta, et entoura chaque liasse d'une bande de papier dans laquelle elle glissa une petite fiche arrachée à la bande d'une machine à calculer, et qui indiquait dans chaque cas :

10 000 $

Elle compta ensuite quarante-deux billets de cent, les feuilletant rapidement avec l'index de sa main droite, et termina la liasse avec cinq billets de dix dollars. Elle entoura le tout d'une bande de papier et y glissa une autre fiche indiquant :

4 250 $

Les liasses étaient posées côte à côte sur le comptoir. Ils restèrent tous trois à les regarder songeusement : une somme suffisante pour acheter une maison, ou cinq Cadillac, ou un avion Piper Cub, ou encore près de cent mille cartouches de cigarettes.

La jolie employée lui dit sur un ton incertain : « Si vous voulez, je peux vous donner un sac à fermeture Eclair... ?

— Ça ira très bien comme ça, merci. » Il prit les liasses et les fourra dans les poches de son pardessus. Le garde suivit ce traitement cavalier de sa raison d'être avec un mépris impassible ; la jolie employée semblait hypnotisée en voyant cinq années de salaire disparaître dans les poches du pardessus très ordinaire de cet homme, en les gonflant à peine ; le directeur le regardait avec une animosité mal déguisée, parce qu'une banque est un lieu où l'argent est censé être pareil à Dieu : invisible et considéré avec révérence.

« Parfait, dit-il, en mettant son chéquier dans la même poche que les liasses de dix mille dollars. Ne vous faites pas de bile. »

Le garde, la jolie caissière et le directeur le suivirent des yeux jusqu'à la porte. Ensuite, la vieille dame s'approcha du guichet d'un pas incertain et présenta son chèque de la Sécurité sociale au reçu dûment signé. La jolie caissière lui remit deux cent trente-cinq dollars et soixante-trois cents.

Arrivé chez lui, il mit l'argent dans une chope à bière poussiéreuse, posée sur le haut du buffet de la cuisine. Mary la lui avait donné en guise de plaisanterie pour son anniversaire, il y avait cinq ans de cela. Il ne s'en était guère servi, car il préférait boire la bière à la bouteille. Sur la chope, était peint un emblème représentant la torche olympique, accompagné de la légende :

ÉQUIPE DES BUVEURS US

Il remit à sa place la chope emplie d'une liqueur bien plus enivrante que de la bière, et monta à la chambre de Charlie où se trouvait son bureau. Dans le tiroir du bas, il trouva une enveloppe en papier kraft. Il s'assit, fit quelques calculs, et vit qu'il restait 35 053 dollars et 49 cents sur le compte qu'il possédait en commun avec Mary. Sur l'enveloppe, il marqua le nom de Mary et l'adresse de ses parents, y glissa le chéquier et la ferma soigneusement. Il fouilla de nouveau dans les tiroirs, et trouva un carnet de timbres à huit cents. Il en colla cinq sur l'enveloppe, l'examina un moment, puis écrivit dans le coin gauche : LETTRE.

Il laissa l'enveloppe sur son bureau, posée contre un encrier, et descendit à la cuisine pour se faire un drink.

10 janvier 1974

Il commençait à se faire tard, il neigeait, et Magliore n'avait toujours pas appelé.

Il s'était installé dans le living, un drink à portée de la main, et écoutait la stéréo parce que la télé était toujours hors de combat. En début d'après-midi, il avait pris deux billets de dix dollars dans la chope et était allé acheter quatre disques de rock, dont *Let it Bleed,* des Rolling Stones, qu'il se souvenait avoir écouté chez Wally. C'était de loin son préféré ; les autres lui paraissaient un peu bébêtes. L'un d'eux, un disque de Crosby, Stills, Nash and Young, l'était même tellement qu'il l'avait cassé en deux sur son genou. Mais *let it Bleed,* lui plaisait énormément. Une musique à la fois bruyante et rythmée, vibrante et discordante. Cela lui rappelait *Let's Make a Deal,* de Monte Hall. Il écoutait Mick Jagger chanter :

Well we all need someone to cream on,
And if you want to, you can cream on me,

tout en repensant à l'affiche qu'il avait vue à la banque, montrant la terre entière, si variée et si neuve, avec une légende invitant à PARTIR. Cela lui rappelait le voyage qu'il avait fait le soir du nouvel an. Ce trip l'avait fait partir, oh oui. Partir très loin.

Mais cela lui avait-il réellement plu ?

A cette pensée, il se redressa brusquement.

Depuis deux mois, il tournait en rond comme un chien qui s'est coincé les roupettes dans une porte à tambour. Mais n'y avait-il pas eu des compensations ?

Il avait fait des choses qu'il n'aurait jamais faites en d'autres circonstances. Les virées sur l'autoroute, aussi peu réfléchies et aussi libres que la migration des oiseaux. La fille aux seins si différents de ceux de Mary, avec qui il avait fait l'amour. Ses entretiens avec un vrai gangster, qui avait fini par le respecter, par le prendre au sérieux. Le délire des cocktails Molotov et le moment d'épouvante onirique, avec ce sentiment de se noyer, lorsque la voiture avait hésité en haut du talus, comme au bord d'un gouffre. Des émotions fortes et profondes avaient été extraites de l'esprit de ce cadre moyen, pareilles aux reliques d'une religion primitive, mises à jour par la pioche de l'archéologue. Il s'était enfin senti *vivant.*

Evidemment, il y avait aussi eu des moments négatifs. Lorsqu'il avait perdu le contrôle de lui-même chez Handy's, se mettant à crier et à injurier Mary. La torturante solitude des deux premières semaines, lorsqu'il s'était retrouvé seul pour la première fois depuis vingt ans, avec pour seul compagnon le terrible, l'implacable battement de son cœur mortel. Quand Vinnie Mason — un type comme Vinnie, imaginez ! — lui avait allongé un coup de poing dans le grand magasin. L'affreuse gueule de bois consécutive à la peur, le lendemain du jour où il avait incendié les machines et la grue. Cela, surtout, il n'était pas près de l'oublier.

Et pourtant, même ces moments négatifs représentaient quelque chose de nouveau, et étaient dans un sens excitants, comme l'était la pensée qu'il était fou ou sur le point de le devenir. Les sentiers de son paysage intérieur qu'il avait suivis (en marchant, ou en rampant ?) au cours de ces deux mois n'étaient certes que des sentiers, des chemins déjà frayés. Il s'était exploré lui-même et ce qu'il avait découvert était souvent banal, mais aussi, parfois, effrayant et beau.

Ses pensées revinrent à Olivia, telle qu'il l'avait vue pour la dernière fois, sur la rampe d'accès à l'autoroute, levant sa pancarte LAS VEGAS... OU CASSEZ-VOUS ! comme un défi à la froide indifférence de tout. Cela le fit de nouveau penser à l'affiche de la banque. PARTIR, pourquoi pas ? Rien ne le retenait ici, en dehors d'une obsession morbide. Pas de femme, rien que le fantôme d'un enfant, pas de travail et une maison qui n'existerait plus dans dix jours. Il avait de l'argent liquide et une voiture. Qu'est-ce qui l'empêchait de partir sur-le-champ ?

Une sorte de frénésie s'empara de lui. Il se vit éteindre les lumières, monter dans sa LTD et prendre la route pour Las Vegas, de l'argent plein les poches. Il trouverait Olivia et lui dirait : PARTONS ! Rouler jusqu'en Californie, vendre la voiture, s'embarquer pour les mers du Sud. Hong Kong, et puis Saigon, Bombay, Athènes, Madrid, Paris, Londres, New York. Et après New York...

Ici ?

Le monde était rond, telle était la triste et terrible vérité. Comme Olivia, partie pour Las Vegas avec la ferme résolution de secouer un passé intolérable, et qui, dès le premier jour, se fait droguer et violer, parce que le nouveau chemin ressemble en tout point au vieux chemin, parce qu'il *est* le vieux chemin, sur lequel on roule encore et toujours, jusqu'au moment où l'on a creusé des ornières trop profondes pour en sortir et, alors, le moment est venu de fermer la porte du garage, de mettre le contact et d'attendre, attendre simplement...

La soirée s'avançait, et il continuait à tourner en rond comme un chat qui essaie d'attraper sa propre queue. Il finit par s'endormir sur le sofa et rêva à Charlie.

11 janvier 1974

Magliore l'appela à une heure un quart de l'après-midi.

« Okay, dit-il. On va faire des affaires ensemble, vous et moi. Cela vous coûtera neuf mille dollars. Je suppose que cela ne vous fera pas changer d'avis.

— En liquide ?

— Qu'est-ce que c'est que cette question stupide ? Vous n'imaginez tout de même pas que je vais accepter un chèque ?

— Bon, bon, excusez-moi.

— Soyez demain soir à dix heures au bowling Revel Lanes. Vous savez où c'est ?

— Oui. Sur la nationale 7, juste après le centre commercial Skyview.

— C'est bien ça. A la piste seize, vous trouverez deux gars portant des chemises vertes avec Firestone brodé en fils d'or dans le dos. Vous allez vous joindre à eux. L'un d'eux vous expliquera tout ce que vous devez savoir pendant que vous jouerez. Après avoir fait deux ou trois parties, vous allez reprendre votre voiture pour aller à la taverne Line. Vous connaissez ?

— Non.

— Vous continuez vers l'ouest sur la 7, c'est à

environ trois kilomètres du bowling, du même côté. Vous irez vous garer derrière la taverne. Mes amis vous auront suivi dans une Dodge bleue. Ils vont mettre une caisse dans le coffre de votre bagnole et vous leur remettrez une enveloppe. Il faut vraiment que je sois fou pour faire ça, vous savez ? Complètement ravagé. Ça risque de me mener tout droit en cabane, où j'aurai tout le temps de me demander pourquoi j'ai fait une connerie pareille.

— Je voudrais vous parler en tête à tête, un jour de la semaine prochaine.

— Pas question. Je ne suis pas votre confesseur. Je ne veux pas vous revoir, même pas vous parler au téléphone. Pour tout vous dire, Dawes, je ne tiens même pas à avoir de vos nouvelles par les journaux.

— Il s'agit d'un simple problème d'investissement. »

Magliore garda un instant le silence, puis répondit : « Non.

— Cela ne vous fera courir aucun risque. Je veux... placer de l'argent au profit de quelqu'un.

— Votre femme ?

— Non.

— Passez mardi. Je vous recevrai peut-être. Ou peut-être pas, s'il me reste assez de bon sens pour ça. »

Il raccrocha.

Revenu au living, il pensa à Olivia et à la vie — dans son esprit, les deux étaient de plus en plus liés. Et il pensa à PARTIR. Il pensa aussi à Charlie — il se souvenait à peine de son visage, sauf sous la forme de mauvais instantanés. Pourquoi agissait-il ainsi, alors, pourquoi ?

Il se leva brusquement et alla d'un pas résolu vers le téléphone. Dans les pages jaunes de l'annuaire, il chercha la rubrique VOYAGES. Il composa un numéro. Mais, quand une agréable voix féminine lui dit : « Agence de voyages Arnold, à votre service », il raccrocha et s'éloigna précipitamment du téléphone, en se frottant nerveusement les mains.

12 janvier 1974

Le bowling Revel Lanes était une longue bâtisse vivement éclairée à la lumière fluorescente, résonnant de la musique d'un juke-box, de cris et de conversations, du crépitement grêle des billards électriques, du ferraillement des machines à sous, et, couvrant le tout, du fracas en chaîne des quilles et du roulement sourd des lourdes boules noires.

Au guichet, on lui remit une paire de chaussures de bowling rouges et blanches (que l'employé aspergea cérémonieusement d'aérosol désinfectant en sa présence). Il gagna la piste 16. Les deux hommes y étaient. Il les reconnut. Celui qui s'apprêtait à lancer sa boule, c'était le mécano qu'il avait vu réparer un pot d'échappement lors de sa première visite à Magliore. L'autre était l'un des gars qui étaient venus chez lui pour chercher les micros. Il buvait de la bière dans un gobelet en carton plastifié. Tous deux le regardèrent approcher.

« Bonjour, dit-il. Je suis Bart.

— Moi, c'est Ray, dit le buveur de bière. Et lui, c'est Alan. »

La boule suivit la piste dans un roulement de tonnerre. Les quilles s'éparpillèrent en tous sens, puis Alan poussa une exclamation de dégoût. La sept et la dix étaient restées debout. Il essaya de lancer sa seconde boule sur le rebord droit pour avoir les deux quilles d'un coup, mais elle tomba dans la rigole.

« Zut ! s'exclama-t-il. Fichu ! »

Ray le regarda en hochant la tête : « Je t'ai déjà dit d'en viser une seule à la fois. Une seule ! Tu te prends pour un champion, ma parole !

— T'occupe pas, vieux. Un peu plus, et ça y était. Salut, Bart.

— Salut. »

Ils échangèrent des poignées de main.

« Content de faire ta connaissance », dit Alan. Se tournant vers Ray, il ajouta : « On fait une nouvelle partie avec Bart, d'accord ? Pour moi, c'était foutu, de toute façon.

— D'accord.

— Vas-y, Bart, c'est toi qui commence. »

Il n'avait pas joué au bowling depuis quatre ou cinq ans. Il choisit une boule de douze livres qu'il avait bien en main, et la lança trop vite ; elle se retrouva aussitôt dans la rigole de gauche. Il la regarda s'éloigner, se sentant le dernier des imbéciles. A la boule suivante, il fit plus attention, mais ne toucha que trois quilles. Ray les eut toutes d'un coup. Alan en toucha neuf, puis eut celle qui restait avec sa seconde boule.

Au bout de cinq manches, le score était : Ray 89, Alan 76, Bart 40. Mais c'était bon d'avoir le dos en sueur et de faire bouger des muscles qui ont rarement l'occasion de s'exercer.

« C'est de la malglinite », dit soudain Ray.

Il était tellement pris par le jeu qu'il se demanda d'abord de quoi Ray parlait. Il le regarda en plissant le front, essayant d'interpréter ce mot inconnu, puis compris ce dont il s'agissait. Alan, une boule à la main, se concentrait sur la cible : il lui restait le quatre et le six.

« Je t'écoute.

— Ça se présente en bâtons d'une dizaine de centimètres de long. Il y en a quarante. Chaque stick a soixante fois la puissance explosive d'un bâton de dynamite.

— Je vois », dit-il, sentant son estomac se contracter douloureusement. Alan lança sa boule et bondit de joie en voyant qu'il avait eu les deux quilles.

C'était à lui. Il tira ses deux boules, toucha sept quilles et alla se rasseoir sur le banc. Ray se hâta de jouer et fit un score médiocre. Alan alla choisir une boule dans le caddie et, la tenant sous son menton, regarda songeusement les quilles. Il échangea un salut avec le joueur de la piste voisine, puis se mit en position.

« Il y a cent vingt mètres de fil spécial avec. Il faut une décharge électrique pour faire détoner ce truc. Tu peux diriger la flamme d'un chalumeau dessus, ça fondra, et c'est tout. Ça... *Bravo, Al ! Ça, c'était un beau coup !* »

Al avait réussi un magnifique *Brooklyn hit,* renversant toutes les quilles d'un coup.

Il se leva, lança ses deux boules, qui finirent l'une et l'autre dans la rigole, et alla se rasseoir. Ray passa son tour ; tandis qu'Alan allait prendre une boule, il poursuivit : « Il faut de l'électricité. Un accumulateur. Tu as ce qu'il faut ?

— Oui », répondit-il. Il regarda son score. 47. Sept de plus que son âge.

« En reliant plusieurs fils, tu peux obtenir des explosions simultanées. Tu piges ?

— Oui. »

Alan réussit un autre *Brooklyn hit.*

Lorsqu'il les rejoignit, tout souriant, Ray lui dit : « Ne te fies pas trop à ces *Brooklyn hits.* Ça ne marche pas toujours, tu sais.

— En attendant, t'as plus que huit points d'avance sur moi. »

Il joua, toucha six quilles, et regagna le banc. Ray se leva. A la septième manche, son score était de 116.

En se rasseyant, Ray lui demanda : « Tu as des questions ?

— Non. Nous pouvons partir, à la fin de cette manche ?

— Bien sûr. Tu ne jouerais pas trop mal en t'exerçant un peu. Ton gros défaut, c'est que tu tournes le poignet au moment de lancer la boule. »

Alan essaya un nouveau *Brooklyn hit,* mais cette fois, la sept et la dix restèrent debout ; il revint s'asseoir avec une grimace de dégoût. *Et tout recommence,* pensa-t-il ; *c'est là que j'entre en scène.*

« Je t'avais bien dit de ne pas t'y fier, lui lança Ray.

— Va te faire voir », grogna Alan.

Alan tira ses deux dernières boules, sans toucher une seule quille.

« Y en a vraiment qui n'apprennent jamais, s'esclaffa Ray. Vrai de vrai, il y a des gars, on a beau leur expliquer, ils apprennent jamais. »

La taverne Line arborait une énorme enseigne lumineuse rouge, qui clignotait sans fin avec une confiance aveugle, faisant fi de la crise de l'énergie. Sous l'enseigne, une banderole blanche annonçait :

Sur la droite, se trouvait un parking plein de voitures — normal pour un samedi soir. En suivant l'allée, il vit que le parking continuait à l'arrière du restaurant, formant un L. Il se gara à côté d'un emplacement libre, arrêta le moteur, éteignit les phares et descendit.

La nuit était glaciale — ce genre de froid qui rend vos oreilles complètement insensibles en l'espace de quinze secondes. Un million d'étoiles resplendissaient dans le ciel. L'orchestre du restaurant — on l'entendait d'ici — jouait *After Midnight.* Une chanson de J. J. Cale, se souvint-il, en se demandant où il avait bien pu récolter ce renseignement d'une parfaite inutilité. C'était stupéfiant, cette façon qu'a l'esprit humain de s'encombrer de détritus sans valeur. Il se souvenait du nom de l'auteur de *After Midnight,* mais pas du visage de son fils décédé. Cela lui parut très cruel.

La Dodge se glissa à côté de la LTD. Ray et Alan en descendirent. Ils étaient bien équipés : gants fourrés et parkas des surplus de l'armée.

« Tu as l'argent ? » demanda Ray.

Il sortit l'enveloppe de son pardessus et la lui tendit. Ray l'ouvrit et feuilleta les billets, au jugé, sans les compter vraiment.

« C'est bon. Ouvre ta voiture. »

Il leva le hayon de la LTD (« la cinquième porte magique », comme disaient les prospectus de Ford) ; les deux hommes sortirent une lourde caisse en bois de la camionnette et la mirent sur le plancher de la station-wagon.

« Les fils et les détonateurs sont au fond, lui dit

Ray, dont les narines soufflaient des jets de vapeur blanche. N'oublie pas, il faut du jus. Sinon, autant les planter dans un gâteau d'anniversaire.

— Je m'en souviendrai.

— Tu devrais jouer plus souvent au bowling. Tu as une bonne détente. »

Ils remontèrent dans leur camionnette et partirent. Il attendit quelques instants, puis démarra à son tour, soulagé de ne plus entendre cet orchestre ringard. Il avait un peu froid. Lorsqu'il monta le chauffage, il sentit des picotements dans les oreilles.

Arrivé chez lui, il porta la caisse dans l'entrée et l'ouvrit à l'aide d'un tournevis. Comme Ray le lui avait dit, cela ressemblait exactement à des bâtons de pâte à modeler grisâtre. Sous les sticks, posés sur une couche de papier journal, il y avait deux gros rouleaux de fils, retenus par des attaches en plastique qui ressemblaient étonnamment à celles qu'il utilisait pour fermer ses sacs poubelle.

Il poussa la caisse dans le placard du living et s'efforça d'oublier sa présence, mais elle semblait émettre des émanations maléfiques, qui se répandaient dans toute la maison, comme s'il s'était produit jadis dans le placard un événement terrifiant qui, lentement mais sûrement, corrompait tout ce qui l'entourait.

13 janvier 1974

Il se rendit en voiture dans les bas quartiers et erra au hasard dans les rues, cherchant l'établissement tenu par Drake. Il vit de misérables immeubles, d'un aspect si vétuste, si branlant, que l'on avait l'impression qu'ils s'écrouleraient si l'on retirait leurs voisins, d'ailleurs tout aussi exténués qu'eux. Chacun était surmonté d'une forêt d'antennes de télévision, pointées vers le ciel comme des cheveux se dressant d'épouvante. Des bars, qui n'ouvraient qu'à midi. Au beau milieu d'une petite rue de traverse, l'épave d'une voiture, sans pneus, sans phares, sans chromes, pareille à un squelette de vache blanchi par le soleil dans la Vallée de la Mort. Des éclats de verre étincelaient dans les caniveaux. Les boutiques des prêteurs sur gages et les magasins de spiritueux étaient protégés par des grilles en accordéon et des vitrines en verre de sécurité. Et voilà, pensa-t-il, voilà ce que nous ont appris les émeutes raciales d'il y a huit ans : à nous protéger contre les pillards. Finalement, vers le milieu de Venner Street, il aperçut une enseigne en lettres gothiques :

DROP DOWN MAMMA COFFEEHOUSE

Il gara sa voiture le long du trottoir, ferma les portières à clef et entra dans le petit café. Il n'y avait que deux clients : un jeune Noir vêtu d'un pardessus vert pomme deux fois trop grand pour lui, qui semblait somnoler, et un vieil ivrogne blanc qui buvait du café dans une tasse en grosse faïence blanche. Ses mains tremblaient chaque fois qu'il portait la tasse à sa bouche. Sa peau était jaune, et ses yeux semblaient emplis d'une lumière très lointaine, comme si l'homme intact était emprisonné tout au fond de cette prison puante.

Drake était assis derrière le comptoir, où deux plaques chauffantes — sur l'une, un pot de café, sur l'autre, de l'eau pour le thé — voisinaient avec une boîte à cigares contenant quelques pièces de monnaie. Au mur, étaient placardées deux feuilles de papier à dessin sur lesquelles l'on pouvait lire, écrit au crayon gras :

CONSOMMATIONS :
Café 15 c.
Thé 15 c.
Sodas divers 25 c.
Jus de fruits 30 c.
Cake 25 c.
Hot Dog 35 c.

et :

ATTENDEZ D'ÊTRE SERVI SVP !
Le personnel du Drop In est uniquement composé
DE VOLONTAIRES.
Si vous vous servez vous-même, ils se sentent

inutiles. S'il vous plaît, soyez patients et n'oubliez pas que DIEU VOUS AIME !

Drake leva les yeux du magazine qu'il lisait. Il prit un moment l'expression lointaine de ceux qui font mentalement claquer leurs doigts pour retrouver un nom, puis s'exclama : « M. Dawes ! Comment allez-vous ?

— Bien, merci. Vous me servez un café ?

— Avec plaisir. » Il prit une des tasses rangées en pyramide derrière lui et l'emplit du liquide fumant. « Vous prenez du lait ?

— Non, merci. » Il posa sur le comptoir une pièce de vingt-cinq cents et Drake lui rendit dix cents pris dans la boîte à cigares. « Je voulais vous remercier pour l'autre soir, et aussi apporter une contribution à... vos œuvres.

— Me remercier de quoi ?

— Vous m'avez aidé. Je traversais un moment très difficile.

— Ces drogues chimiques ont parfois cet effet-là. Pas toujours, mais parfois. L'été dernier, quelques jeunes m'ont amené un de leurs copains qui avait pris de l'acide dans un parc de la ville. Il était terrorisé parce qu'il s'imaginait que les pigeons allaient le dévorer. Une histoire d'épouvante dans le plus pur style du *Reader's Digest !*

— La fille qui m'avait donné la mescaline m'a raconté qu'une fois elle avait sorti un bras humain de l'évier. Et après, elle était incapable de dire si cela s'était réellement produit ou non.

— Qui était-elle ?

— Je n'en sais réellement rien, répondit-il, et c'était la vérité. Peu importe, d'ailleurs. Tenez. »

Il posa sur le comptoir, à côté de la boîte à cigares, un rouleau de billets maintenus par un gros élastique.

Drake regarda l'argent en fronçant les sourcils, mais n'y toucha pas.

« Ce n'est pas pour vous personnellement, dit-il. C'est pour ce café, pour ce que vous essayez de faire. » Il était certain que Drake l'avait compris, mais le silence de celui-ci le gênait.

Drake ôta l'élastique, et, tenant les billets de la main gauche, commença lentement à les compter avec sa main droite, celle qui était déformée par de curieuses cicatrices.

« Il y a cinq mille dollars, dit-il lorsqu'il eut terminé.

— Oui.

— Sans vouloir vous offenser, puis-je vous demander...

— D'où j'ai eu cet argent ? Non, cela ne m'offense pas du tout. J'ai été obligé de vendre ma maison à la municipalité, parce qu'une route va passer par là.

— Votre femme est d'accord ?

— Cela ne la concerne pas. Nous sommes séparés, et allons bientôt divorcer. Elle a reçu la moitié de la somme provenant de la vente de la maison.

— Je vois. »

Derrière eux, le vieil ivrogne se mit à fredonner — pas une chanson, juste un fredonnement monotone, sans suite.

Avec une moue dubitative, Drake tapota de l'index les billets, dont les coins rebiquaient à force d'être restés enroulés. « Je ne peux pas accepter, dit-il finalement.

— Pourquoi ?

— Auriez-vous oublié ce dont nous avons parlé, cette nuit-là ?

— Je n'ai aucun projet dans ce sens.

— J'ai du mal à vous croire, dit Drake. Un homme qui a les pieds bien plantés sur cette terre ne distribue pas son argent par simple caprice.

— Ce n'est pas un caprice », répliqua-t-il avec fermeté.

Drake lui lança un regard perçant. « Pas un caprice ? Donner cinq mille dollars à un type rencontré par hasard ?

— Mais enfin, j'ai donné de l'argent à des gens que je n'ai jamais vus ! Des médecins qui font de la recherche sur le cancer. Une fondation pour les enfants démunis. Un hôpital de Boston où l'on soigne les gens atteints de dystrophie musculaire. Je ne suis même pas allé à Boston !

— Des sommes aussi importantes que celle-ci ?

— Non.

— Et en liquide, M. Dawes. Un homme pour qui l'argent compte ne tient pas à le voir. Il remet des chèques, il signe des papiers. Même au poker, on joue avec des jetons : l'argent devient un simple symbole. Et dans notre société, un homme pour qui l'argent ne compte pas n'accorde pas davantage de prix à la vie.

— Vous avez une attitude fichtrement matérialiste, pour un...

— Pour un prêtre ? Mais je ne suis plus prêtre. » Il leva sa main couturée de cicatrices. « Depuis que *ceci* est arrivé. Voulez-vous que je vous dise comment je trouve l'argent pour faire marcher cet établissement ? Nous sommes arrivés trop tard pour bénéficier de l'aide des associations charitables

“ traditionnelles ” — du bluff, tout ça. Les gens qui travaillent ici sont des retraités, des vieux bonshommes qui ne comprennent pas grand-chose aux gosses de maintenant, mais qui veulent faire autre chose que de rester toute la journée à regarder par la fenêtre. J'ai aussi quelques jeunes en liberté surveillée qui nous amènent des groupes qui viennent jouer gratis les vendredis et samedis soir — des débutants qui sont contents de trouver un public. On passe le chapeau, ça fait toujours quelques dollars. Mais la galette vient surtout de dons faits par des richards. Je fais des tournées de conférences. Je vais parler aux dames de la haute société à l'heure du thé. Je leur parle des gosses qui mendient, des épaves qui couchent sous les viaducs et font brûler des journaux pour ne pas crever de froid l'hiver. Je leur parle de cette fille de quinze ans qui est sur les routes depuis 1971 et qui est arrivée chez nous avec des poux gros comme ça plein la tête et le pubis. Je leur parle des maladies vénériennes qui sévissent à Norton. Des types qui guettent les jeunes routards aux arrêts de bus pour leur proposer de se prostituer. Certains finissent par tailler des pipes à des homosexuels dans les toilettes des cinémas. C'est payé dix dollars, quinze s'ils avalent. Moitié pour eux et moitié pour le maquereau. Quand je raconte ça à ces dames, elles prennent d'abord un air choqué puis leurs yeux deviennent humides et leurs cuisses aussi, probablement, mais elles aboulent le fric, et c'est ça qui compte. Quand on a de la chance, il y en a une qui accroche vraiment et qui ne se contente pas de vous refiler dix dollars. Elle vous invite à dîner dans sa somptueuse demeure du Crescent, vous présente aux membres de sa famille, et vous demande de dire le bénédicité quand la bonne commence à servir les hors-d'œuvre. Et vous le faites, même si les mots vous laissent un mauvais goût dans la bouche, tout en caressant les cheveux du gamin ou de la gamine — parce qu'il y en a toujours un, Dawes, un seul, pas ces nichées de lapins qu'on voit dans les quartiers pauvres —, et vous leur dites que c'est vraiment un beau gars qu'ils ont là, ou une adorable fillette, et si vous avez beaucoup de chance, la dame a également invité ses amies du bridge hebdomadaire ou bien du country-club, pour qu'elles puissent voir ce prêtre défroqué, qui est sans doute de gauche et passe des armes aux Panthères Noires ou au FLN, et vous prenez votre air le plus débonnaire, et souriez jusqu'à en avoir mal au visage. Ça s'appelle secouer l'arbre à fric, et ça se fait toujours dans l'environnement le plus élégant et le plus raffiné que l'on puisse imaginer, mais quand vous rentrez chez vous, vous vous sentez comme si vous veniez de passer votre soirée à genoux dans les chiottes d'un cinéma à sucer la queue d'un respectable businessman. Mais c'est mon boulot, que voulez-vous, ça fait partie de ma pénitence, excusez le terme, mais celle-ci n'inclut pas la nécrophilie. Et j'ai bien l'impression, M. Dawes, que c'est ce que vous me proposez. Voilà pourquoi je me vois contraint de refuser.

— Pénitence ? Et pourquoi donc ?

— Cela, répondit Drake avec un sourire amer, c'est entre Dieu et moi.

— Mais pourquoi choisir ce mode de financement, si cela vous répugne tant ? Pourquoi ne pas simplement...

— Il n'existe aucune autre possibilité. Je suis prisonnier des circonstances. »

Dans un vertigineux accès de désespoir, il se

rendit brusquement compte que Drake venait de résumer sa propre situation. Cela expliquait tout : pourquoi il était venu ici, et ses actions des semaines écoulées.

« Ça va, M. Dawes ? Vous paraissez tout...

— Je vais parfaitement bien, merci. Permettez-moi en tout cas de vous souhaiter bonne chance. Même si vous n'allez nulle part.

— Je ne me fais pas d'illusions, vous savez, dit Drake en souriant. Mais vous devriez bien réfléchir, avant de commettre... l'irréparable. Il existe des possibilités.

— Vous croyez vraiment ? » Il lui rendit son sourire. « Fermez le café pour aujourd'hui. Venez avec moi, et nous deviendrons partenaires en affaires. C'est une proposition parfaitement sérieuse, je vous assure.

— Vous vous moquez de moi.

— Absolument pas. Mais peut-être quelqu'un se moque-t-il de nous deux. » Il se détourna du comptoir tout en remettant l'élastique autour des billets. Le gosse somnolait toujours. Le vieil homme avait posé sa tasse à moitié vide sur la table et la fixait d'un regard totalement inexpressif, tout en continuant à fredonner.

Au passage, il fourra le rouleau de billets dans la tasse du vieil homme, éclaboussant la table de café boueux. Il sortit sans se retourner et alla ouvrir sa voiture, pensant que Drake le suivrait pour le sermonner, peut-être pour le sauver. Mais Drake n'en fit rien, pensant peut-être qu'il allait revenir et se sauver lui-même.

Rien de tout cela n'arriva : il monta dans sa voiture et partit.

14 janvier 1974

Il alla dans le centre, et acheta chez Sears Roebuck une batterie pour automobile et une paire de câbles de démarrage. Sur le côté de la batterie, ces mots étaient imprimés en relief :

VIE DURE

Rentré chez lui, il rangea la batterie et les câbles dans le placard, à côté de la caisse. Il pensa à ce qui arriverait si jamais la police débarquait chez lui avec un mandat de perquisition. Des armes dans le garage, des explosifs dans le living, et une grosse somme en liquide dans la cuisine. Bart G. Dawes, le desperado révolutionnaire. L'agent secret X-9, à la solde d'un cartel étranger trop monstrueux pour le nommer. Il s'était abonné au *Reader's Digest*, qui était plein d'histoires de ce genre, quand ce n'était pas les éternelles croisades contre le tabac, contre la pornographie, contre le crime... C'était toujours plus effrayant quand le prétendu espion était un petit banlieusard anonyme, un homme comme *nous*. Des agents du KGB à Willmette, ou Des Moines, collant des microfilms dans les livres de la bibliothèque de prêt du drugstore voisin, préparant la révolution dans des cinémas drive-in, mangeant des Big Macs avec une dent creuse contenant du cyanure.

Oui, un simple mandat de perquisition, et ils le crucifieraient. Mais il n'avait plus vraiment peur. Sans doute était-il déjà allé trop loin pour cela.

15 janvier 1974

« Qu'est-ce que vous voulez encore ? » demanda Magliore avec lassitude.

Dehors, il tombait de la neige fondue. C'était un après-midi gris et triste, une de ces journées où les autobus, émergeant de la brume crasseuse en projetant une boue noirâtre dans toutes les directions, semblent sortir tout droit de l'imagination maladive d'un maniaco-dépressif, et où le simple fait d'exister paraît presque anormal.

« Vous voulez ma femme ? reprit Magliore. Ma maison ? Prenez tout, Dawes, mais laissez-moi vieillir en paix.

— Ecoutez, dit-il, mal à l'aise, je sais que je suis un emmerdeur...

— Il sait qu'il est un emmerdeur », dit Magliore comme s'il voulait prendre les murs à témoin. Il leva les mains et les laissa retomber sur ses cuisses charnues. « Mais puisque vous le savez, pourquoi ne cessez-vous pas, au nom du ciel ?

— C'est la dernière chose que je vous demande. Vraiment la dernière. »

Magliore cligna des yeux à plusieurs reprises. « Cela paraît trop beau pour être vrai. Alors, qu'est-ce que c'est ? »

Il sortit une liasse de billets. « J'ai ici dix-huit mille dollars. Trois mille sont pour vous. Si vous m'aidez à retrouver quelqu'un.

— Qui ?

— Une fille. Elle est à Las Vegas.

— Les quinze mille sont pour elle ?

— Oui. Je vous les confie. J'aimerais que vous les investissiez dans une de vos opérations, et que vous lui versiez les dividendes.

— Une opération légale ?

— Ce qui rapporte le plus. Je me fie à votre jugement.

— Il se fie à mon jugement ! dit Magliore, prenant de nouveau les murs à témoin. Vegas est une grande ville, M. Dawes. Et pleine de touristes.

— Y avez-vous des contacts ?

— C'est effectivement le cas. Mais s'il s'agit d'une stupide hippie attardée qui est peut-être déjà partie pour San Francisco ou Denver...

— Elle se nomme Olivia Brenner, et je pense qu'elle est toujours à Las Vegas. La dernière fois que j'ai eu de ses nouvelles, elle travaillait dans un fast food...

— Des fast, il y en a au moins deux millions à Las Vegas. Jésus-Marie-Joseph !

— Elle partage, ou en tout cas partageait, un appartement avec une autre fille. J'ignore dans quel quartier. Environ un mètre soixante-dix, cheveux châtain foncé, yeux verts. Bien faite. Vingt et un ans — c'est du moins ce qu'elle dit.

— Et si je ne parviens pas à retrouver cette souris ?

— Investissez l'argent et gardez les dividendes. Pour tous les ennuis que je vous ai causés.

— Qu'est-ce qui vous garantit que je ne vais pas le faire de toute façon ? »

Il se leva, laissant les billets sur le bureau de Magliore. « Rien, bien sûr. Mais vous avez un visage honnête.

— Ecoutez-moi, dit Magliore. Vous avez bien assez d'emmerdes comme ça, et je ne voudrais pas en rajouter, mais... cette histoire ne me dit rien de bon. J'ai l'impression que vous me demandez de devenir votre exécuteur testamentaire, en quelque sorte.

— Vous pouvez refuser, si vraiment...

— Mais non, vous n'y êtes pas du tout. Si elle est toujours à Las Vegas, et qu'elle n'a pas changé de nom, je crois que je pourrai la retrouver, et trois mille dollars, c'est largement payé. Je ne vois pas pourquoi je refuserais. Mais vous me faites peur, Dawes. On a l'impression que rien ne peut vous faire dévier du cap que vous vous êtes fixé.

— C'est exact. »

Magliore regarda en hochant la tête la photo le montrant en compagnie de sa femme et de ses enfants.

« Bon, reprit-il, c'est d'accord. Mais c'est la dernière fois, Dawes. Après, c'est terminé. Ter-mi-né. Je ne veux pas vous revoir, ni même entendre votre voix au téléphone. Sinon, je laisse tout tomber. Et je parle sérieusement. J'ai suffisamment de problèmes comme ça, et je ne tiens pas à y ajouter les vôtres.

— J'accepte cette condition. »

Il avança la main, se demandant si Magliore accepterait de la serrer — il le fit.

« Je vous aime bien, dit Magliore, mais je ne vous comprends pas. Vraiment pas. Comment peut-on aimer quelqu'un qu'on ne comprend pas, je vous le demande ?

— Nous vivons dans un monde incompréhensible, absurde. Si vous en doutez, pensez à la chienne de M. Piazzi.

— J'y pense souvent », dit Magliore.

16 janvier 1974

Il mit l'enveloppe contenant le carnet de chèques dans sa poche et sortit la mettre dans la boîte aux lettres du coin de la rue. Le soir, il alla au cinéma voir *L'Exorciste,* parce que Max von Sydow jouait dedans et qu'il avait toujours eu une grande admiration pour von Sydow. Dans une scène du film, une petite fille vomissait sur un prêtre catholique. Il y eut des applaudissements au fond de la salle.

17 janvier 1974

Mary l'appela au téléphone. A en juger par sa voix, elle était soulagée et emplie d'une sorte d'absurde gaieté. Cela facilitait bien les choses.

« Alors, tu as vendu la maison !

— Eh oui.

— Mais tu es toujours là.

— Jusqu'à samedi. J'ai loué une grande ferme, à la campagne. Je vais essayer de me reprendre en main.

— Oh, Bart, c'est merveilleux ! Si tu savais comme je suis heureuse ! » Il se rendit compte alors pourquoi la conversation était si facile, si détendue : elle jouait et se jouait la comédie. Elle n'était ni heureuse ni malheureuse ; elle avait tout simplement abandonné. « Dis-moi, à propos du compte bancaire...

— Oui ?

— Tu as partagé l'argent en deux, n'est-ce pas ?

— Oui. Si tu veux vérifier, téléphone à M. Fenner.

— Oh non, ce n'est pas *du tout* ce que je voulais dire... » Tout juste s'il ne la voyait pas faire de grands gestes de dénégation. « Mais... le fait de diviser l'argent de cette façon... est-ce que cela signifie... ? »

Elle laissa sa phrase en suspens avec juste l'intonation qu'il fallait. *Oh la vache!* pensa-t-il. *Quel talent!*

« Un divorce ? Oui, sans doute.

— Y as-tu réfléchi ? demanda-t-elle avec gravité, plus comédienne que jamais. Vraiment réfléchi ?

— Oui, j'y ai beaucoup pensé.

— Moi aussi. Je crois malheureusement que c'est la seule solution qui nous reste. Mais je ne t'en veux pas, Bart. Je ne suis pas ton ennemie, tu sais. »

Ciel! Elle a dû lire ça dans un roman de gare. Je parie qu'elle va me dire qu'elle reprend ses études. Sa propre amertume le surprit. Il pensait avoir dépassé cela.

« Que vas-tu faire ? demanda-t-il.

— Je vais reprendre des études. » Cette fois, la voix de Mary vibrait d'une joie qui n'était pas feinte. « J'ai retrouvé mon carnet universitaire. Il était resté dans le grenier de Mamma, avec mes vieux vêtements. Et, tu sais, je me suis aperçue qu'il ne manquait que vingt-quatre unités pour avoir mon diplôme. A peine plus d'une année, tu te rends compte ! »

Il eut une vision de Mary fouillant à quatre pattes dans le grenier de sa mère, et soudain ce n'était plus Mary, mais lui-même, assis, tout désorienté, au milieu des vêtements de Charlie. Il chassa l'image de son esprit.

« Bart ? Tu es là ?

— Oui. Eh bien, bravo, je me réjouis que la solitude t'apporte tant de choses.

— Bart », dit-elle avec reproche.

Mais il ne ressentait plus le besoin de l'attaquer, de lui lancer des vérités déplaisantes. Il avait dépassé ce stade. Ayant mordu, la chienne de

M. Piazzi passait à d'autres occupations. Cette idée lui parut si drôle qu'il eut un rire étouffé.

« Tu pleures, Bart ? » demanda Mary avec douceur. (Comédienne, mais tendre.)

« Non, lui assura-t-il bravement.

— Est-ce que je peux faire quelque chose pour toi, Bart ? Si oui, je tiens à le faire. Je veux t'aider.

— Non. Tout ira bien, je crois. Cela me fait plaisir que tu retournes à l'université. A propos de divorce, d'ailleurs, qui va le demander ? Toi ou moi ?

— Je suppose qu'il vaudrait mieux que ce soit moi, dit-elle avec hésitation.

— D'accord, pas de problème. »

Un silence s'installa entre eux ; elle le rompit brusquement, comme si les mots lui avaient échappé à son insu : « As-tu couché avec une autre femme depuis mon départ ? »

Il réfléchit à la question et aux différentes façons d'y répondre : la vérité, un mensonge, une réponse évasive qui empêcherait Mary de dormir cette nuit...

« Non, dit-il lentement. Et toi ?

— Oh non ! » répondit-elle, en réussissant (belle performance) à paraître à la fois choquée et satisfaite. « Je ne ferais sûrement pas une chose pareille.

— Cela arrivera bien un jour.

— Parlons d'autre chose, Bart, veux-tu ?

— Comme tu voudras », dit-il avec bonne grâce, bien que ce fût elle qui eût abordé ce sujet. Il aurait voulu lui dire quelque chose de vraiment gentil, une phrase dont elle se souviendrait. Mais il ne trouvait rien, et se demandait de surcroît pourquoi il tenait à ce qu'elle se souvînt de lui, du moins à ce stade des événements. Avant, ils avaient vécu de longues années heureuses. Elles avaient sûrement été heureuses, puisqu'il ne se souvenait pas de grand-chose, sauf peut-être de la folle anecdote de leur première télévision. Soudain, il s'entendit dire : « Te souviens-tu du jour où nous avons emmené pour la première fois Charlie à la garderie ?

— Oui. Il pleurait, et tu voulais le ramener à la maison. Tu ne voulais pas l'abandonner...

— Mais toi, tu le voulais. »

Elle rétorqua quelque chose sur un ton de dénégation offensée, mais il était déjà perdu dans ses souvenirs. La dame qui s'occupait de la garderie s'appelait Mrs. Ricker ; elle avait un diplôme d'Etat, et servait aux enfants un bon repas chaud avant de les renvoyer chez eux. La garderie était installée dans un sous-sol aménagé ; en descendant les marches qui y menaient, tenant Charlie par la main, il se sentait pareil à un traître, à un fermier caressant sa vache sur le chemin de l'abattoir. C'était un beau garçon, son Charlie. Des cheveux presque blonds, qui avaient foncé par la suite. Des yeux bleus, alertes. Des mains habiles, même quand il était tout petit. En bas de l'escalier, Charlie était resté totalement immobile, le regard fixé sur les autres enfants — si *nombreux* — qui découpaient des papiers de couleur avec des ciseaux aux bouts arrondis, dessinaient, se poursuivaient en criant. Jamais Charlie ne lui avait paru aussi vulnérable qu'en cet instant, face à tous ces enfants inconnus. Il les observait sans joie ni peur, mais avec une qualité d'attention particulière, comme s'il voulait préserver son identité, rester extérieur à la *masse.* Et jamais il ne s'était senti aussi proche des pensées de son fils, jamais il ne s'était autant senti son père. Au bout d'un moment, Mrs. Ricker était venue vers eux, souriant comme un requin, et avait dit : *Tu verras comme on s'amuse bien ici, mon petit Charlot.* Et il avait eu envie de s'écrier : *Il ne s'appelle pas comme ça !* Ensuite, elle avait tendu la main à Charlie, mais celui-ci s'était contenté de la regarder sans la lui prendre, et alors elle lui avait *volé* sa main et avait commencé à le tirer vers les autres ; au début, il s'était laissé faire, mais au bout de deux pas il s'était arrêté net et s'était retourné pour les regarder, et cette Mrs. Rickchose avait dit sur un ton apaisant : *Vous pouvez partir, tout ira bien ;* comme il hésitait, Mary avait fini par lui donner un petit coup dans les côtes : *Allez, Bart,* VIENS, mais il restait figé sur place, incapable de détacher les yeux de son fils, dont le regard lui disait : *Tu vas les laisser me faire ça, George ?* et son regard à lui répondait : *Eh oui, Freddy, je crains bien que oui.* Il avait fini par suivre Mary, et ils avaient tous deux remonté les marches, montrant leurs dos à Freddy, ce qui est pire que tout pour un petit enfant, et Charlie s'était mis à pleurnicher. Mais Mary avait continué à monter les marches sans un instant d'hésitation, parce que l'amour d'une femme est étrange et cruel et presque toujours lucide et que l'amour lucide est effrayant ; elle savait que partir sans se retourner, sans se soucier des pleurs du gamin, était la meilleure solution : une étape normale de son développement, comme les sourires bêtes et les genoux écorchés. Et il avait senti dans sa poitrine une douleur si intense, si physique, qu'il s'était demandé s'il avait une crise cardiaque, mais la douleur passa, le laissant ébranlé et incapable de l'interpréter — mais maintenant, il pensait que c'était la simple et prosaïque douleur des adieux. Rien au monde n'est pire que des parents tournant le dos à leurs enfants. Et le plus affreux, c'est la rapidité avec laquelle les enfants oublient ces dos pour vaquer à leurs propres affaires : les jeux, les nouveaux copains, l'apprentissage de la vie et finalement la mort. Toutes ces choses terribles lui apparaissaient maintenant dans leur évidence. Charlie avait commencé à mourir bien longtemps avant de tomber malade, et cela, personne n'aurait pu l'empêcher.

« Bart ? disait la voix de Mary au téléphone. Bart ? Tu es toujours là ?

— Je suis là.

— A quoi bon penser tout le temps à Charlie, Bart ? Cela te détruit. Tu es devenu son prisonnier.

— Mais toi, dit-il, tu es libre.

— Veux-tu que j'aille voir l'avocat la semaine prochaine ?

— Si tu veux.

— Il n'y a pas de raison que cela devienne déplaisant, n'est-ce pas, Bart ?

— Non, non. Ce sera très civilisé.

— Tu ne changeras pas d'avis ? Tu ne refuseras pas ?

— Non.

— Je... Je te rappellerai, alors.

— Tu savais que c'était le moment de partir, et tu l'as fait. J'aimerais pouvoir être aussi instinctif que toi.

— Comment ?

— Rien, Mary, rien. Au revoir. Je t'aime. » Il se rendit compte qu'il avait dit ces derniers mots après avoir raccroché. Il les avait dit automatiquement, sans y mettre le moindre sentiment. C'était purement verbal. Mais ce n'était somme toute pas une mauvaise conclusion. Pas mauvaise du tout.

18 janvier 1974

« De la part de qui ? demanda la secrétaire.
— Bart Dawes.
— Ne quittez pas, s'il vous plaît.
— Je ne quitte pas. »

Tout en écoutant le chuintement lugubre qui avait suivi le déclic, il tambourinait du pied et regardait par la fenêtre le quartier fantôme de Crestallen Street West. Le ciel était de nouveau clair et l'impression de froid était très vive, alors qu'en réalité il ne faisait que quelques degrés au-dessous de zéro. Le vent soulevait des gerbes de neige qui blanchissaient, du côté opposé de la rue, la façade de la maison des Hobart, désolée et silencieuse, simple coquille vide attendant la pioche des démolisseurs. Les Hobart avaient emporté jusqu'aux volets.

Il y eut un nouveau déclic, puis la voix de Steve Ordner : « Bonjour, Bart. Comment allez-vous ?
— Bien.
— Que puis-je pour vous ?
— Je vous appelle au sujet de la blanchisserie. Je me demandais si Amroco avait pris une décision pour trouver un nouveau local. »

Ordner soupira, puis dit avec bonhomie : « Il est

un peu tard pour cela, non ? » Comme Bart ne réagissait pas, il poursuivit : « Enfin ! peu importe. Le conseil d'administration a décidé de se retirer du blanchissage industriel. Mais nous gardons les laveries automatiques, qui marchent bien. Nous avons toutefois donné un nouveau nom à la chaîne : Prati-Lave. Comment le trouvez-vous ?

— Affreux, répondit-il sans conviction. Dites, pourquoi ne congédiez-vous pas Vinnie Mason ?

— Vinnie ? fit Ordner, surpris. Vinnie fait un boulot formidable pour nous. Il est en passe de devenir un vrai nabab du cinéma ! Je... franchement, votre amertume me surprend.

— Allons, Steve, ne me racontez pas de bobards. Dans ce poste, il a à peu près autant d'avenir qu'un concierge de HLM. Donnez-lui quelque chose de réellement valable, ou laissez-le partir.

— Je ne vois pas en quoi cela vous concerne, Bart.

— On lui a attaché un poulet crevé autour du cou, et il ne s'en rend pas compte parce que le poulet n'a pas encore commencé à pourrir.

— Si je suis bien informé, il vous a tabassé, peu avant Noël.

— Je lui avais dit la vérité, et cela ne lui avait pas plu.

— La vérité est une notion fluctuante, Bart. Vous devriez le savoir mieux que quiconque, après tous les mensonges que vous m'avez racontés.

— Ça vous emmerde, ça, hein ?

— Quand on s'aperçoit qu'un homme en qui l'on croyait pouvoir se fier vous laisse tomber, cela a en effet tendance à vous chiffonner.

— Tendance à vous chiffonner, répéta-t-il. Vraiment, Steve, je ne connais que vous pour parler de cette façon.

— Vous aviez autre chose à me dire ?

— Pas vraiment. Mais j'aimerais que vous cessiez d'enfoncer Vinnie, c'est tout. C'est un homme de valeur, et vous l'avez mis sur une voie de garage. Et le pire, c'est que vous le savez parfaitement.

— Et pourquoi voudrions-nous " enfoncer " Vinnie, comme vous dites ?

— Par vengeance. Parce que vous ne pouvez pas *me* toucher.

— Vous devenez complètement paranoïaque, Bart. La seule chose que je désire, c'est vous oublier. Rien de plus.

— C'est sans doute pour cela que vous avez demandé si je faisais laver mon linge personnel à l'œil ? Ou si les motels me versaient des pots-de-vin ? Je crois même savoir que vous avez vérifié les récépissés des entrées en liquide pour les cinq années écoulées.

— Qui vous a dit cela ? aboya Ordner, manifestement touché au vif.

— Un membre de votre organisation, dit-il allégrement, tout joyeux d'avoir trouvé ce mensonge. Un homme qui ne vous porte pas dans son cœur, et qui s'est dit que je pourrais peut-être donner un coup de pouce salutaire avant la prochaine assemblée générale.

— Qui ?

— Au revoir, Steve. Réfléchissez bien à Vinnie Mason, et de mon côté, je verrai à qui j'estime utile de parler ou non.

— Un moment ! Et ne raccrochez pas, je vous le conseille. Surtout, ne... »

Il raccrocha avec un large sourire. Steve Ordner était donc lui aussi vulnérable — un colosse aux pieds d'argile, comme dit le proverbe. A qui Steve le faisait-il penser ? Roulements à billes... glaces volées dans le frigo... Herman Wouk, le capitaine Queeg, oui, c'était cela ! Au cinéma, le rôle était interprété par Humphrey Bogart. Il éclata de rire.

Ouais, pensa-t-il, riant toujours, je suis vraiment timbré. Mais cela n'a apparemment pas que des inconvénients. Il lui vint à l'esprit qu'un des signes les plus sûrs de la folie, c'était cela : un homme riant tout seul, dans le silence d'une rue déserte bordée de maisons inhabitées. Loin de le calmer, cette pensée le fit rire encore plus fort, plié en deux à côté du téléphone, hochant spasmodiquement la tête et souriant comme un idiot.

19 janvier 1974

A la tombée de la nuit, il alla au garage et ramena les armes. Il chargea le Magnum, en suivant attentivement les instructions du livret, après avoir à plusieurs reprises fait fonctionner le mécanisme à vide. Il avait mis *Midnight Rambler,* des Rolling Stones. Plus il écoutait ce disque, plus il l'aimait. Il n'en revenait pas tellement c'était beau... George Barton Dawes, pensait-il, le Midnight Rambler — le Vagabond de Minuit —, reçoit uniquement sur rendez-vous.

Le chargeur du Weatherbee .460 pouvait contenir huit cartouches. On aurait plutôt dit de petits obus de mortier que des balles de fusil. Lorsqu'il eut fini de le charger, il le regarda avec curiosité, se demandant s'il était vraiment aussi puissant que le disait ce cochon de Harry Swinnerton. Il décida de l'essayer derrière la maison. Cela ne risquait pas d'attirer l'attention des voisins...

Il mit son veston et se dirigea vers la cuisine pour sortir par l'arrière, puis revint sur ses pas pour chercher un des petits coussins qui garnissaient le sofa du living, et alluma la lampe de 200 watts qui éclairait le jardin où Mary et lui faisaient des barbecues les soirs d'été. Derrière la maison, la neige avait le même aspect qu'une semaine auparavant — une neige vierge et intacte, qu'aucun pas humain n'avait souillée. Dans le temps, Keeny, le fils de Don Upslinger, utilisait parfois ce raccourci pour aller chez son copain Ronnie. Mais lui-même prenait toujours l'allée pour se rendre au garage, et il était ravi de voir que personne n'était passé par son jardin depuis l'arrivée de la première neige fin novembre. Pas même un chien, apparemment.

Il eut soudain une envie folle de se jeter dans toute cette blancheur et de faire un bonhomme — non, pas un bonhomme, un ange de neige. Mais il resta sagement face au jardin immaculé, et posa le coussin devant son épaule droite, le maintenant un moment avec son menton avant d'y appuyer la crosse de Weatherbee. Fermant l'œil gauche, il regarda dans le viseur et essaya de se souvenir du conseil que se donnaient toujours les marines avant de débarquer sur une plage hostile, dans les films sur la dernière guerre. En général, c'était un vieux dur à cuire comme Richard Widmark parlant à un bleu — Martin Milner, peut-être : *Doucement, fiston, une détente ça se caresse.*

Okay, Fred. Voyons voir si je suis capable de toucher mon propre garage.

Il pressa doucement la détente. Il y eut, non pas une détonation, mais une explosion. Un instant, il craignit d'avoir les mains arrachées. Il comprit qu'il était toujours vivant lorsque le recul le projeta contre la porte de la cuisine. Les échos de la déflagration s'éloignaient dans toutes les directions avec un bruit qui n'était pas sans rappeler le grondement d'un avion à réaction. Le coussin tomba dans la neige. Une douleur sourde battait dans son épaule.

« Ça alors, Fred ! » s'exclama-t-il d'une voix rauque.

Il leva les yeux vers le garage et en eut le souffle coupé. Dans le mur, la balle avait fait un trou aux bords déchiquetés du diamètre d'une canette de bière.

Après avoir posé le fusil contre la porte de la cuisine, il s'engagea dans la neige profonde ; il n'avait que des mocassins aux pieds, mais peu lui importait. Il examina le trou pendant une bonne minute, soulevant songeusement des éclats de bois avec l'index, puis entra dans le garage.

De l'autre côté, le trou était encore plus gros. Il examina la station-wagon. Dans la portière côté conducteur, il y avait un trou dans lequel il put passer deux doigts ; autour, la peinture était écaillée, révélant le métal nu. Côté passager, la portière était également trouée, juste en dessous de la poignée. La balle avait traversé de part en part le garage et la voiture. En ce moment même, elle continuait peut-être sa trajectoire, qui sait ?

Il entendit la voix de Harry, l'armurier, lui dire : *Votre cousin tire dans les tripes... avec ça, les entrailles seront éparpillées sur un rayon de dix mètres.* Et si on tirait sur un homme ? Le résultat serait probablement le même. Cette idée lui donna la nausée.

Il retraversa le jardin, s'arrêta pour ramasser le coussin, et entra dans la maison après s'être consciencieusement essuyé les pieds pour ne pas salir la cuisine de Mary. Arrivé dans le living, il retira sa chemise pour examiner son épaule. Malgré le coussin, elle portait une marque rouge de la forme exacte de la crosse du Weatherbee.

Il regagna la cuisine sans même remettre sa chemise, fit du café et mit un repas-télé au four.

Après avoir bu et mangé, il alla s'allonger sur le sofa du living et se mit à pleurer. Les pleurs ne tardèrent pas à se transformer en sanglots saccadés, hystériques, dont il était conscient et qui lui faisaient peur, mais qu'il ne pouvait contrôler. Peu à peu, il se calma, et sombra dans un lourd sommeil, ponctué par une respiration rauque et sifflante. Dans son sommeil, il paraissait vieux et la barbe de deux jours qui couvrait ses joues était grisonnante.

20 janvier 1974

Il se réveilla en sursaut. Il avait mauvaise conscience de s'être endormi ainsi : faisait-il déjà jour — était-il trop tard ? Il avait dormi d'un sommeil épais et lourd et se sentait complètement stupide, comme s'il avait du coton plein la tête. Il regarda sa montre : deux heures et quart. Le fusil était où il l'avait mis, nonchalamment appuyé contre le fauteuil. Et le Magnum était sur la table.

Il se leva et alla à la cuisine pour s'asperger le visage d'eau froide. Ensuite, il monta dans sa chambre et mit une chemise propre. Il la rentra dans son pantalon en descendant l'escalier. Après, il fit le tour du rez-de-chaussée, verrouillant toutes les portes ; pour des raisons qu'il préférait ne pas examiner de trop près, son cœur se sentait un petit peu plus léger à chaque tour de clef. Pour la première fois depuis que cette maudite femme s'était effondrée devant lui au supermarché, il se sentait redevenir lui-même. Il posa le Weatherbee par terre, devant la baie vitrée du living, et disposa les boîtes de cartouches à côté, en les ouvrant au fur et à mesure. Il traîna le lourd fauteuil vers la fenêtre et le renversa sur le côté.

Il retourna à la cuisine, s'assura que la fenêtre

était fermée et coinça sous la poignée de la porte une chaise qu'il avait amenée du living. Il se versa une tasse de café froid, en but une gorgée, grimaça et la vida dans l'évier. Il se prépara un drink.

Ensuite, il alla prendre la batterie et les câbles dans le placard du living ; il les déposa derrière le fauteuil retourné.

Cela fait, il monta la caisse d'explosifs à l'étage, en soufflant comme un phoque. Arrivé en haut de l'escalier, il la laissa lourdement tomber à ses pieds et reprit haleine. Il devenait trop vieux pour ce genre de trucs, bien qu'il n'eût pas perdu tous les muscles qu'il s'était faits à la blanchisserie, du temps où il chargeait, avec un autre employé, des piles de draps pesant pas loin de deux cents kilos. Mais muscles ou pas, à quarante ans, il ne faut pas tenter le destin. C'est l'âge où l'on est à la merci d'une attaque.

Il alla de pièce en pièce pour ouvrir la lumière : la chambre d'invités et son cabinet de toilette, sa chambre, le bureau qui avait été la chambre de Charlie. Il mit une chaise sous la trappe donnant accès au grenier et y monta pour allumer l'ampoule couverte de poussière. Après, il redescendit chercher un rouleau de chatterton, une paire de ciseaux et un couteau bien aiguisé.

Il sortit deux bâtons d'explosif de la caisse (ils gardaient les empreintes des doigts) et les monta au grenier. Il coupa deux longueurs de fil électrique et en dénuda les extrémités à l'aide du couteau de cuisine, puis les enfonça dans les bâtons. Il descendit par la trappe, dénuda une section des fils et y colla deux autres bâtons d'explosif, en les faisant tenir avec du chatterton.

Il continua à dévider les fils tout en fredonnant ;

de temps à autre, il en dénudait une section et y fixait des bâtons d'explosif : un dans le cabinet de toilette, deux dans la chambre d'invité, un sur chaque lit de sa chambre. Chaque fois qu'il avait terminé dans une pièce, il fermait la lumière. Dans l'ancienne chambre de Charlie, il en mit quatre, collés ensemble avec un bout de chatterton. Ensuite, il lança les deux rouleaux de fil par-dessus la rampe de l'escalier et descendit.

Quatre bâtons sur le buffet de la cuisine, à côté de la bouteille de Southern Comfort. Quatre dans le living. Quatre dans la salle à manger. Quatre dans l'entrée.

Il ramena les rouleaux de fils dans le living, un peu essoufflé à force de monter et de descendre l'escalier. Mais il lui restait un voyage à faire. Il remonta chercher la caisse, qui ne pesait d'ailleurs plus bien lourd : il n'y restait que onze bâtons d'explosif. Il s'aperçut pour la première fois que la caisse avait primitivement contenu des oranges. Sur un des côtés, des lettres délavées disaient :

POMONA

A côté, il y avait l'image d'une orange, avec un bout de tige et deux feuilles.

Il alla porter la caisse au garage, en empruntant l'allée cette fois, et la posa sur la banquette arrière de la LTD, puis enfonça un bout de fil dénudé dans chacun des onze bâtons, rassembla les fils en faisceau et relia le tout à ce qui restait du rouleau, qu'il ramena à la maison en le dévidant. Il fit soigneusement passer le fil sous la porte et referma celle-ci à clef.

Dans le living, il raccorda le fil venant du garage à

ceux qui étaient reliés aux charges réparties dans la maison. Fredonnant toujours, il coupa une dernière longueur de fil et le raccorda soigneusement aux autres. Il amena ce dernier fil jusqu'à la batterie, puis sépara les deux conducteurs et les dénuda sur plusieurs centimètres. Il en défit les brins pour faire des sortes de petits balais, et referma sur l'un de ceux-ci la fiche crocodile du câble noir, et sur l'autre, celle du câble rouge. Il fixa l'autre fiche du câble noir au plot marqué POS et laissa le câble rouge sur la moquette, à proximité du plot marqué NÉG.

Il était quatre heures cinq. Il mit le disque des Rolling Stones, alla se préparer un drink et revint au living, son verre à la main, se sentant soudain tout désœuvré.

Un vieux magazine traînait sur la table à thé. Il tomba sur un article traitant des problèmes domestiques des Kennedy. Il le lut. Ensuite, il lut un article intitulé « Les femmes et le cancer du sein ». Le médecin qui l'avait écrit était une femme.

Ils arrivèrent peu après dix heures. Les cloches de l'église de la Congrégation, à cinq rues de là, venaient juste de sonner pour appeler les fidèles à matines, ou quelque chose dans ce genre-là.

Il y avait une conduite intérieure verte et une voiture de police blanc et noir. Elles se garèrent l'une derrière l'autre, du côté opposé de la rue. Trois hommes descendirent de la conduite intérieure verte. L'un d'eux était Fenner. Il ne connaissait pas les deux autres. Chacun des hommes portait un attaché-case.

Deux policiers sortirent de la voiture de patrouille et s'adossèrent nonchalamment à celle-ci. Leur attitude indiquait qu'ils ne s'attendaient pas à des ennuis. Ils discutaient tranquillement, et chacun de leurs mots faisait un petit nuage de vapeur dans l'air froid.

Le temps s'arrêta.

Temps suspendu, 20 janvier 1974

eh oui fred je crois bien que le moment est venu de casquer ou de fermer boutique oh je sais que dans un sens il est trop tard pour fermer ou pour se tirer il y a des chapelets d'explosifs partout dans la maison comme des guirlandes de Noël et j'ai un fusil à la main un revolver à la ceinture comme ce foutu john dillinger alors que dis-tu c'est comme quand on grimpe sur un arbre je choisis cette fourche puis celle-là une décision suit l'autre

(les hommes figés dehors tableau instantané l'espace de quelques secondes fenner en complet vert un pied levé à cinquante centimètres au-dessus de la chaussée élégantes bottines de caoutchouc s'il existe d'élégantes bottines de caoutchouc son pardessus vert s'ouvre dans le vent comme un avocat menant une croisade à la télé sa tête est légèrement levée et tournée de côté l'homme derrière lui a fait un commentaire et fenner tourne la tête pour écouter l'homme qui a parlé émet une bulle de vapeur blanche ce second homme est vêtu d'un blazer marine et d'un pantalon marron son pardessus est également ouvert et le vent s'y est engouffré le temps s'est suspendu s'est engouffré dans son pardessus en relevant les pans et le troisième homme vient juste de quitter la voiture et les flics sont adossés à leur voiture de patrouille noir et blanc ils se font face sans doute parlent-ils d'un mariage d'une affaire difficile ou de la mauvaise saison de l'équipe locale de foot ou de l'état de leurs couilles et le soleil a percé la grisaille juste de quoi faire étinceler une seule cartouche faisant partie de l'équipement standard du policier ladite cartouche étant passée dans une petite boucle de cuir dont il y a toute une série sur la ceinture dudit policier l'autre flic porte des lunettes noires et le soleil fait un minuscule point de lumière sur le verre de droite et ses lèvres épaisses et sensuelles sont surprises au début d'un sourire voici la photographie)

je vais bientôt y aller mon vieux freddy si tu as quelque chose à me dire en ce moment propice à ce stade des événements oui dit fred tu vas tenir le coup jusqu'à l'arrivée des journalistes pas vrai pour sûr dit george les mots les images le ciné la télé la démolition je sais a pour seul intérêt le fait qu'elle est visible mais freddy as-tu remarqué combien tout cela est solitaire partout dans cette ville et dans le monde entier les gens mangent et chient et baisent et grattent leur eczéma tous les trucs sur lesquels ils écrivent des livres quoi tandis que nous devons faire ceci seul oui j'y ai réfléchi george en fait j'ai essayé de t'en parler si tu t'en souviens et si ça peut te consoler ça semble normal maintenant ça paraît okay parce tu ne peux pas bouger alors tu peux leur donner leur chantier leurs travaux de démolition mais s'il te plaît george ne tue personne pas intentionnellement fred mais tu vois dans quelle situation je me trouve oui je vois je comprends george j'ai peur maintenant j'ai si peur non n'aie pas peur je saurai maîtriser la situation je me contrôle parfaitement

on tourne

20 janvier 1974

« On tourne », dit-il à voix haute et tout se mit à bouger.

Il saisit le fusil, épaula, visa la roue avant droite de la voiture de patrouille et appuya sur la détente.

La crosse heurta douloureusement son épaule et le canon se releva une fois le coup tiré. La baie vitrée du living vola en éclats qui tombèrent à l'extérieur, ne laissant que quelques pointes acérées dans le cadre, flèches impressionnistes. Le pneu creva, ou plutôt explosa avec un bruit assourdissant ; la voiture entière en fut secouée, frémissant sur sa suspension, comme un chien tiré de son sommeil par un coup de pied. L'enjoliveur décrivit un arc de cercle puis roula avec un bruit de boîte de conserve sur la chaussée gelée de Crestallen Street West.

Fenner s'immobilisa et regarda avec incrédulité en direction de la maison, le visage décomposé. Le type en blazer marine laissa tomber son attaché-case. Le troisième avait de meilleurs réflexes, ou peut-être un instinct de survie plus développé. Il pivota sur ses talons et courut se réfugier derrière la limousine verte.

En quelques bonds, les policiers s'étaient eux aussi abrités derrière leur voiture. Un moment plus tard, celui qui portait des lunettes de soleil apparut au-dessus du capot, tenant son revolver de service des deux mains, et tira à trois reprises. Comparé au tonnerre du Weatherbee, les petits claquements secs de l'arme paraissaient inoffensifs. Affalé derrière le fauteuil, il entendit les balles passer au-dessus de lui — on les entendait vraiment, cela faisait zzizzz — puis s'enfoncer dans la cloison de plâtre, au-dessus du sofa. Le bruit qu'elles faisaient en pénétrant dans le plâtre lui rappela celui d'un poing tapant sur un punching-ball. Si je les recevais dans la peau, cela ferait à peu près le même bruit, pensa-t-il.

Le flic aux lunettes de soleil cria en direction de Fenner et de l'homme en blazer marine : « Couchez-vous, nom de Dieu ! A plat ventre ! Il a un obusier ! »

Il leva la tête pour mieux voir ; s'en apercevant, le flic aux lunettes de soleil tira de nouveau à deux reprises. Les balles s'enfoncèrent dans le mur avec un bruit sourd, et la litho préférée de Mary, *Les Homardiers* de Winslow Homer, se décrocha et, après avoir rebondi sur le sofa, aboutit au milieu de la pièce ; le verre se brisa.

Il leva de nouveau la tête pour voir ce qui se passait (il aurait dû penser à s'acheter un périscope !). Si jamais ils essayaient de le prendre de revers — c'était toujours ce que faisaient Richard Widmark et Martin Milner pour s'emparer des positions japonaises, dans les films du samedi soir — il faudrait qu'il essaie d'en descendre un. Mais les flics restaient cachés derrière leur voiture de patrouille, tandis que Fenner et le type en blazer marine couraient vers la voiture verte. L'attaché-case de « blazer marine » était resté sur la chaussée, pareil au cadavre d'un petit animal. Il le visa, grimaçant de douleur avant même que le recul ne lui enfonce la lourde crosse dans l'épaule, et fit feu.

CRRACK ! Eventré, l'attaché-case fut brutalement projeté en l'air, dégorgeant une pluie de papiers que la main invisible du vent éparpilla en tous sens.

Il tira de nouveau, visant cette fois la roue avant droite de la voiture verte. Le pneu explosa. Un des hommes cachés derrière la voiture poussa un cri strident.

Il vit que la portière côté conducteur de la voiture de patrouille était ouverte. Le flic aux lunettes de soleil était à l'intérieur, à moitié allongé sur le siège, et parlait dans son émetteur radio. Les invités n'allaient pas tarder à arriver, et tout cela deviendrait moins personnel : un petit morceau de Dawes pour tous ceux qui en voulaient. Il ressentit un soulagement aussi amer que de l'aloès. Quelle que fût la lugubre maladie qui l'avait conduit jusqu'ici, jusqu'à cette dernière fourche d'un grand arbre, elle n'était plus sa propriété exclusive — finis, les pleurs et les gémissements solitaires. Il avait surgi du placard pour rejoindre le grand courant universel du délire et de la folie. Bientôt, ils pourraient le domestiquer, le réduire à un prudent gros titre :

CESSEZ-LE-FEU FRAGILE MAIS RESPECTÉ
À CRESTALLEN STREET.

Il posa le fusil et traversa le living à quatre pattes, prenant soin de ne pas se blesser aux éclats de verre. Il attrapa le petit coussin et revint à la fenêtre. Le flic n'était plus dans la voiture.

Il prit le Magnum et tira à deux reprises en

direction du capot. Le recul était assez brutal, mais tolérable. Son épaule l'élançait comme une dent cariée.

Un flic (celui qui ne portait pas de lunettes) apparut derrière le coffre de la voiture de patrouille, pistolet en main. Il tira aussitôt deux balles dans la vitre arrière, qui se couvrit d'un fantastique réseau de craquelures avant de s'effondrer. Le flic disparut sans faire usage de son arme.

« Arrêtez le feu ! beugle soudain Fenner. Arrêtez, laissez-moi lui parler !

— Allez-y, dit un des flics.

— *Dawes !* » hurle Fenner sur un ton autoritaire, comme le détective dans la dernière bobine d'un film avec Jimmy Cagney. (Les phares de la police parcourent implacablement la façade du misérable immeuble où s'est réfugié Dawes, dit « Chien Enragé », un automatique .45 fumant dans chaque main. « Chien Enragé » est tapi derrière un fauteuil retourné ; il est vêtu d'un T-shirt très ajusté et un rictus déforme ses traits.) « *Dawes ! Est-ce que vous m'entendez ?* »

(Et « Chien Enragé », l'air provocateur — bien qu'une sueur grasse couvre son front —, répond en hurlant :)

« Venez me chercher, bande de sales flics ! » Il se lève d'un bond et vide le chargeur du Magnum sur la conduite intérieure verte, perforant la carrosserie d'une ligne irrégulière de trous aux bords déchiquetés.

« Jésus ! glapit quelqu'un. Il est devenu fou !

— *Dawes !* crie Fenner.

— Vous ne me prendrez jamais vivant ! hurle-t-il dans un paroxysme de joie féroce. C'est vous, les sales rats qui avez tué mon petit frère ! Je vous enverrai tous en enfer avant que vous ayez ma peau ! »

Il rechargea le Magnum avec des doigts qui tremblaient, puis emplit le magasin du Weatherbee.

« *Dawes !* crie de nouveau Fenner. *Faisons un marché !*

— Tu veux du plomb dans les tripes, petit salopard ! » répond-il à Fenner, mais son regard est fixé sur la voiture de patrouille ; lorsque le flic aux lunettes noires montre sa tête au-dessus du capot, il le décourage aussitôt par deux coups de feu. Une des balles fracasse la fenêtre du salon des Quinn, de l'autre côté de la rue.

« *Dawes !* crie péremptoirement Fenner, en homme conscient de son importance.

— Oh, la ferme ! lui dit un des flics. Vous ne faites que l'encourager. »

Dans le silence qui s'ensuit, l'on commence à entendre des sirènes de police au loin. Il pose le Magnum et prend le fusil. Après ce paroxysme de délire et de joie féroce, il se sent très las ; tous ses muscles lui font mal et en plus il a envie de chier.

Vivement qu'ils arrivent, les gars de la télé, prie-t-il. Vivement qu'ils arrivent avec leurs caméras !

Lorsque la première voiture de police apparut au bout de la rue, en faisant hurler ses pneus dans un dérapage savamment contrôlé, digne de *French Connection,* il était prêt. Il visa soigneusement le radiateur et pressa doucement la détente, comme un vétéran à la Richard Widmark. Le radiateur se désintégra et le capot se releva brutalement. Sans ralentir son élan, la voiture monta sur le trottoir et percuta un arbre à une vingtaine de mètres de la maison. Les portières s'ouvrirent et quatre flics sautèrent dehors, l'arme au poing ; ils paraissaient complètement sonnés. Deux d'entre eux se rentrèrent même dedans. Ensuite, les flics accroupis derrière la première voiture de patrouille (*mes* flics, pensait-il avec un soupçon d'orgueil) ouvrirent le feu et il dut se jeter à plat ventre derrière le fauteuil tandis que les balles traversaient le living en sifflant. Il était onze heures moins dix-sept. Ils n'allaient sans doute pas tarder à encercler la maison.

Il leva la tête pour voir où en était la situation ; aussitôt, une balle frôla son oreille gauche en vrombissant. Deux autres voitures de police arrivaient de l'autre côté de Crestallen Street, sirènes et gyrophares en action. Deux des flics de la voiture accidentée essayaient d'escalader la clôture du jardin des Upslinger. Il épaula et tira trois balles dans leur direction, sans chercher à les toucher, mais uniquement pour les contraindre à regagner l'abri de leur voiture — ce qu'ils firent. Des éclats de bois jaillirent de la palissade de Wilbur Upslinger (couverte de lierre de la fin du printemps à l'automne) ; quelques pieux s'écroulèrent même dans la neige.

Pour bloquer la rue, les deux nouvelles voitures de police s'étaient disposées en V juste en face de la maison de Jack Hobart. Des policiers étaient accroupis dans le creux du V. L'un d'eux parlait dans un walkie-talkie aux flics de la voiture écrasée contre l'arbre. Un moment après, les nouveaux arrivants ouvrirent le feu, et il baissa précipitamment la tête. Leur tir était nourri ; il entendit des balles frapper la façade et la porte ; le miroir de l'entrée vola en éclats diamantins. Une balle perfora le plaid couvrant la télé couleur Zenith ; le tissu voleta brièvement.

Il traversa le living en rampant et se releva

prudemment près de la petite fenêtre qui se trouvait derrière la télé. De là, il avait une bonne vue de la cour des Upslinger. Deux policiers essayaient de nouveau de le prendre de revers. L'un d'eux saignait du nez.

Freddy, il faudra peut-être que j'en tue un pour qu'ils laissent tomber.

S'il te plaît, George, pas ça ! Surtout pas ça !

Il enfonça la vitre avec la crosse du Magnum, et s'entailla la main. Alertés par le bruit, ils se retournèrent et se mirent à tirer dans sa direction. Il riposta et vit deux de ses balles trouer le nouveau revêtement en alu de l'allée de Wilbur (la ville lui avait-elle versé une compensation supplémentaire pour ça ?). Il entendit plusieurs impacts autour de la fenêtre. Une balle s'enfonça en vibrant dans le cadre, faisant éclater le bois et projetant des fragments sur son visage. Il s'attendait à tout moment à être touché. Il aurait été incapable de dire combien de temps dura l'échange de coups de feu. Soudain, un des flics se prit le bras, poussa un cri et laissa tomber son arme, pareil à un gosse qui en a assez d'un jeu stupide. Il se mit à tourner en rond, comme s'il avait perdu le sens de l'orientation. Son partenaire le prit par la taille et ils regagnèrent en courant la voiture de patrouille accidentée.

A quatre pattes, il alla jeter un coup d'œil du côté de la rue. Deux nouvelles voitures arrivaient, une de chaque côté. Elles s'arrêtèrent de part et d'autre de la maison des Quinn. Huit policiers en sortirent et coururent se mettre en position derrière la voiture de patrouille au pneu crevé et la berline verte.

Il rampa ensuite jusqu'à l'entrée. Les tirs avaient redoublé. S'il montait à l'étage, cela lui donnerait un meilleur angle ; peut-être pourrait-il même les contraindre à se réfugier dans les maisons d'en face. Mais il n'osait pas trop s'éloigner de la batterie. Sans oublier que les gens de la télé pouvaient arriver d'un moment à l'autre.

La porte était criblée de balles ; en de nombreux endroits, la peinture marron s'était écaillée, révélant le bois nu. Il rampa jusqu'à la cuisine. Toutes les fenêtres étaient brisées. Le linoléum était jonché d'éclats de verre. Une balle avait dû tout juste frôler la cafetière, qui n'était pas cassée, mais simplement retournée, dégorgeant une mare de liquide épais et noirâtre. Il resta un moment accroupi sous la fenêtre, puis se leva d'un bond et vida le chargeur du Magnum sur les voitures disposées en V. Aussitôt, les policiers dirigèrent leur tir sur la cuisine. Deux trous apparurent dans l'émail blanc du réfrigérateur. Une balle frappa la bouteille de Southern Comfort posée sur le buffet ; elle explosa, répandant une pluie de verre et d'hospitalité du Sud.

En regagnant le living, il sentit comme une piqûre de guêpe dans la partie charnue de sa cuisse droite, juste au-dessous des fesses. Par réflexe, il y porta la main ; lorsqu'il la retira, ses doigts étaient ensanglantés.

Allongé derrière le fauteuil, il rechargea le Magnum. Et le Weatherbee. Hasarda un coup d'œil et baissa aussitôt la tête, fermant instinctivement les yeux sous le déluge de feu qui criblait de balles le mur du fond, le sofa et la télé, faisant frémir le plaid. Il se redressa le temps de tirer sur les voitures de police garées en face. Brisa une des vitres. Et aperçut...

Au bout de la rue, une station-wagon blanche et une camionnette Ford également blanche, portant toutes deux en lettres bleues l'inscription :

INFOS-MUSIQUE WHLM
LA 9ᵉ CHAÎNE

Haletant, il retourna à la fenêtre donnant sur le jardin des Upslinger. Les voitures de la télé approchaient, roulant très lentement. Soudain, une autre voiture de police apparut et les dépassa à toute allure, puis se mit en travers de la rue. Un bras vêtu de bleu surgit de la vitre arrière et fit signe aux journalistes de s'éloigner.

Une balle rebondit sur l'appui de la fenêtre et alla se ficher dans le plafond, faisant tomber une pluie de plâtre.

Il regagna une fois de plus le fauteuil, tenant toujours le Magnum dans sa main droite ensanglantée, et cria à tue-tête : « *Fenner !* »

Les tirs se calmèrent un peu.

« *Fenner !*

— *Arrêtez de tirer !* cria Fenner. *Arrêtez ! Une minute !* »

Quelques coups de feu isolés, puis le silence.

« *Qu'est-ce que vous voulez ?*

— *Les journalistes ! Je veux leur parler !* »

Il y eut un long silence.

« *Non !* cria Fenner.

— *J'arrête de tirer si on m'autorise à leur parler !* »

Cela, au moins, c'était vrai, pensa-t-il en regardant songeusement la batterie.

« *Non !* » cria de nouveau Fenner.

Le salaud, pensa-t-il avec un sentiment d'impuissance. Qu'est-ce que ça peut bien leur foutre, à lui ou à Ordner et à tous ces salopards de bureaucrates ?

Les tirs reprenaient, de plus en plus nourris,

lorsque soudain, miraculeusement, un homme en grosse chemise à carreaux et blue-jeans arriva en courant sur le trottoir. Il tenait une petite caméra à la main.

« J'ai tout entendu ! se mit à crier l'homme à la caméra. Tout ! Vous ne perdez rien pour attendre ! Il a proposé de cesser le feu et vous... »

Un policier se précipita sur lui et le plaqua brutalement au sol. La caméra roula dans le caniveau ; l'instant suivant, trois balles l'éventrèrent, projetant en tous sens des pièces étincelantes ; la pellicule vierge commença lentement à se dérouler, comme un ressort d'horloge. Il eut l'impression que les tirs devenaient plus hésitants.

« *Fenner, laissez-les amener leur matériel !* » rugit-il. Ses cordes vocales étaient à vif. Comme ses nerfs, comme tout son corps. Il avait mal à la main et une douleur sourde commençait à irradier de sa cuisse.

« *Sortez d'abord !* répondit Fenner. *Nous écouterons votre point de vue, je vous le promets !* »

Ce mensonge manifeste l'emplit d'une rage aveugle, couleur de sang. « BON DIEU DE MERDE SI ÇA CONTINUE JE VAIS TIRER SUR LES RÉSERVOIRS D'ESSENCE AVEC MON GROS CALIBRE ! TU VERRAS SI ÇA FAIT UN BEAU BARBECUE ! »

Cette explosion verbale les réduisit tous au silence. Au bout d'un moment, Fenner demanda prudemment : « *Que voulez-vous ?*

— *Envoyez-moi ce gars que le flic a plaqué au sol ! Et faites venir l'équipe avec les caméras !*

— *Pas question. On ne va pas vous donner un otage !* »

Un flic courut vers la berline verte et disparut derrière celle-ci. Peu après, une nouvelle voix intervint :

« *Il y a trente hommes armés derrière la maison. Si vous ne vous rendez pas, je leur donne l'ordre d'attaquer.* »

Le moment était manifestement venu d'abattre son unique et piètre atout. « *Je ne vous le conseille pas. La maison est bourrée d'explosifs. Regardez !* »

Il leva le câble rouge en montrant la fiche crocodile.

« *Vous bluffez !* répondit la voix avec assurance.

— *Si je l'approche de la batterie qui est à côté de moi, tout saute !* »

Silence. Nouveaux conciliabules.

« Arrêtez ce type ! » cria soudain une autre voix.

Il se mit sur le côté de la fenêtre et risqua un œil. L'homme en jeans et chemise à carreaux était au beau milieu de la rue, à découvert — soit héroïquement sûr de la protection que lui assurait sa profession, soit carrément fou. Il avait une fine moustache et de longs cheveux noirs qui tombaient presque sur le col de sa chemise.

Des flics surgirent de derrière les voitures disposées en V et commencèrent à charger. Un coup de feu par-dessus leurs têtes les fit changer d'avis.

« Bon Dieu quel merdier ! » s'exclama une voix dégoûtée.

L'homme en chemise à carreaux traversait maintenant la pelouse, soulevant des gerbes de neige à chaque foulée.

Un sifflement passa près de son oreille, suivi par un claquement sec, et il se remit à plat ventre. Il entendit la poignée de la porte s'abaisser à plusieurs reprises, puis un poing marteler le bois.

Il se traîna vers l'entrée, sur la moquette couverte de débris de verre et de plâtras. Sa jambe droite commençait à lui faire terriblement mal. Il vit que son pantalon était imbibé de sang du haut de la cuisse au genou. Il se redressa péniblement et ouvrit le verrou.

« C'est bon ! » dit-il. L'homme en chemise à carreaux entra précipitamment.

Il haletait, mais ne semblait pas avoir peur. Il avait une joue éraflée, et une des manches de sa chemise était déchirée.

Après avoir refermé la porte, il retourna au living, prit le Weatherbee, tira deux coups à l'aveuglette par-dessus le fauteuil, puis se retourna. L'homme en chemise à carreaux se tenait dans l'encadrement de la porte. Il avait sorti un bloc-notes de la poche-revolver de son jean, et paraissait incroyablement calme. « Alors, mon gars. Qu'est-ce qui se passe, au juste ?

— Comment vous appelez-vous ?

— Dave Albert.

— Vous avez d'autres caméras dans la camionnette ?

— Oui.

— Allez à la fenêtre. Dites à la police d'autoriser votre équipe à installer son matériel sur la pelouse des Quinn. C'est la maison d'en face. Dites-leur que si ce n'est pas fait dans cinq minutes, vous aurez de sérieux ennuis.

— Moi ?

— Mais oui. »

Albert eut un bref éclat de rire. « Vous n'avez vraiment pas une tête à tuer quelqu'un, mon ami.

— Dites-leur. »

Albert se dirigea vers la fenêtre et fit face à la rue, manifestement ravi de jouer ce rôle.

« *Il veut que mes gars installent leurs caméras*

en face ! cria-t-il. *Il dit qu'il me tuera si vous ne les y autorisez pas !*

— *Non !* rugit Fenner avec fureur. *Non, non, n...* »

Quelqu'un le réduisit au silence.

« *D'accord !* » C'était la voix qui l'avait accusé de bluffer au sujet des explosifs. « *Est-ce que deux de mes hommes peuvent aller les chercher ?* »

Il réfléchit un moment à cette proposition, puis fit un signe de tête affirmatif au journaliste.

« *Oui !* » annonça Albert.

Une nouvelle pause, puis deux policiers en uniforme se dirigèrent d'un pas pressé vers la camionnette de la 9e Chaîne, dont le moteur tournait au ralenti. Dans l'intervalle, deux nouvelles voitures de patrouille étaient arrivées. En regardant de biais vers la droite, il vit que de ce côté-là, Crestallen Street West avait été bloquée. Derrière les barrières, une foule assez nombreuse s'était assemblée.

« Ouf ! fit Albert en s'asseyant. Cela nous donne une minute de tranquillité. Alors, qu'est-ce que vous voulez ? Un avion ?

— Un avion ? » répéta-t-il stupidement.

Sans lâcher son bloc-notes, Albert agita les bras comme des ailes. « Pour vous envoler, mon vieux. Loin, loin...

— Ah. » Il hocha la tête pour montrer qu'il comprenait. « Non, je ne veux pas d'avion.

— Que voulez-vous, alors ?

— Je veux, dit-il lentement, en choisissant ses mots, je veux avoir de nouveau vingt ans, et tout recommencer. » Voyant que le regard d'Albert avait changé, il ajouta : « Je sais bien que c'est impossible. Je ne suis pas fou à ce point-là.

— Vous êtes bourré.

— Oui.

— Et ça ? » Il montra la batterie et les fils. « C'est vraiment ce que vous dites ?

— Oui. Le fil est relié à des charges d'explosif. Il y en a dans toutes les pièces de la maison. Et dans le garage.

— Comment vous êtes-vous procuré les explosifs ? » La voix d'Albert était amicale, mais son regard restait vigilant.

« Je les ai trouvés dans mes sabots de Noël.

— Pas mal ! s'esclaffa Albert. Je l'utiliserai dans mon reportage.

— Si ça vous amuse. Quand vous sortirez, dites aux flics qu'ils ont intérêt à s'éloigner.

— Vous allez vraiment vous faire sauter ? demanda Albert. Ses traits n'exprimaient rien de plus que de la curiosité.

— J'y pense sérieusement.

— Si vous voulez mon avis, vous avez dû voir trop de mauvais films.

— Je ne vais plus guère au cinéma. J'ai tout de même vu *L'Exorciste* — et je le regrette. Que foutent vos gars ? »

Albert jeta un coup d'œil par la fenêtre. « C'est bon. Dans une minute, ils devraient être prêts. Vous vous appelez Dawes ?

— Les flics vous l'ont dit ? »

Albert ricana. « Eux ? Ils me diraient même pas si j'ai le cancer. Je l'ai lu sous la sonnette. J'aimerais tout de même que vous me disiez pourquoi vous faites tout ça, si cela ne vous ennuie pas ?

— Pas du tout. C'est à cause des travaux.

— L'extension de l'autoroute ? » Le regard d'Albert se fit plus brillant, et il griffonna quelques notes.

« Exactement.

— Ils vont démolir votre maison ?

— Ils voudraient. Mais je préfère m'en charger moi-même. »

Albert nota sa réponse, puis referma son bloc-notes avec un claquement sec. « Sans vouloir vous blesser, M. Dawes, je pense que c'est totalement stupide. Quand je sortirai, venez plutôt avec moi. Je vous assure que ce serait préférable.

— Vous avez déjà un scoop, dit-il avec lassitude. Ça ne vous suffit pas ? Il vous faut le prix Pulitzer, peut-être ?

— Je ne le refuserais pas si on me l'offrait », dit Albert avec un large sourire. Redevenant sérieux, il ajouta : « Allons, M. Dawes. Venez avec moi. Je vous promets que vous aurez droit à la parole. Je ne suis pas de leur camp, vous savez. Je m'engage à...

— Il n'y a pas de camp. »

Albert fronça les sourcils. « Vous disiez ?

— Je n'ai pas de camp. C'est pour cela que j'agis ainsi. » Il jeta un coup d'œil par-dessus le fauteuil et se trouva face à un grand télé-objectif monté sur un trépied planté dans la pelouse enneigée des Quinn. « Allez-y, maintenant. Et dites-leur de s'éloigner.

— Vous allez vraiment tout faire sauter ?

— Je n'en sais vraiment rien. »

Arrivé à la porte séparant le living de l'entrée, Albert se retourna : « Nous ne nous sommes pas déjà vus quelque part ? C'est curieux, mais j'ai l'impression de vous connaître. »

Il secoua la tête, persuadé de ne jamais avoir rencontré Albert auparavant.

En regardant le journaliste retraverser sa pelouse, légèrement tourné de travers pour présenter son meilleur profil à la caméra, il se demanda ce que faisait Olivia en ce moment précis.

Il attendit quinze minutes. Les tirs s'étaient intensifiés, mais ils n'avaient pas tenté de prendre la maison d'assaut. Apparemment, ils tiraient surtout pour couvrir leur retraite vers les maisons situées de l'autre côté de la rue. L'équipe de prise de vues resta encore un bon moment sur place, filmant impassiblement la façade de la maison et les alentours, puis la camionnette blanche arriva sur la pelouse des Quinn. L'opérateur déplaça la caméra pour la mettre derrière la camionnette et se remit à filmer.

Un objet noir et allongé traversa l'air en sifflant, et atterrit à mi-chemin environ entre la maison et le trottoir ; l'objet se mit à vomir de la fumée, dont le vent emporta des lambeaux déchiquetés vers la droite. Une seconde grenade tomba elle aussi assez loin, puis il en entendit une rebondir sur le toit ; celle-là retomba dans la neige couvrant les bégonias de Mary, lui envoyant au passage une bouffée de fumée. Son nez et ses yeux s'emplirent de larmes de crocodile.

Il traversa une fois de plus le living à quatre pattes, se demandant avec angoisse s'il n'avait rien dit à ce journaliste, à cet Albert, qui pût être interprété comme une remarque profonde. Non, il n'était pas possible de tirer son épingle du jeu en ce monde. Prenez Johnny Walker, tué dans une stupide collision. Et pour quoi était-il mort ? Pour que les draps soient livrés à l'heure ? Ou la femme du supermarché. On se fait toujours plus baiser qu'on n'arrive à jouir.

Il alluma la chaîne. Elle marchait toujours. Le disque des Rolling Stones était resté sur la platine. Il mit la dernière plage. Il dut s'y prendre à deux reprises, car l'impact brutal d'une balle sur la télé couverte du plaid avait fait dévier le saphir.

Tandis que les dernières mesures de *Monkey Man* s'évanouissaient, il regagna prestement le fauteuil et lança le fusil par la fenêtre. Ensuite, il prit le Magnum et le jeta également dehors. Adieu, Nick Adams.

« *You can't always get what you want* », chantait la stéréo, et il savait que c'était vrai — on ne peut pas toujours obtenir ce que l'on désire. Ce qui vous empêche pas de continuer à le désirer. Une grenade lacrymogène décrivit un arc de cercle au-dessus de la pelouse, entra par la fenêtre, frappa le mur au-dessus du sofa, et explosa en vomissant de la fumée blanche.

> « *But if you try something, you might find,*
> *You get what you need.* »

... Mais si vous essayez quelque chose, vous trouverez peut-être ce qu'il vous faut. Voyons voir ça, Fred. Il saisit la fiche-crocodile du câble rouge. Voyons si c'est ce qu'il me faut.

« Okay », murmura-t-il, en appliquant d'un geste brusque la fiche du câble rouge sur le pôle négatif de la batterie.

Il ferma les yeux. Sa dernière pensée fut que le monde explosait, non pas autour de lui, mais à l'intérieur de lui, et que, tout en étant cataclysmique, l'explosion n'était pas plus grosse que, mettons, une belle noix.

Puis le blanc.

Épilogue

L'équipe de WHLM obtint le prix Pulitzer pour sa couverture de ce qu'elle avait baptisé « Le Dernier Combat de George Dawes » et pour un documentaire d'une demi-heure présenté trois semaines plus tard. Le documentaire était intitulé « Chantier », et traitait de la nécessité — ou de l'inutilité — de l'extension de l'autoroute 784. Le téléspectateur y apprenait notamment qu'une des raisons de la construction de cette voie de raccordement n'avait aucun rapport avec les besoins de la circulation, le confort de l'usager ou une quelconque considération concrète. Tout simplement, la ville devait construire chaque année un minimum de kilomètres de routes sous peine de perdre d'importantes subventions. Par conséquent, la ville avait décidé de construire. Les auteurs de l'émission révélaient également que la ville avait discrètement entamé une action en justice contre la veuve de Barton George Dawes pour récupérer tout ou partie des sommes versées suite à l'expropriation. Cette révélation souleva un tel tollé que la ville abandonna les poursuites.

Les photos du siège et de l'explosion de la maison furent reprises par les agences de presse et parurent dans les principaux journaux du pays. A Las Vegas, une jeune fille qui venait de s'inscrire dans une école de commerce vit les photos au restaurant où elle déjeunait et s'évanouit.

En dépit des images et des mots, les travaux continuèrent et la nouvelle autoroute fut terminée dix-huit mois plus tard, en avance sur le calendrier. La plupart des habitants de la ville avaient oublié l'émission « Chantier », et les journalistes locaux, y compris le prix Pulitzer, David Albert, avaient d'autres sujets à traiter, d'autres croisades à mener. Mais la grande majorité de ceux qui avaient suivi l'émission originale, au journal du soir, ne l'avait pas oubliée, même si les circonstances exactes qui l'entouraient n'étaient plus qu'un lointain souvenir.

L'on y voyait une maison de banlieue style ranch, peinte en blanc ; sur la droite, une allée asphaltée menait à un petit garage. Une maison plutôt jolie, mais parfaitement ordinaire. Pas le genre de demeure que les promeneurs du dimanche s'arrêtent pour admirer. Dans le reportage télévisé, la baie vitrée du rez-de-chaussée est fracassée. Deux armes — un fusil et un pistolet — sont jetées par la fenêtre et atterrissent sur la neige. L'espace d'une seconde, l'on aperçoit la main qui les a lancées ; les doigts levés paraissent sans énergie, comme ceux d'un homme qui se noie. Des lambeaux de fumée blanche entourent la maison — sans doute des gaz lacrymogènes. Soudain, la maison vomit une énorme flamme orange, et les murs sont soufflés vers l'extérieur, devenant d'une impossible convexité, comme dans un dessin animé ; on entend une violente déflagration et la caméra tremble un peu, comme prise de peur. Du coin de l'œil, le téléspectateur attentif a pu voir qu'au même moment le garage a été éventré par une unique explosion. Une fraction de seconde durant, on a l'impression (impression confirmée lorsque les images sont projetées au ralenti) que le toit entier de la maison se soulève comme une fusée Saturne sur le point de décoller. Puis, la maison explose, projetant dans toutes les directions des tuiles, des poutres qui décrivent un arc de cercle avant de rebondir lourdement sur le sol gelé ; tandis que les débris retombent avec un fracas incessant, une couverture, une sorte de plaid, continue à voleter paresseusement, comme un tapis magique.

Et c'est le silence.

Ensuite, le visage bouleversé et en larmes de Mary Dawes emplit l'écran ; elle fixe avec une stupéfaction incrédule et horrifiée la forêt de microphones tendus vers elle — ce qui nous ramène, sains et saufs, aux simples réalités humaines.

POLAR

Cette collection présente tous les genres du roman criminel : le policier classique avec des auteurs tels que Ellery Queen, Boileau-Narcejac, le roman noir avec Raymond Chandler, Ed McBain et les œuvres de suspense illustrées par Stephen King ou Tony Kenrick. C'est un panaroma complet du roman criminel qui est ainsi proposé aux lecteurs de J'ai lu.

BOILEAU-NARCEJAC	***Les victimes*** 1429/**2**
	Maldonne 1598/**2**
BLOCH R. & NORTON A.	***L'héritage du Dr Jekyll*** 3329/**4** Inédit (Novembre 92)
BROWN Fredric	***La nuit du Jabberwock*** 625/**3**
CHANDLER Raymond	***Playback*** 2370/**3**
COGAN Mick	***Black Rain*** 2661/**3** Inédit
CONSTANTINE K.C.	***L'homme qui aimait se regarder*** 3073/**4**
DePALMA Brian	***Pulsions*** 1198/**3**
GALLAGHER Stephen	***Du fond des eaux*** 3050/**6** Inédit
GARBO Norman	***L'Apôtre*** 2921/**7**
GARDNER Erle Stanley	Perry Mason :
	- L'avocat du diable 2073/**3**
	- La danseuse à l'éventail 1688/**3**
	- La jeune fille boudeuse 1459/**3**
	- Le canari boiteux 1632/**3**
GARTON Ray	***Piège pour femmes*** 3223/**5** Inédit
GRADY James	***Steeltown*** 3164/**6** Inédit
HUTIN Patrick	***Amants de guerre*** 3310/**9**
KENRICK Tony	***Shanghaï surprise*** 2106/**3**
	Les néons de Hong-kong 2706/**5** Inédit
KING Stephen	***Running Man*** 2694/**3**
	Chantier 2974/**6**
	Marche ou crève 3203/**5**
LASAYGUES Frédéric	***Back to la zone*** 3241/**3** Inédit
LEPAGE Frédéric	***La fin du 7e jour*** 2562/**5**
McBAIN Ed	***Le chat botté*** 2891/**4** Inédit
MAXIM John R.	***Les tueurs Bannerman*** 3273/**8**
NAHA Ed	***Dead-Bang*** 2635/**3** Inédit
	Robocop 2 2931/**3** Inédit
NICOLAS Philippe	***Le printemps d'Alex Zadkine*** 3096/**5**
PARKER Jefferson	***Pacific Tempo*** 3261/**6** Inédit
PEARSON Ridley	***Le sang de l'albatros*** 2782/**5** Inédit
	Courants meurtriers 2939/**6** Inédit
PÉRISSET Maurice	***Le banc des veuves*** 2666/**3**
QUEEN Ellery	***La ville maudite*** 1445/**3**
	Et le huitième jour 1560/**3**
	La Décade prodigieuse 1646/**3**
	Face à face 2779/**3**
	Le cas de l'inspecteur Queen 3023/**3**
	La mort à cheval 3130/**3**
	Le mystère de la rapière 3184/**3**
	Le mystère du soulier blanc 3349/**4** (Décembre 92)

SADOUL Jacques	**L'Héritage Greenwood** 1529/**3**
	L'inconnue de Las Vegas 1753/**3**
	Trois morts au soleil 2323/**3**
	Le mort et l'astrologue 2797/**3**
	Doctor Jazz 3008/**3**
	Yerba Buena 3292/**4** Inédit
SCHALLINGHER Sophie	**L'amour venin** 3148/**5**
SPILLANE Mickey	**En quatrième vitesse** 1798/**3**
TORRES Edwin	**Contre-enquête** 2933/**3** Inédit
WILTSE David	**Le cinquième ange** 2876/**4**

Science-fiction

Depuis 1970, cette collection est leader du genre en France. Tous les grands de la S-F sont présents : Asimov, Van Vogt, Clarke, Dick, Vance, Simak mais également de jeunes auteurs qui seront les écrivains de premier plan de demain : Tim Powers, David Brin... Elle publie aujourd'hui des titres Fantasy, genre en plein redéploiement aux Etats-Unis.

ANDERSON Poul	**La patrouille du temps** 1409/**3**
ASIMOV Isaac	**Les cavernes d'acier** 404/**4**
	Les robots 453/**3**
	Face aux feux du soleil 468/**3**
	Un défilé de robots 542/**3**
	Les robots de l'aube 1602/**3** & 1603/**3** Inédit
	Le voyage fantastique 1635/**3**
	Les robots et l'empire 1996/**4** & 1997/**4** Inédit
	Espace vital 2055/**3**
	Asimov parallèle 2277/**4** Inédit
	Le robot qui rêvait 2388/**6** Inédit
	La cité des robots 2573/**6** Inédit
	Cyborg (La cité des robots 2) 2875/**6**
	Refuge (La cité des robots 3) 2975/**6**
	Le renégat (Robots et extra-terrestres) 3094/**6** Inédit
	L'intrus (Robots et extra-terrestres) 3185/**6** Inédit
	Humanité (Robots et extra-terrestres) 3290/**6** Inédit
BALLARD J.G.	**La forêt de cristal** 2652/**3**
	Le monde englouti 2667/**3**
	La plage ultime 2859/**3**
	La région du désastre 2953/**3** Inédit
BLAYLOCK James	**Homunculus** 3052/**4** Inédit

Achevé d'imprimer en Europe (France)
par Brodard et Taupin à la Flèche (Sarthe)
le 2 octobre 1992. 1691G-5
Dépôt légal octobre 1992. ISBN 2-277-22974-1
1er dépôt légal dans la collection : fév. 1991
Éditions J'ai lu
27, rue Cassette, 75006 Paris
Diffusion France et étranger : Flammarion